고등 수학의 **첫 걸음**

풍산자

수학(하)

쉽고 정확한 개념 학습은 **자신감**으로

개념-문제 연계 학습은 **실력**으로 쌓이는 **풍산자**입니다.

시작은 그 일의 가장 중요한 부분이다.

- 플라톤 -

읽으면서 이해하는 **개념 학습 비법서**

풍산자

교재 활용 로드맵

문제와 유기적으로
개념을 익히는
예제와 유제 및 풍산자 비법

개념 확인 및 응용을
익힐 수 있는
필수 확인 문제

풍산자식으로
핵심 내용을 정리한
중단원 마무리

실전형 문제를
2단계로 제시한
실전 연습문제

주제별 짧은 흐름으로
이해하기 쉬운
명쾌하고 간결한 개념 설명

주제별 개념 정리와 명쾌한 추가 설명
풍산자만의 명료하고 유쾌한 개념 설명과
짜임새 있는 해설

개념 이해를 위해 엄선된 예제와 유제
문제 해결의 핵심을 개념과 문제를 연결하여
짚어주는 풍산자 曰, 풍산자 비법

개념 확인과 응용 연습에 최적인 엄선된 문제
개념 확인과 응용, 시험 대비에 꼭 필요한
필수 확인 문제, 실전 연습문제

풍산자

수학(하)

머리말

수학 공부는 어떻게 해야 할까요?

먼저 개념을 익혀야 합니다.

개념 학습은 문제와 융합된 형태로 이루어져야 합니다.

풍산자는 개념과 문제를 유기적으로 결합하여
개념 공부가 문제 공부이고 문제 공부가 개념 공부인
시스템을 지향하며 만들었습니다.

개념과 문제를 하나의 흐름으로 공부하되
직관적인 그림과 비유를 통한 구어체 설명으로
개념은 좀 더 쉽고 빠르게 익히고,
문제 풀이는 단계별로 짧게 구성하여
어려운 문제도 명쾌하게 이해할 수 있도록 하였습니다.

골치 아픈 수학이지만 풍산자로 공부하면서
때로는 소설책을 읽는 듯한 재미와 통쾌함도 느끼고
고향 같은 푸근함도 느끼면서 수학의 기초를 든든하게
닦을 수 있기를 바랍니다.

풍산자수학연구소

구성과 특징

풍산자만의 매력

1

학습자의 눈높이에 맞는 개념서

개념 설명이 아무리 자세하더라도 여러분의 눈높이에 맞지 않다면 아무 소용이 없습니다. 풍산자는 궁금해 하는 부분만을 바로 옆에서 콕콕 짚어 설명해 주는 과외 선생님같은 개념서입니다.

2

지루하지 않고 재미있는 개념서

딱딱하고 어려운 용어 때문에 수학이 지루하고 재미없게 느껴졌나요? 풍산자 특유의 유쾌하고 명쾌한 설명으로 지루할 틈 없이 수학을 쉽고 재미있게 공부할 수 있습니다.

3

짧은 호흡으로 간결하게 읽는 개념서

많은 양의 개념을 한 번에 읽고 문제를 풀려면 그 개념을 문제에 어떻게 적용해야 할지 몰라 어렵게 느껴집니다. 풍산자는 개념 설명을 읽고 그 개념을 바로 문제에 적용하도록 구성하여 짧은 호흡으로 공부할 수 있습니다.

미니 단원

개념을 주제별로 나누어 짧은 호흡으로 익힐 수 있도록 구성하였습니다.

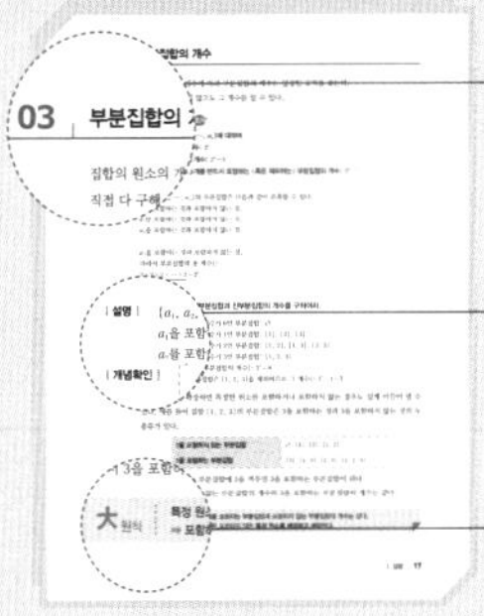

- **개념 설명** 군살을 쏙 빼 명료하고 간결하게 설명하였습니다.
- **설명, 증명, 참고, 개념확인** 개념의 원리를 쉽게 이해할 수 있도록 도와 줍니다.
- **大원칙** 개념의 핵심이 되는 한마디를 콕 짚어 줍니다.

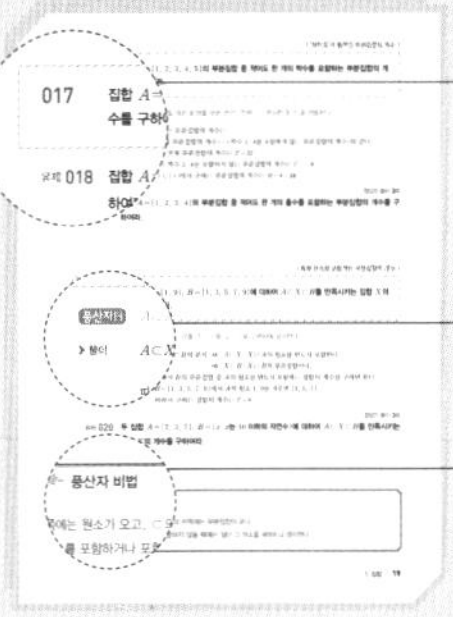

- **예제와 유제** 개념 이해에 꼭 필요한 문제들만 엄선하였습니다.
- **풍산자日** 문제를 풀기 위해 알아야 할 핵심 개념을 알려 줍니다.
- **풍산자 비법** 학습의 흐름에 따라 내용을 정리합니다.

필수 확인 문제

개념의 확인과 응용을 위해 스스로 풀어 볼 문제를 수록하였습니다.

- 더 많은 유형의 문제를 풀어 볼 수 있도록 풍산자필수유형의 관련 쪽수를 안내하였습니다.

중단원 마무리

단원별 핵심 내용을 한눈에 살펴볼 수 있도록 세 개의 표로 정리하였습니다.

실전 연습문제

실전에 꼭 필요한 문제들을 2단계로 나누어 수록하였습니다.

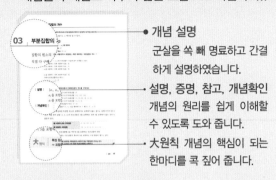

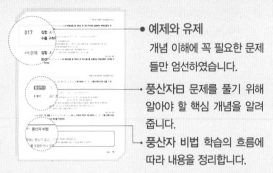

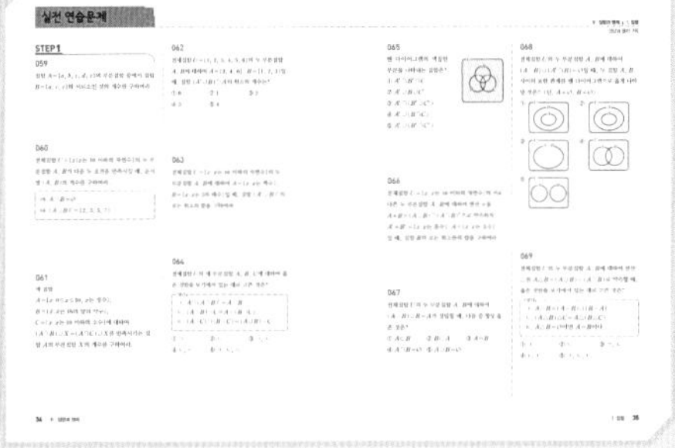

차례

IV 집합과 명제

CONTENTS

수학(상)은 별도 판매합니다

V 함수와 그래프

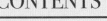

CONTENTS

VI 경우의 수

1 경우의 수

IV

집합과 명제

1 집합

2 명제

추상적인 생각을
수학적 언어로 바꿔 주는 집합

수학은 인류 문명의 시작부터 함께해 왔다.
수학사에서 일어난 거대한 혁명은 세 가지.
첫째는 무리수의 발견. - 피타고라스
둘째는 미적분학의 발견. - 뉴턴과 라이프니츠
셋째는 지금부터 배울 집합론의 탄생. - 칸토어
집합론은 현대의 모든 수학을 통일하고 그 지배자로 군림한다.
현대의 모든 수학은 집합에서 시작해 집합으로 흘러 들어간다.

수학에서뿐만 아니라 일상생활에서도
체계적으로 생각하려면 집합과 명제가 꼭 필요하다.
우리는 이미 친구들의 연락처를 분류하여 저장하거나
음식의 종류를 한식, 일식, 중식 등으로 구분지을 때
집합과 명제에서 배우는 개념들을 사용하고 있다.

이처럼 집합과 명제는 모호한 개념을 명확히 정의하고
개념 간의 관계를 해석하는 중요한 학문이다.

1 집합

기준에 따라 여러 가지로 모임을 만들 수 있다.
모임마다 기준은 다르지만
그 모임들을 같은 눈으로 바라보게 해 주는 것이 바로 집합이다.

1 집합과 부분집합

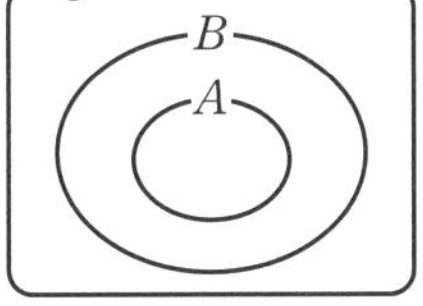

2 집합의 연산

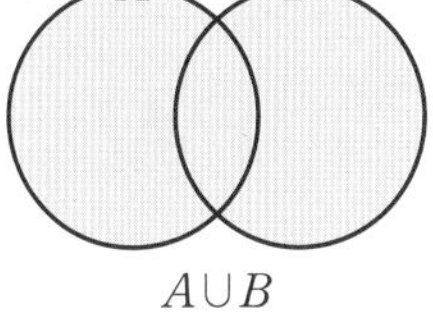

1 집합과 부분집합

01 집합과 원소

큰 수의 모임은 그 대상이 불분명하다. 하지만 100보다 큰 수의 모임은 그 기준이 분명하다. 이와 같이 모임의 기준이 확정되어 있으며 그 대상을 명확하게 구분할 수 있는 모임을 **집합**이라 하고, 집합의 알갱이를 **원소**라 한다.

명확한 기준에 의해 어떤 모임을 만들었으나 그 안에 속한 알갱이가 하나도 없을 수도 있다. 이러한 집합을 **공집합**이라 하며 $\varnothing$으로 나타낸다.

집합과 원소

(1) 집합: 어떤 조건에 의해 그 대상을 정확히 알 수 있는 것들의 모임

(2) 원소: 집합을 구성하고 있는 대상 하나하나

집합과 원소의 관계

(1) a가 집합 A의 원소일 때, a는 A에 속한다고 하며 $\boldsymbol{a \in A}$로 나타낸다.

(2) b가 집합 A의 원소가 아닐 때, b는 A에 속하지 않는다고 하며 $\boldsymbol{b \notin A}$로 나타낸다.

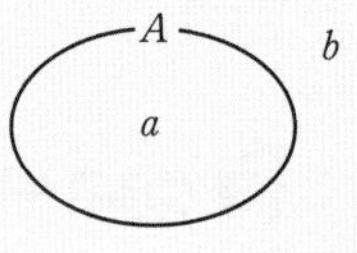

| 설명 | 원소가 집합에 속한다는 것을 나타내는 기호 $\in$는 원소(Element)의 첫 글자 E의 모양을 따서 만들어졌다.

집합을 원소의 개수에 따라 유한집합과 무한집합으로 분류하기도 한다. 공집합과 원소의 개수가 유한한 집합을 통틀어서 유한집합이라 하고, '자연수 전체의 집합'처럼 무수히 많은 원소를 갖는 집합을 무한집합이라 한다.

집합을 나타내는 방법은 다양하다.

4 이하의 자연수의 집합을 A라 하면 다음과 같이 나타낼 수 있다.

원소나열법	집합 기호 { } 안에 모든 원소를 나열	$A=\{1, 2, 3, 4\}$
조건제시법	$\{x \mid x$의 조건$\}$의 형태로 원소가 될 조건을 제시	$A=\{x \mid x \le 4$, x는 자연수$\}$
벤 다이어그램	그림 안에 원소를 나열	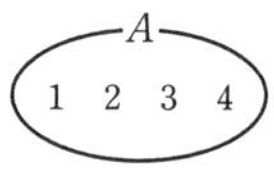

원소나열법은 원소를 하나하나 확인할 수 있고, 조건제시법은 원소의 성질을 파악하기에 좋다. 벤 다이어그램은 집합 사이의 포함 관계를 한 눈에 알 수 있다.

001 다음 보기에서 집합이 아닌 것의 개수를 m, 공집합인 것의 개수를 n이라 할 때, $m-n$의 값을 구하여라.

보기

ㄱ. 착한 학생의 모임
ㄴ. $x^2=2$를 만족시키는 유리수의 모임
ㄷ. 1보다 작은 자연수의 모임
ㄹ. 소수이면서 짝수인 자연수의 모임

풍산자日 객관적이고 명확한 기준을 가지고 있으면 집합이다.
집합이지만 원소가 하나도 없으면 공집합이다.

> 풀이 ㄱ은 집합이 아니다. '착한'의 기준이 확실하지 않다.
ㄴ은 공집합이다. $x^2=2$를 만족시키는 수는 $x=\pm\sqrt{2}$인데 이것은 무리수이다.
ㄷ도 공집합이다. 1보다 작은 자연수는 없다.
ㄹ은 집합이다. 소수이면서 짝수인 자연수는 2이므로 $\{2\}$이다.
따라서 집합이 아닌 것은 ㄱ으로 1개이고, 공집합인 것은 ㄴ, ㄷ으로 2개이다.
$\therefore\ m=1,\ n=2 \quad \therefore\ m-n=1-2=\mathbf{-1}$

정답과 풀이 2쪽

유제 **002** 집합이 아닌 것만을 보기에서 있는 대로 골라라.

보기

ㄱ. 예쁜 학생의 모임
ㄴ. $1<x<2$를 만족시키는 자연수의 모임
ㄷ. $x^2=-1$을 만족시키는 실수의 모임
ㄹ. 빨간 수박의 모임

003 12의 양의 약수의 집합을 A라 할 때, 다음 중 옳지 않은 것은?

① $1\in A$ ② $2\in A$ ③ $3\notin A$ ④ $4\in A$ ⑤ $5\notin A$

풍산자日 집합 A의 원소를 원소나열법으로 표현해 본다.

> 풀이 12의 양의 약수는 1, 2, 3, 4, 6, 12이므로 $A=\{1, 2, 3, 4, 6, 12\}$
$\therefore\ 1\in A,\ 2\in A,\ 3\in A,\ 4\in A,\ 5\notin A$
따라서 옳지 않은 것은 **③**이다.

정답과 풀이 2쪽

유제 **004** 자연수 전체의 집합을 N, 정수 전체의 집합을 Z, 유리수 전체의 집합을 Q, 무리수 전체의 집합을 P, 실수 전체의 집합을 R라 할 때, 다음 중 옳지 않은 것은?

① $0\notin N$ ② $0.\dot{9}\in Z$ ③ $\sqrt{4}\notin Q$
④ $\sqrt{2}\in P$ ⑤ $\pi\in R$

005 두 집합 $A=\{1, 2\}$, $B=\{3, 4\}$에 대하여 $A\oplus B=\{x|x=a+b,\ a\in A,\ b\in B\}$라 할 때, 다음 집합을 구하여라.

(1) $A\oplus B$ (2) $A\oplus A$

풍산자日 조건제시법은 반드시 뒷부분에 원소가 될 조건이 정확히 제시되어 있다. 여기서는 집합 A의 원소와 B의 원소를 더한 것이라는 뜻으로 표를 그리면 원소를 구하기 쉽다.

> 풀이 (1) 오른쪽 [표 1]에서

$A\oplus B=\{\mathbf{4,\ 5,\ 6}\}$

(2) 오른쪽 [표 2]에서

$A\oplus A=\{\mathbf{2,\ 3,\ 4}\}$

B \ A	1	2
3	4	5
4	5	6

[표 1]

A \ A	1	2
1	2	3
2	3	4

[표 2]

정답과 풀이 2쪽

유제 **006** 두 집합 $A=\{0, 1\}$, $B=\{1, 2\}$에 대하여 $A\otimes B=\{x|x=ab,\ a\in A,\ b\in B\}$라 할 때, 다음 집합을 구하여라.

(1) $A\otimes B$ (2) $A\otimes A$ (3) $A\otimes(B\otimes B)$

007 $U=\{1, 2, 3, \cdots, 100\}$에 대하여 집합 A가 다음 두 조건을 만족시킬 때, 원소의 개수가 가장 작은 집합 A를 구하여라.

(가) $5\in A$ (나) $x\in A$, $y\in A$, $x+y\in U$이면 $x+y\in A$

풍산자日 조건 (나)는 집합 A의 두 원소의 합이 집합 U의 원소이면 이 합도 집합 A의 원소임을 뜻한다.

> 풀이 5가 집합 A의 원소이므로

$5+5\in A$ $\therefore 10\in A$

$10+5\in A$ $\therefore 15\in A$

⋮

따라서 주어진 조건을 만족시키는 집합은 5의 배수를 반드시 포함하므로 원소의 개수가 가장 작은 집합 A는 5의 배수의 집합이다.

$\therefore A=\{\mathbf{5,\ 10,\ 15,\ \cdots,\ 100}\}$

정답과 풀이 2쪽

유제 **008** 자연수를 원소로 가지는 집합 A가 다음 두 조건을 만족시킬 때, 원소의 개수가 가장 작은 집합 A를 구하여라.

(가) $1\in A$ (나) $x\in A$이면 $10-x\in A$

02 집합의 포함 관계

집합 A의 모든 원소가 집합 B에 속할 때, A는 B에 **포함된다**고 하며 $\boldsymbol{A\subset B}$로 나타낸다.
이때 집합 A를 집합 B의 **부분집합**이라 한다. 집합 A가 집합 B의 부분집합이고 $A\neq B$일 때, A는 B의 **진부분집합**이라 한다.

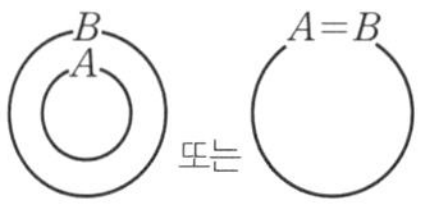

$A\subset B$의 의미

부등식과 비교하면 $\leq$는 부분집합, $<$는 진부분집합이라고 할 수 있다.
A가 B의 진부분집합이면 A의 모든 원소는 B의 원소이지만 A에는 없는 원소가 B에 적어도 하나는 있다.
$A\subset B$이고 $B\subset A$이면 두 집합 A, B는 **서로 같다**고 하며, $\boldsymbol{A=B}$로 나타낸다.

부분집합의 성질

임의의 세 집합 A, B, C에 대하여

(1) $\varnothing\subset A$ ➡ 공집합은 모든 집합의 부분집합이다.
(2) $A\subset A$ ➡ 모든 집합은 자기 자신의 부분집합이다.
(3) $A\subset B$이고 $B\subset C$이면 $A\subset C$이다.
(4) $A\subset B$이고 $B\subset A$이면 $A=B$이다.

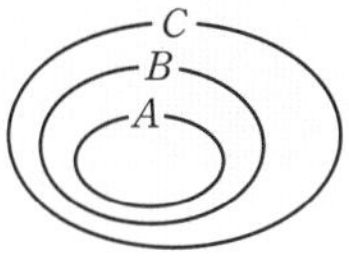

| 설명 | 기호 $\subset$는 포함을 뜻하는 단어인 contain의 첫글자 C의 모양을 따서 만들어졌다.
집합 A가 집합 B의 부분집합이 아닐 때에는 $A\not\subset B$로 나타낸다.

앞에서 집합–원소의 포함 관계를 배웠다. 이는 집합–집합의 포함 관계도 배워 헷갈리기 시작한다.

a가 집합 A의 원소일 때, ➡ a는 A에 속한다. ➡ 기호로 나타내면 $a\in A$	집합 A의 모든 원소가 집합 B에 속할 때, ➡ A는 B에 포함된다. ➡ 기호로 나타내면 $A\subset B$

기억하자.
집합–원소의 속하는 관계는 3지창($\in$)이고, 집합–집합의 포함 관계는 2지창($\subset$)이다.

집합이 다른 집합의 원소가 되는 경우도 있다.
집합 $A=\{\varnothing, 1, \{2\}\}$에 대하여 원소를 모두 나열하면 다음과 같다.
$\varnothing\in A$, $1\in A$, $\{2\}\in A$
부분집합을 모두 나열하면 다음과 같다.
원소가 0개 ➡ $\varnothing\subset A$
원소가 1개 ➡ $\{\varnothing\}\subset A$, $\{1\}\subset A$, $\{\{2\}\}\subset A$
원소가 2개 ➡ $\{\varnothing, 1\}\subset A$, $\{1, \{2\}\}\subset A$, $\{\varnothing, \{2\}\}\subset A$
원소가 3개 ➡ $\{\varnothing, 1, \{2\}\}\subset A$
여기에서 $2\notin A$, $\{2\}\not\subset A$이다.

009 세 집합 $A=\{1, 3\}$, $B=\{x|2x+1=7\}$, $C=\{x|x$는 2보다 작은 소수$\}$에 대하여 A, B, C의 포함 관계를 옳게 나타낸 것은?

① $A\subset B\subset C$ ② $A\subset C\subset B$ ③ $B\subset A\subset C$
④ $B\subset C\subset A$ ⑤ $C\subset B\subset A$

풍산자Ⓣ 조건제시법을 원소나열법으로 바꾸어 표현해 본다.

> 풀이 $A=\{1, 3\}$, $B=\{3\}$, $C=\varnothing$이므로 $C\subset B\subset A$
따라서 포함 관계를 옳게 나타낸 것은 ⑤이다.

정답과 풀이 2쪽

유제 **010** 세 집합 A, B, C에 대하여 옳은 것만을 보기에서 있는 대로 골라라.

보기
ㄱ. $A\subset C$, $B\subset C$이면 $A=B$
ㄴ. $A\subset B$, $A\subset C$이면 $B=C$
ㄷ. $A=\{x|x^2=1\}$, $B=\{-1, 1\}$이면 $A=B$

011 집합 $A=\{\varnothing, 1, 2, \{1, 2\}\}$일 때, 다음 중 옳지 않은 것은?

① $\varnothing\in A$ ② $\varnothing\subset A$ ③ $\{1\}\in A$
④ $\{1, 2\}\subset A$ ⑤ $\{1, 2\}\in A$

풍산자Ⓣ 집합이 다른 집합의 원소일 수 있다. $\{1, 2\}$는 원소이면서 부분집합이다. 또한 $\varnothing$도 원소이면서 부분집합이다.

> 풀이 (i) 원소 기호 $\in$를 처리한다.
$\varnothing$과 $\{1, 2\}$는 집합 A의 원소이므로 ①, ⑤는 옳다.
$\{1\}$은 집합 A의 원소가 아니므로 ③은 옳지 않다.
(ii) 부분집합 기호 $\subset$를 처리한다.
$\varnothing$은 모든 집합의 부분집합이므로 ②는 옳다.
1, 2가 집합 A의 원소이므로 $\{1, 2\}$는 A의 부분집합이다. 따라서 ④는 옳다.
(i), (ii)에서 옳지 않은 것은 ③이다.

정답과 풀이 2쪽

유제 **012** 집합 $A=\{1, 3, \{1, 4\}\}$일 때, 다음 중 옳지 않은 것은?

① $\varnothing\subset A$ ② $1\in A$ ③ $\{1, 4\}\in A$
④ $\{1, 3\}\subset A$ ⑤ $\{1, 4\}\subset A$

03 부분집합의 개수

집합의 원소의 개수에 따라 부분집합의 개수는 일정한 규칙을 갖는다.
직접 다 구해 보지 않고도 그 개수를 알 수 있다.

부분집합의 개수 중요!

집합 $\{a_1, a_2, a_3, \cdots, a_n\}$에 대하여

(1) 부분집합의 개수: 2^n

(2) 진부분집합의 개수: 2^n-1

(3) 특정한 원소 p개를 반드시 포함하는 (혹은 제외하는) 부분집합의 개수: 2^{n-p}

| 설명 | $\{a_1, a_2, a_3, \cdots, a_n\}$의 부분집합은 다음과 같이 분류할 수 있다.
a_1을 포함하는 것과 포함하지 않는 것,
a_2를 포함하는 것과 포함하지 않는 것,
a_3을 포함하는 것과 포함하지 않는 것,
⋮
a_n을 포함하는 것과 포함하지 않는 것,
따라서 부분집합의 총 개수는

$$\underbrace{2\times2\times2\times\cdots\times2}_{n\text{개}}=2^n$$

| 개념확인 | $A=\{1, 2, 3\}$의 부분집합과 진부분집합의 개수를 구하여라.

> **풀이** 원소의 개수가 0인 부분집합: $\varnothing$
> 원소의 개수가 1인 부분집합: $\{1\}, \{2\}, \{3\}$
> 원소의 개수가 2인 부분집합: $\{1, 2\}, \{1, 3\}, \{2, 3\}$
> 원소의 개수가 3인 부분집합: $\{1, 2, 3\}$
> 따라서 부분집합의 개수는 $2^3=8$
> 진부분집합은 $\{1, 2, 3\}$을 제외하므로 그 개수는 $2^3-1=7$

생각을 조금만 확장하면 특정한 원소를 포함하거나 포함하지 않는 경우도 쉽게 이끌어 낼 수 있다. 예를 들어 집합 $\{1, 2, 3\}$의 부분집합은 3을 포함하는 것과 3을 포함하지 않는 것의 두 종류가 있다.

3을 포함하지 않는 부분집합	$\varnothing, \{1\}, \{2\}, \{1, 2\}$
3을 포함하는 부분집합	$\{3\}, \{1, 3\}, \{2, 3\}, \{1, 2, 3\}$

3을 포함하지 않는 부분집합에 3을 끼우면 3을 포함하는 부분집합이 된다.
따라서 3을 포함하지 않는 부분집합의 개수와 3을 포함하는 부분집합의 개수는 같다.

大 원칙 특정 원소를 포함하는 부분집합과 포함하지 않는 부분집합의 개수는 같다.
⇒ 포함하든 포함하지 않든 **특정 원소를 제외하고 생각**한다.

013 **집합 $A=\{a, b, c, d, e\}$에 대하여 다음을 구하여라.**

(1) 집합 A의 부분집합의 개수

(2) 집합 A의 진부분집합의 개수

(3) 집합 A의 부분집합 중 c, d, e를 포함하지 않는 부분집합의 개수

(4) 집합 A의 부분집합 중 c, d, e를 포함하는 부분집합의 개수

(5) 집합 A의 부분집합 중 c, d는 포함하고, e는 포함하지 않는 부분집합의 개수

풍산자日 특정 원소를 포함하든 포함하지 않든 일단 제외하고 본다.

> 풀이 (1) 원소의 개수가 5이므로 부분집합의 개수는 $2^5=\mathbf{32}$
(2) 진부분집합은 자기 자신을 제외한 부분집합이므로 그 개수는 $2^5-1=\mathbf{31}$
(3) 구하는 부분집합은 c, d, e를 빼고 생각한 $\{a, b\}$의 부분집합과 같으므로 그 개수는 $2^{5-3}=2^2=\mathbf{4}$
(4) 구하는 부분집합은 c, d, e를 빼고 생각한 $\{a, b\}$의 부분집합에 c, d, e를 끼운 것과 같으므로 그 개수는 $2^{5-3}=2^2=\mathbf{4}$
(5) 구하는 부분집합은 c, d, e를 빼고 생각한 $\{a, b\}$의 부분집합에 c, d를 끼운 것과 같으므로 그 개수는 $2^{5-2-1}=2^2=\mathbf{4}$

정답과 풀이 2쪽

유제 **014** **집합 $A=\{1, 2, 3, 4, 5, 6\}$에 대하여 다음을 구하여라.**

(1) 집합 A의 부분집합의 개수

(2) 집합 A의 진부분집합의 개수

(3) 집합 A의 부분집합 중 1, 2, 3을 포함하지 않는 부분집합의 개수

(4) 집합 A의 부분집합 중 4, 5를 포함하는 부분집합의 개수

(5) 집합 A의 부분집합 중 1, 2는 포함하고, 5는 포함하지 않는 부분집합의 개수

| 부분집합의 개수가 주어지는 경우 |

015 **집합 $A=\{1, 2, 3, \cdots, n\}$의 부분집합 중 1, 2를 포함하는 부분집합의 개수가 16일 때, 자연수 n의 값을 구하여라.**

풍산자日 역할이 살짝 바뀐 문제. 원소 1, 2를 반드시 포함하는 부분집합의 개수는 2^{n-2}이다.

> 풀이 원소 1, 2를 반드시 포함하는 부분집합의 개수가 16이므로 $2^{n-2}=16$
$2^{n-2}=2^4$, $n-2=4$ $\quad\therefore n=\mathbf{6}$

정답과 풀이 3쪽

유제 **016** **집합 $A=\{a_1, a_2, a_3, \cdots, a_n\}$의 부분집합 중 a_1, a_2, a_n을 포함하는 부분집합의 개수가 32일 때, 자연수 n의 값을 구하여라.**

017 **집합 $A=\{1, 2, 3, 4, 5\}$의 부분집합 중 적어도 한 개의 짝수를 포함하는 부분집합의 개수를 구하여라.**

풍산자 '적어도'라는 표현을 보는 순간 (전체)−(주어진 조건)을 떠올린다.

> **풀이** 구하는 부분집합의 개수는
(전체 부분집합의 개수)−(짝수 2, 4를 포함하지 않는 부분집합의 개수)와 같다.
(i) 전체 부분집합의 개수는 $2^5=32$
(ii) 짝수 2, 4를 포함하지 않는 부분집합의 개수는 $2^{5-2}=8$
(i), (ii)에서 구하는 부분집합의 개수는 $32-8=$**24**

정답과 풀이 **3**쪽

유제 **018** **집합 $A=\{1, 2, 3, 4\}$의 부분집합 중 적어도 한 개의 홀수를 포함하는 부분집합의 개수를 구하여라.**

019 **두 집합 $A=\{1, 9\}$, $B=\{1, 3, 5, 7, 9\}$에 대하여 $A\subset X\subset B$를 만족시키는 집합 X의 개수를 구하여라.**

풍산자 $A\subset X\subset B$를 $A\subset X$와 $X\subset B$로 구분하여 생각한다.

> **풀이** $A\subset X\subset B$의 분석 ➡ $A\subset X$: X는 A의 원소를 반드시 포함한다.
➡ $X\subset B$: X는 B의 부분집합이다.
따라서 B의 부분집합 중 A의 원소를 반드시 포함하는 집합의 개수를 구하면 된다.
$B=\{1, 3, 5, 7, 9\}$에서 A의 원소 1, 9를 지우면 $\{3, 5, 7\}$
따라서 구하는 집합의 개수는 $2^3=$**8**

정답과 풀이 **3**쪽

유제 **020** **두 집합 $A=\{2, 3, 7\}$, $B=\{x | x$는 10 이하의 자연수$\}$에 대하여 $A\subset X\subset B$를 만족시키는 집합 X의 개수를 구하여라.**

풍산자 비법

- $\in$의 왼쪽에는 원소가 오고, $\subset$의 왼쪽에는 부분집합이 온다.
- 특정한 원소를 포함하거나 포함하지 않을 때에는 일단 그 원소를 제외하고 생각한다.

필수 확인 문제

* 더 많은 유형은 **풍산자필수유형 수학(하)** 007쪽

정답과 풀이 3쪽

021

다음 중 집합이 아닌 것은?

① 자연수 중 짝수의 모임

② 2보다 작은 소수의 모임

③ 키가 작은 학생의 모임

④ 우리 반에서 키가 가장 큰 학생의 모임

⑤ 30보다 큰 자연수의 모임

022

집합 $X=\{1, 2, 3\}$에 대하여 집합 $Y=\{a^2+b^2 | a\in X, b\in X\}$의 원소의 개수를 구하여라.

023

두 집합 $A=\{4, a+1, 2a-6\}$, $B=\{2, 5, a^2-3a\}$에 대하여 $A=B$가 성립하도록 하는 상수 a의 값을 구하여라.

024

두 집합 $P=\{x | -1<x<3\}$, $Q=\{x | a\le x\le b\}$에 대하여 $P\subset Q$가 성립할 때, 실수 a의 최댓값과 b의 최솟값의 합을 구하여라.

025

집합 $X=\{x | x$는 10 이하의 자연수$\}$의 부분집합 중 2, 3, 5, 7을 포함하는 부분집합의 개수를 구하여라.

026

집합 A의 부분집합의 개수를 a, 진부분집합의 개수를 b라 할 때, $a+b=63$이다. 이때 집합 A의 원소의 개수를 구하여라.

2 집합의 연산

01 집합의 연산

수의 세계에 사칙연산이 있듯 집합에서도 연산이 존재한다.

집합의 연산

(1) 전체집합: 주어진 집합에 대하여 그 집합의 부분집합을 생각할 때, 처음에 주어진 집합을 전체집합이라 하고, U로 나타낸다.

(2) 합집합: $A\cup B=\{x|x\in A$ 또는 $x\in B\}$ ⬅ A나 B 중 한 군데만 속해도 된다.

(3) 교집합: $A\cap B=\{x|x\in A$ 그리고 $x\in B\}$ ⬅ A와 B 모두에 속해야 한다.

(4) 차집합: $A-B=\{x|x\in A$ 그리고 $x\notin B\}$ ⬅ A에만 속하고 B에는 속하지 않는다.

(5) 여집합: $A^C=\{x|x\in U$ 그리고 $x\notin A\}$ ⬅ A에 속하지 않는다.

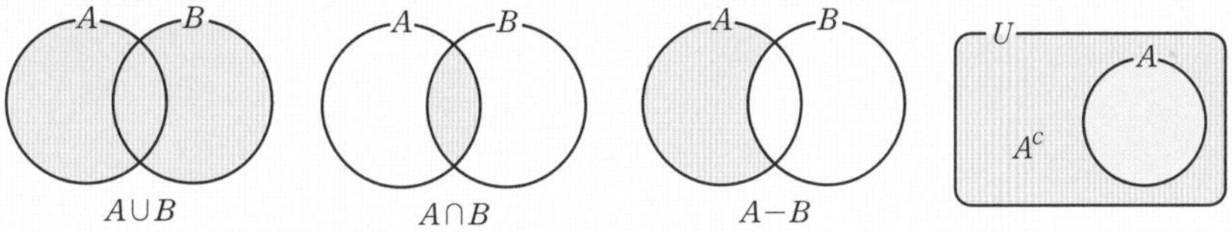

| 설명 |

- 합집합이란 합친 집합! A와 B의 합집합을 구하려면 A와 B에 있는 모든 원소를 나열한다.
- 교집합이란 공통인 집합! A와 B의 교집합을 구하려면 A와 B에 공통인 원소를 나열한다.
- 차집합이란 뺀 집합! A에 대한 B의 차집합을 구하려면 A의 원소 중 B에 있는 원소를 지운다.
- 여집합이란 바깥 집합! A의 여집합을 구하려면 전체집합에서 A에 있는 원소를 지운다. 이때 여집합은 전체집합에 의존한다. 전체집합이 달라지면 여집합도 달라진다.

두 집합의 겹치는 부분이 없을 때, 집합 A와 B는 **서로소**라 하고 $\boldsymbol{A\cap B=\varnothing}$으로 나타낸다.

집합 A와 B가 서로소이면 A와 B 사이에 공통인 원소가 없다.

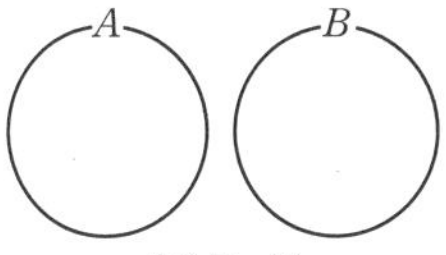

$A\cap B=\varnothing$

| 개념확인 |

전체집합 $U=\{1, 2, 3, \cdots, 10\}$의 두 부분집합 $A=\{1, 3, 5, 7, 9\}$, $B=\{1, 4, 7, 10\}$에 대하여 다음 집합을 구하여라.

(1) $A\cup B$ (2) $A\cap B$ (3) $A-B$ (4) A^C

> 풀이

(1) $A\cup B=\{\mathbf{1, 3, 4, 5, 7, 9, 10}\}$
(2) $A\cap B=\{\mathbf{1, 7}\}$
(3) $A-B=\{\mathbf{3, 5, 9}\}$
(4) $A^C=\{\mathbf{2, 4, 6, 8, 10}\}$

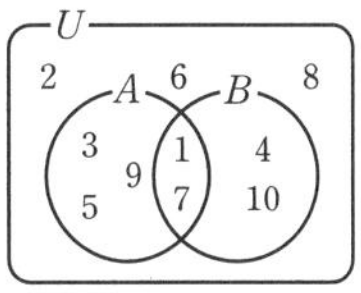

027 실수 전체의 집합의 두 부분집합 $A=\{x|0\le x\le 5\}$, $B=\{x|3\le x\le 7\}$에 대하여 다음 집합을 구하여라.

(1) $A\cup B$ (2) $A\cap B$ (3) $A-B$ (4) A^C

풍산자비 부등식이 보인다! 수직선을 그리자.

> 풀이 두 집합 A, B를 수직선 위에 나타내면 그림과 같다.

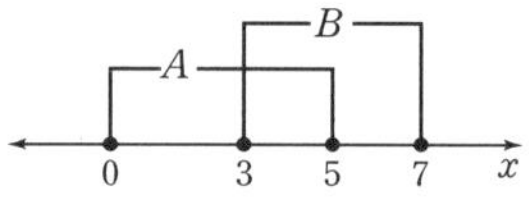

(1) $A\cup B=\{\boldsymbol{x|0\le x\le 7}\}$
(2) $A\cap B=\{\boldsymbol{x|3\le x\le 5}\}$
(3) $A-B=\{\boldsymbol{x|0\le x<3}\}$
(4) $A^C=\{\boldsymbol{x|x<0}$ **또는** $\boldsymbol{x>5}\}$

정답과 풀이 4쪽

유제 **028** 실수 전체의 집합의 두 부분집합 $A=\{x|1\le x\le 6\}$, $B=\{x|-2\le x\le 2\}$에 대하여 다음 집합을 구하여라.

(1) $A\cup B$ (2) $A\cap B$ (3) $B-A$ (4) B^C

| 집합의 연산을 만족시키는 미지수 구하기 |

029 두 집합 $A=\{-1, 0, a^2+2\}$, $B=\{2, a+2, a^2+a-3\}$에 대하여 $A\cap B=\{-1, 3\}$일 때, 상수 a의 값을 구하여라.

풍산자비 교집합의 원소를 먼저 확인한다.
교집합의 원소가 -1과 3이므로 집합 A에서 a^2+2의 값을 알 수 있다.

> 풀이 $A\cap B=\{-1, 3\}$에서 $3\in A$이므로 $a^2+2=3$, $a^2=1$
$\therefore a=1$ 또는 $a=-1$
(i) $a=1$일 때, $A=\{-1, 0, 3\}$, $B=\{2, 3, -1\}$
$\therefore A\cap B=\{-1, 3\}$
(ii) $a=-1$일 때, $A=\{-1, 0, 3\}$, $B=\{2, 1, -3\}$
$\therefore A\cap B=\varnothing$
(i), (ii)에서 구하는 상수 a의 값은 **1**이다.

정답과 풀이 4쪽

유제 **030** 두 집합 $A=\{1, 2, a^2+1\}$, $B=\{0, a+3, 2a-3\}$에 대하여 $A\cap B=\{1, 5\}$일 때, 상수 a의 값을 구하여라.

031 전체집합 U의 두 부분집합 A, B에 대하여 $A\subset B$일 때, 다음 중 옳은 것은?

① $A\cap B=B$　② $B\cap A^C=\varnothing$　③ $A^C\subset B^C$
④ $A\cap B^C=\varnothing$　⑤ $A\cup B=A$

풍산자曰 집합의 포함 관계를 따질 때에는 벤 다이어그램을 그려서 생각하면 편리하다.

> 풀이 오른쪽 벤 다이어그램에서

① $A\cap B=A$　② $B\cap A^C\neq\varnothing$
③ $B^C\subset A^C$　⑤ $A\cup B=B$

따라서 옳은 것은 ④이다.

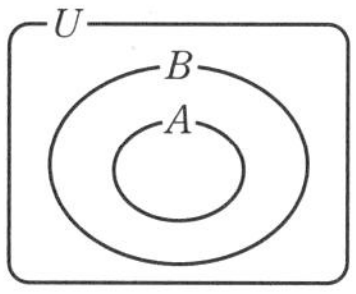

정답과 풀이 4쪽

유제 **032** 전체집합 U의 두 부분집합 A, B에 대하여 $B\subset A$일 때, 다음 중 옳지 않은 것은?

① $A\cup B=A$　② $A\cap B=B$　③ $A^C\subset B^C$
④ $B-A=\varnothing$　⑤ $A\cap B^C=\varnothing$

033 두 집합 $A=\{1, 2, 3, 4, 5\}$, $B=\{4, 5, 6\}$에 대하여 $A\cap X=X$, $(A-B)\cup X=X$를 만족시키는 집합 X의 개수를 구하여라.

풍산자曰 올 것이 왔다. 주어진 조건의 해석이 관건. 이럴 때를 위한 변형 팁!

(1) $A\cup B=B$이면 $A\subset B$
(2) $A\cap B=A$이면 $A\subset B$
(3) $A-B=\varnothing$이면 $A\subset B$

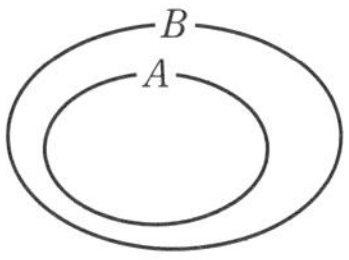

> 풀이 [1단계] $A\cap X=X$에서 $X\subset A$

$(A-B)\cup X=X$에서 $(A-B)\subset X$

$\therefore (A-B)\subset X\subset A$

$\therefore \{1, 2, 3\}\subset X\subset\{1, 2, 3, 4, 5\}$

[2단계] 집합 X는 $\{1, 2, 3, 4, 5\}$의 부분집합 중 1, 2, 3을 반드시 포함하는 것이므로 집합 X의 개수는 $2^{5-3}=2^2=$**4**

정답과 풀이 4쪽

유제 **034** 두 집합 $A=\{1, 2, 3, 4, 5, 6\}$, $B=\{5, 6, 7, 8\}$에 대하여 $A\cup X=A$, $(A\cap B)\cup X=X$를 만족시키는 집합 X의 개수를 구하여라.

02 집합의 연산법칙

앞에서 집합의 연산을 배웠다. 이제 집합의 연산법칙을 배운다.
이 중 분배법칙이 특히 중요하다.

집합의 연산법칙 중요!

(1) 3대 기본 법칙

교환법칙	$A\cup B=B\cup A,\ A\cap B=B\cap A$
결합법칙	$(A\cup B)\cup C=A\cup(B\cup C)$ $(A\cap B)\cap C=A\cap(B\cap C)$
분배법칙	$\boldsymbol{A\cup(B\cap C)=(A\cup B)\cap(A\cup C)}$ $\boldsymbol{A\cap(B\cup C)=(A\cap B)\cup(A\cap C)}$

(2) 3대 주요 공식

차집합 공식	$\boldsymbol{A-B=A\cap B^C}$
드 모르간의 법칙	$\boldsymbol{(A\cup B)^C=A^C\cap B^C,\ (A\cap B)^C=A^C\cup B^C}$
흡수법칙	$A\cup(A\cap B)=A,\ A\cap(A\cup B)=A$

| 설명 | 모든 공식은 벤 다이어그램을 이용하면 쉽게 이해할 수 있다.

(1) 차집합 공식: $A-B=A\cap B^C$

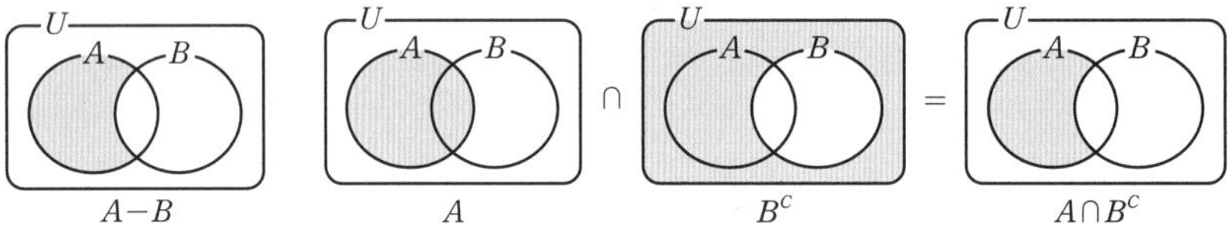

(2) 드 모르간의 법칙: $(A\cup B)^C=A^C\cap B^C$

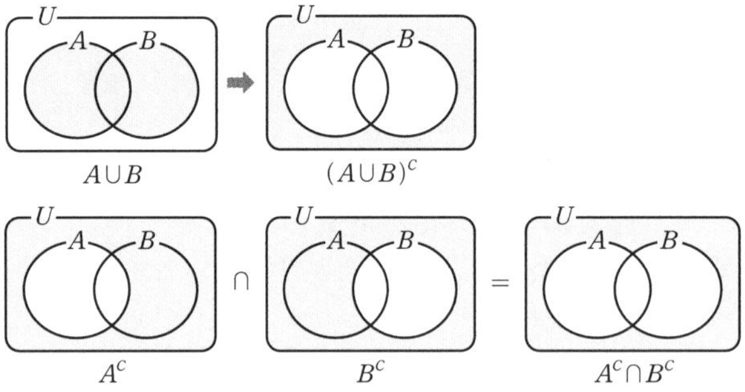

(3) 흡수법칙: $A\cup(A\cap B)=A$

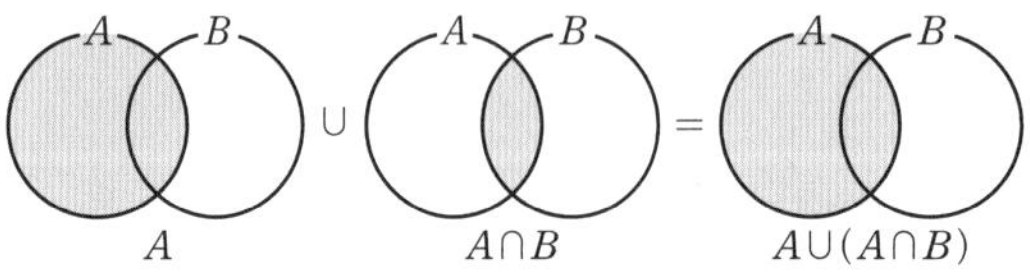

035 전체집합 U의 두 부분집합 A, B에 대하여 다음 등식이 성립함을 보여라.

(1) $A\cap(A^C\cup B)=A\cap B$ (2) $(A\cap B)\cup(A\cap B^C)=A$

풍산자日 집합의 연산법칙 중 분배법칙은 전개를 하거나 공통인수를 묶어 낼 때 요긴하게 쓰인다.

> **풀이** (1) $A\cap(A^C\cup B)=(A\cap A^C)\cup(A\cap B)$ ⬅ 분배법칙
>
> $=\varnothing\cup(A\cap B)=A\cap B$
>
> (2) $(A\cap B)\cup(A\cap B^C)=A\cap(B\cup B^C)$ ⬅ 분배법칙
>
> $=A\cap U=A$

정답과 풀이 **4**쪽

유제 **036** 전체집합 U의 두 부분집합 A, B에 대하여 다음 등식이 성립함을 보여라.

(1) $(A\cap B^C)\cup B=A\cup B$ (2) $(A\cup B)\cap(A\cup B^C)=A$

037 전체집합 U의 두 부분집합 A, B에 대하여 다음 등식이 성립함을 보여라.

(1) $(A-B)^C=A^C\cup B$ (2) $A\cup(A-B^C)=A$

풍산자日 집합의 연산법칙에서는 분배법칙, 드 모르간의 법칙, 차집합 공식이 3대장이다.
유연하게 전개할 수 있도록 연습해 둔다.

> **풀이** (1) $(A-B)^C=(A\cap B^C)^C$ ⬅ 차집합 공식
>
> $=A^C\cup(B^C)^C$ ⬅ 드 모르간의 법칙
>
> $=A^C\cup B$
>
> (2) $A\cup(A-B^C)=A\cup\{A\cap(B^C)^C\}$ ⬅ 차집합 공식
>
> $=A\cup(A\cap B)$
>
> $=A$ ⬅ 흡수법칙

정답과 풀이 **4**쪽

유제 **038** 전체집합 U의 두 부분집합 A, B에 대하여 다음 등식이 성립함을 보여라.

(1) $(A^C-B)^C=A\cup B$ (2) $(A-B)^C\cap B=B$

039 전체집합 U의 세 부분집합 A, B, C에 대하여
$\{A\cap(A^C\cup B)\}\cup\{B\cap(B^C\cap C^C)^C\}$을 간단히 하여라.

풍산자日 여집합은 드 모르간의 법칙으로 정리한 후, 분배법칙과 흡수법칙으로 식을 간단히 한다.

> 풀이

$$
\begin{aligned}
(\text{주어진 식}) &= \{A\cap(A^C\cup B)\}\cup\{B\cap(B\cup C)\} && \Leftarrow \text{ 드 모르간의 법칙}\\
&= \{(A\cap A^C)\cup(A\cap B)\}\cup B && \Leftarrow \text{ 분배법칙, 흡수법칙}\\
&= \{\varnothing\cup(A\cap B)\}\cup B\\
&= (A\cap B)\cup B\\
&= \boldsymbol{B} && \Leftarrow \text{ 흡수법칙}
\end{aligned}
$$

정답과 풀이 4쪽

유제 **040** 전체집합 U의 두 부분집합 A, B에 대하여
$\{(A\cap B)\cup(A\cap B^C)\}\cup\{(A^C\cap B)\cup(A^C\cap B^C)\}$을 간단히 하여라.

041 전체집합 U의 두 부분집합 A, B에 대하여 $(A\cup B)\cap(A-B)^C=A\cup B$가 성립할 때, 다음 중 항상 옳은 것은?

① $A\subset B$　② $B\subset A$　③ $A=B$
④ $A\cap B=\varnothing$　⑤ $A\cup B=A$

풍산자日 먼저 주어진 식의 좌변을 간단히 한다. 이때 드 모르간의 법칙, 차집합 공식, 분배법칙은 약방의 감초처럼 쓰인다.

> 풀이

[1단계]
$$
\begin{aligned}
(A\cup B)\cap(A-B)^C &= (A\cup B)\cap(A\cap B^C)^C && \Leftarrow \text{ 차집합 공식}\\
&= (A\cup B)\cap(A^C\cup B) && \Leftarrow \text{ 드 모르간의 법칙}\\
&= (A\cap A^C)\cup B && \Leftarrow \text{ 분배법칙}\\
&= \varnothing\cup B=B
\end{aligned}
$$

[2단계] (좌변)=(우변)에서 $B=A\cup B$　$\therefore A\subset B$
따라서 옳은 것은 ①이다.

정답과 풀이 4쪽

유제 **042** 전체집합 U의 두 부분집합 A, B에 대하여 $\{(A\cap B)\cup(A-B)\}\cap B=A$가 성립할 때, 다음 중 항상 옳은 것은?

① $A\subset B$　② $B\subset A$　③ $A=B$
④ $A\cap B=\varnothing$　⑤ $A\cup B=A$

043 두 집합 A, B에 대하여 연산 $\circ$을 $A \circ B=(A-B)\cup(B-A)$로 약속할 때, 옳은 것만을 보기에서 있는 대로 골라라.

보기

ㄱ. $A \circ B=B \circ A$　　ㄴ. $(A \circ B) \circ C=A \circ (B \circ C)$

ㄷ. $A \circ (B\cup C)=(A \circ B)\cup(A \circ C)$

풍산자日 두 집합 $A-B$와 $B-A$의 합집합을 대칭차집합이라 한다.
차집합의 합집합 혹은 (합집합)−(교집합)이라고 생각하면 편하다.

> 풀이 ㄱ은 옳다.

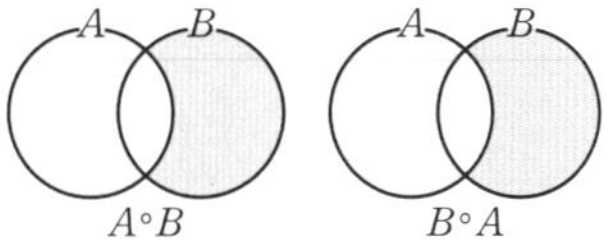

ㄴ도 옳다. (좌변)

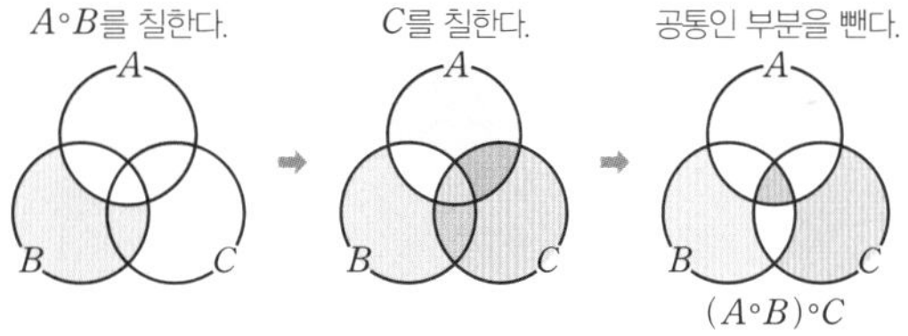

(우변)

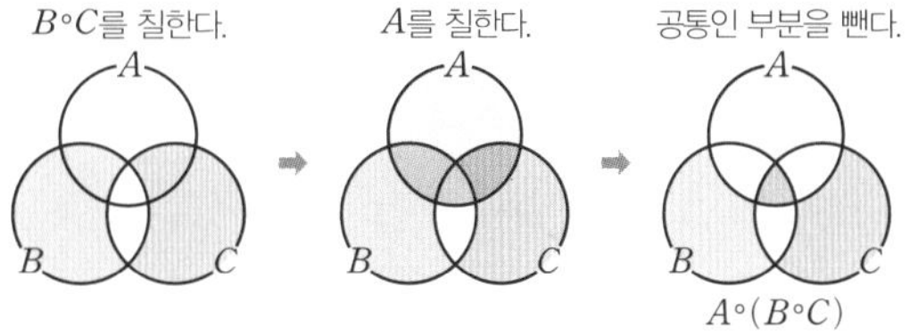

ㄷ은 옳지 않다. (좌변)

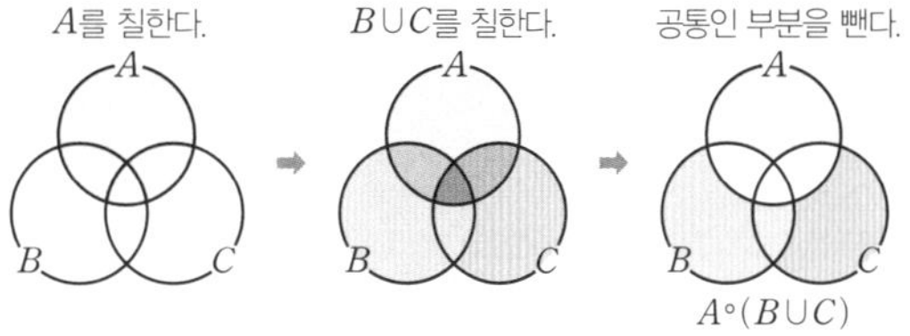

(우변)

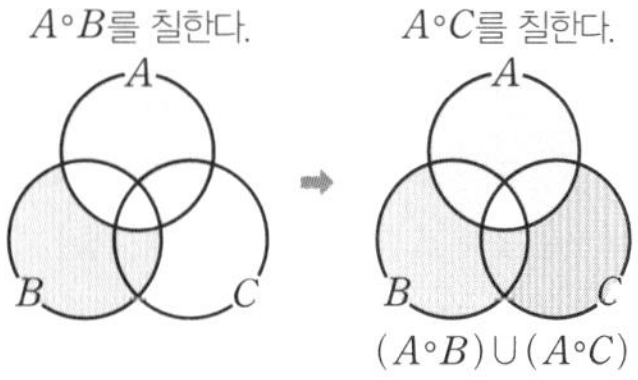

따라서 옳은 것은 ㄱ, ㄴ이다.

정답과 풀이 4쪽

유제 **044** 두 집합 A, B에 대하여 연산 $\circ$을 $A \circ B=(A-B)\cup(B-A)$로 약속할 때, 벤 다이어그램의 색칠한 부분이 나타내는 집합과 다른 집합은?

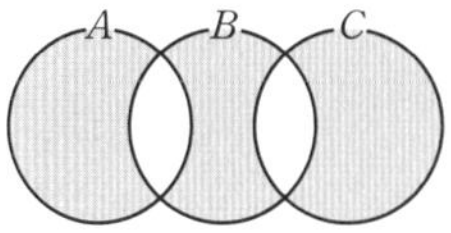

① $(A \circ B) \circ C$　② $(B \circ C) \circ A$　③ $(C \circ A) \circ B$

④ $(A\cup C) \circ B$　⑤ $(A\cup B) \circ C$

03 원소의 개수

유한집합 X의 원소의 개수를 보통 $\boldsymbol{n(X)}$로 나타낸다.

원소의 개수

전체집합 U의 세 부분집합 A, B, C에 대하여 다음이 성립한다.

(1) $n(A^C)=n(U)-n(A)$

(2) $n(A-B)=n(A)-n(A\cap B)=n(A\cup B)-n(B)$

(3) $\boldsymbol{n(A\cup B)=n(A)+n(B)-n(A\cap B)}$

(4) $n(A\cup B\cup C)=n(A)+n(B)+n(C)-n(A\cap B)-n(B\cap C)-n(C\cap A)$
$+n(A\cap B\cap C)$

| 설명 | 위의 공식은 모두 다음과 같은 벤 다이어그램을 이용하면 쉽게 이해할 수 있다.
벤 다이어그램은 모든 집합 문제에서 매우 중요한 역할을 하는데, 특히 원소의 개수 문제에서 활용도가 높다.

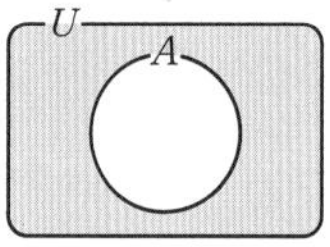

$n(A^C)$

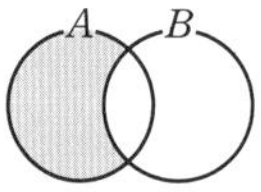

$n(A-B)$

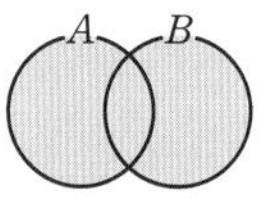

$n(A\cup B)$

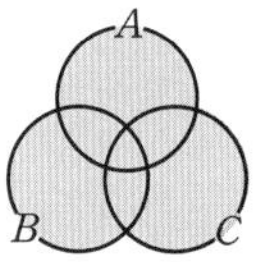

$n(A\cup B\cup C)$

| 개념확인 | 전체집합 U의 두 부분집합 A, B에 대하여 다음 표의 빈칸에 알맞은 수를 써넣어라.

집합	U	A	B	$A\cap B$	$A\cup B$	$A^C\cap B^C$
원소의 개수	55	32		10		8

> 풀이 벤 다이어그램을 그려 확인한다.
먼저 U, $A\cap B$, $A^C\cap B^C$에 해당되는 곳에 원소의 개수를 써넣으면 그림과 같다.

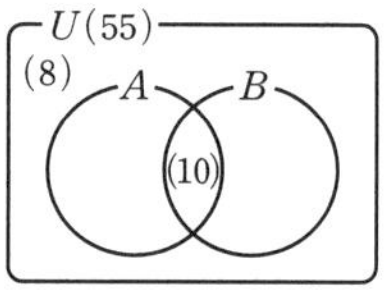

$n(A\cup B)=n(U)-n((A\cup B)^C)$
$=n(U)-n(A^C\cap B^C)$
$=55-8=47$

$n(A-B)=n(A)-n(A\cap B)=32-10=22$

$n(B-A)=n(A\cup B)-n(A)=47-(22+10)=15$

$\therefore\ n(B)=10+15=25$

집합	U	A	B	$A\cap B$	$A\cup B$	$A^C\cap B^C$
원소의 개수	55	32	**25**	10	**47**	8

大 원칙 원소의 개수를 묻는 문제에서 공식이 안 통하는 낯선 문제를 만났을 때에는 벤 다이어그램을 그려 본다.

045 전체집합 U의 두 부분집합 A, B에 대하여 $n(U)=50$, $n(A)=36$, $n(B)=29$, $n(A\cup B)=44$일 때, $n(A^C\cup B^C)$의 값을 구하여라.

풍산자日 드 모르간의 법칙에 의하여 $A^C\cup B^C=(A\cap B)^C$이므로 먼저 $n(A\cap B)$의 값, 즉 교집합의 원소의 개수를 구한다.

> 풀이

[1단계] $n(A\cup B)=n(A)+n(B)-n(A\cap B)$

$44=36+29-n(A\cap B)$

$\therefore n(A\cap B)=21$

[2단계] $n(A^C\cup B^C)=n((A\cap B)^C)=n(U)-n(A\cap B)=50-21=\mathbf{29}$

정답과 풀이 **5**쪽

유제 **046** 전체집합 U의 두 부분집합 A, B에 대하여 $n(U)=60$, $n(A)=35$, $n(B)=27$, $n(A\cap B)=14$일 때, $n(A^C\cap B^C)$의 값을 구하여라.

047 세 집합 A, B, C에 대하여 A와 B가 서로소이고, $n(A)=5$, $n(B)=4$, $n(C)=3$, $n(A\cup C)=7$, $n(B\cup C)=5$일 때, $n(A\cup B\cup C)$의 값을 구하여라.

풍산자日 $n(A\cup B\cup C)$의 값을 구하려면 다음 교집합의 원소의 개수를 구해야 한다.

➡ $A\cap B$, $A\cap C$, $B\cap C$, $A\cap B\cap C$

> 풀이

[1단계] A와 B가 서로소이므로 $A\cap B=\varnothing$

$\therefore A\cap B\cap C=\varnothing$

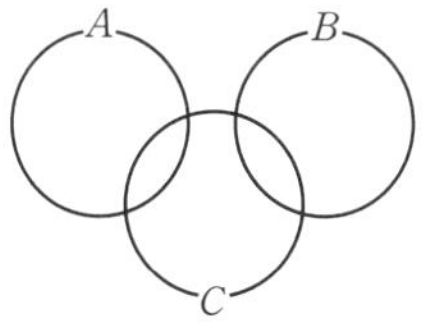

[2단계] $n(A\cup C)=n(A)+n(C)-n(A\cap C)$에서

$7=5+3-n(A\cap C)$ $\quad\therefore n(A\cap C)=1$

$n(B\cup C)=n(B)+n(C)-n(B\cap C)$에서

$5=4+3-n(B\cap C)$ $\quad\therefore n(B\cap C)=2$

[3단계] $n(A\cup B\cup C)$

$=n(A)+n(B)+n(C)-n(A\cap B)-n(B\cap C)-n(C\cap A)+n(A\cap B\cap C)$

$=5+4+3-0-2-1+0=\mathbf{9}$

정답과 풀이 **5**쪽

유제 **048** 세 집합 A, B, C에 대하여 A와 C가 서로소이고, $n(A)=2$, $n(B)=4$, $n(C)=4$, $n(A\cup B)=5$, $n(B\cup C)=7$일 때, $n(A\cup B\cup C)$의 값을 구하여라.

049 **1부터 100까지의 자연수에 대하여 다음 물음에 답하여라.**

(1) 2의 배수 또는 3의 배수의 개수를 구하여라.

(2) 2의 배수 또는 3의 배수 또는 5의 배수의 개수를 구하여라.

(3) 2의 배수이지만 3의 배수가 아닌 수의 개수를 구하여라.

(4) 2의 배수도 아니고, 3의 배수도 아닌 수의 개수를 구하여라.

풍산자답 자연수의 배수의 집합의 교집합은 자연수의 최소공배수를 떠올린다.

> 풀이 1부터 100까지의 자연수의 집합을 U, 2의 배수의 집합을 A, 3의 배수의 집합을 B, 5의 배수의 집합을 C라 하면

$n(U)=100$, $n(A)=50$, $n(B)=33$, $n(C)=20$

$A\cap B$는 6의 배수의 집합 ➡ $n(A\cap B)=16$

$B\cap C$는 15의 배수의 집합 ➡ $n(B\cap C)=6$

$C\cap A$는 10의 배수의 집합 ➡ $n(C\cap A)=10$

$A\cap B\cap C$는 30의 배수의 집합 ➡ $n(A\cap B\cap C)=3$

(1) 2의 배수 또는 3의 배수의 개수는

$$n(A\cup B)=n(A)+n(B)-n(A\cap B)=50+33-16=\mathbf{67}$$

(2) 2의 배수 또는 3의 배수 또는 5의 배수의 개수는

$$n(A\cup B\cup C)$$
$$=n(A)+n(B)+n(C)-n(A\cap B)-n(B\cap C)-n(C\cap A)+n(A\cap B\cap C)$$
$$=50+33+20-16-6-10+3$$
$$=\mathbf{74}$$

(3) 2의 배수이지만 3의 배수가 아닌 수의 개수는

$$n(A-B)=n(A)-n(A\cap B)=50-16=\mathbf{34}$$

(4) 2의 배수도 아니고 3의 배수도 아닌 수의 개수는

$$n(A^C\cap B^C)=n((A\cup B)^C)=n(U)-n(A\cup B)=100-67=\mathbf{33}$$

정답과 풀이 **5**쪽

유제 **050** **1부터 100까지의 자연수에 대하여 다음 물음에 답하여라.**

(1) 4의 배수 또는 6의 배수의 개수를 구하여라.

(2) 4의 배수 또는 6의 배수 또는 7의 배수의 개수를 구하여라.

(3) 4의 배수도 아니고, 6의 배수도 아닌 수의 개수를 구하여라.

(4) 4의 배수이지만 6의 배수가 아닌 수의 개수를 구하여라.

051 **어느 반 학생 50명을 대상으로 수학과 국어를 좋아하는 학생 수를 조사하였더니 각각 36명, 23명이었다. 두 과목을 모두 좋아하는 학생 수의 최댓값과 최솟값의 합을 구하여라.**

풍산자日 문장제 원소의 개수 문제는 주어진 조건과 구하려는 값을 기호로 나타내어 생각한다. 교집합이 최댓값과 최솟값을 결정하므로 벤 다이어그램을 그려 교집합의 범위를 구한다.

> 풀이

[1단계] 전체 학생의 집합을 U, 수학을 좋아하는 학생의 집합을 A, 국어를 좋아하는 학생의 집합을 B라 하면

$n(U)=50$, $n(A)=36$, $n(B)=23$

두 과목을 모두 좋아하는 학생 수 $n(A\cap B)$가 최대가 되려면 국어를 좋아하는 학생이 모두 수학을 좋아해야 한다.

즉, $B\subset A$이어야 하므로 $n(A\cap B)$의 최댓값은 23이다.

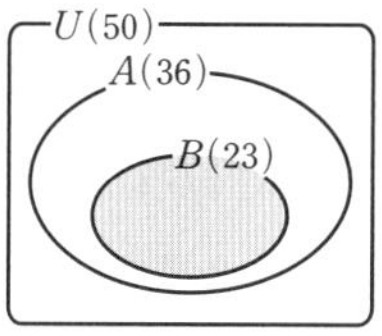

[2단계] $n(A)+n(B)=59$이고 $n(U)=50$이므로 $n(A\cap B)$의 최솟값은 $n(A)+n(B)-n(U)=36+23-50=9$

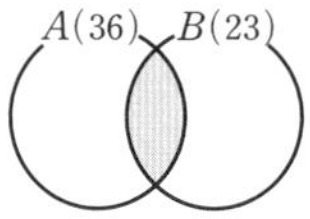

[3단계] 따라서 구하는 최댓값과 최솟값의 합은

$23+9=$**32**

> 참고 전체집합 U의 두 부분집합 A, B에 대하여

(1) $n(A\cap B)$의 최댓값과 최솟값

① $n(A\cap B)$의 최댓값: $n(A)$, $n(B)$ 중 작거나 같은 값

② $n(A\cap B)$의 최솟값: $n(A)+n(B)-n(U)$ ⬅ $n(A)+n(B)\geq n(U)$일 때

(2) $n(A\cup B)$의 최댓값과 최솟값

① $n(A\cup B)$의 최댓값: $n(U)$

② $n(A\cup B)$의 최솟값: $n(A)$, $n(B)$ 중 크거나 같은 값

정답과 풀이 **6**쪽

유제 **052** **100명의 학생 중 축구를 좋아하는 학생이 70명, 야구를 좋아하는 학생이 60명이다. 축구와 야구를 모두 좋아하는 학생 수의 최댓값과 최솟값의 합을 구하여라.**

풍산자 비법

- 복잡한 식을 간단히 할 때에는 차집합 공식, 드 모르간의 법칙, 분배법칙을 이용한다.
- $A\cup B=B$, $A\cap B=A$, $A-B=\varnothing$은 모두 $A\subset B$라는 말이다.
- 원소의 개수를 생각할 때에는 벤 다이어그램을 그려 본다.

053

그림은 전체집합 U의 세 부분집합 A, B, C 사이의 관계를 나타낸 벤 다이어그램이다. 다음 중 그림의 색칠한 부분을 나타내는 집합은?

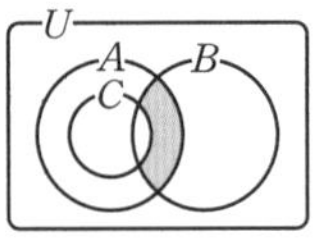

① $(A\cap B)-C$　　② $(A\cup B)-C$
③ $(A\cap B)\cap C$　　④ $(B-A)\cap C$
⑤ $(A-B)-C$

054

두 집합 $A=\{1, 2, 3, 4\}$, $B=\{3, 4, 5, 6\}$에 대하여 $(A\cup B)\cap X=X$, $(A-B)\cup X=X$를 만족시키는 집합 X의 개수를 구하여라.

055

전체집합 U의 두 부분집합 A, B에 대하여 $(A\cap B^C)\cup(A^C\cap B)=\varnothing$이 성립할 때, 다음 중 항상 옳은 것은?

① $A\cap B=\varnothing$　　② $A\subset B^C$
③ $A^C\subset B$　　④ $A\cup B=U$
⑤ $A=B$

056

전체집합 U의 두 부분집합 A, B에 대하여 $[\{(A^C\cap B)\cup(A^C\cap B^C)\}\cup B^C]^C$을 간단히 하여라.

057

자연수 k의 양의 배수를 원소로 하는 집합을 A_k라 할 때, $A_2\cap(A_3\cup A_6)$이 나타내는 집합은?

① A_4　　② A_6　　③ A_9
④ A_{18}　　⑤ A_{24}

058

학생 수가 35명인 철수네 반은 지난 주 토요일과 일요일에 봉사활동을 하였다. 토요일에 참여한 학생은 14명, 일요일에 참여한 학생은 11명, 토요일에도 참여하지 않고 일요일에도 참여하지 않은 학생은 17명일 때, 토요일에도 참여하고, 일요일에도 참여한 학생 수를 구하여라.

중단원 마무리

▶ 집합과 원소

집합	① 집합: 어떤 조건에 의하여 그 대상을 정확히 알 수 있는 것들의 모임 ② 원소: 집합을 구성하는 대상 하나하나 ③ $a \in A$: 원소 a는 집합 A에 속한다.
집합의 표현 방법	① 원소나열법: 집합 기호 { } 안에 모든 원소를 나열하는 방법 ② 조건제시법: $\{x \mid x$의 조건$\}$의 형태로 원소가 될 조건을 제시하는 방법 ③ 벤 다이어그램: 집합을 알기 쉽게 나타낸 그림

▶ 집합의 포함 관계

부분집합	$A \subset B$: 집합 A의 모든 원소가 집합 B에 속할 때, A는 B에 포함된다. ① $A=B$: $A \subset B$이고 $B \subset A$이면 두 집합 A, B는 서로 같다. ② 진부분집합: 집합 A가 집합 B의 부분집합이고 $A \neq B$
부분집합의 개수	원소의 개수가 n인 집합에서 ① 부분집합의 개수: 2^n ② 진부분집합의 개수: 2^n-1 ③ 특정한 원소 p개를 포함하는 (혹은 제외하는) 부분집합의 개수: 2^{n-p}

▶ 집합의 연산

합집합과 교집합	① 합집합: $A \cup B=\{x \mid x \in A$ 또는 $x \in B\}$ ② 교집합: $A \cap B=\{x \mid x \in A$ 그리고 $x \in B\}$	
차집합과 여집합	① 차집합: $A-B=\{x \mid x \in A$ 그리고 $x \notin B\}$ ② 여집합: $A^C=\{x \mid x \in U$ 그리고 $x \notin A\}$	
집합의 연산법칙	교환법칙	$A \cup B=B \cup A$, $A \cap B=B \cap A$
	결합법칙	$(A \cup B) \cup C=A \cup (B \cup C)$, $(A \cap B) \cap C=A \cap (B \cap C)$
	분배법칙	$A \cup (B \cap C)=(A \cup B) \cap (A \cup C)$ $A \cap (B \cup C)=(A \cap B) \cup (A \cap C)$
	차집합 공식	$A-B=A \cap B^C$
	드 모르간의 법칙	$(A \cup B)^C=A^C \cap B^C$, $(A \cap B)^C=A^C \cup B^C$
	흡수법칙	$A \cup (A \cap B)=A$, $A \cap (A \cup B)=A$
집합의 원소의 개수	① $n(A \cup B)=n(A)+n(B)-n(A \cap B)$ ② $n(A \cup B \cup C)=n(A)+n(B)+n(C)-n(A \cap B)-n(B \cap C)-n(C \cap A)$ $+n(A \cap B \cap C)$	

실전 연습문제

STEP 1

059

집합 $A=\{a, b, c, d, e\}$의 부분집합 중에서 집합 $B=\{a, c, e\}$와 서로소인 것의 개수를 구하여라.

060

전체집합 $U=\{x|x$는 10 이하의 자연수$\}$의 두 부분집합 A, B가 다음 두 조건을 만족시킬 때, 순서쌍 (A, B)의 개수를 구하여라.

> (가) $A\cap B=\varnothing$
> (나) $(A\cup B)^C=\{2, 3, 5, 7\}$

061

세 집합
$A=\{x|0\le x\le 10, x$는 정수$\}$,
$B=\{x|x$는 16의 양의 약수$\}$,
$C=\{x|x$는 10 이하의 소수$\}$에 대하여
$(A\cap B)\cup X=(A\cap C)\cup X$를 만족시키는 집합 A의 부분집합 X의 개수를 구하여라.

062

전체집합 $U=\{1, 2, 3, 4, 5, 6\}$의 두 부분집합 A, B에 대하여 $A=\{2, 4, 6\}$, $B=\{1, 2, 3\}$일 때, 집합 $(A^C\cup B)\cap A$의 원소의 개수는?

① 0 ② 1 ③ 2
④ 3 ⑤ 4

063

전체집합 $U=\{x|x$는 10 이하의 자연수$\}$의 두 부분집합 A, B에 대하여 $A=\{x|x$는 짝수$\}$, $B=\{x|x$는 3의 배수$\}$일 때, 집합 $(A^C\cup B)^C$의 모든 원소의 합을 구하여라.

064

전체집합 U의 세 부분집합 A, B, C에 대하여 옳은 것만을 보기에서 있는 대로 고른 것은?

> 보기
> ㄱ. $A\cap(A\cap B)^C=A-B$
> ㄴ. $(A-B)-C=A-(B\cap C)$
> ㄷ. $(A-C)\cap(B-C)=(A\cup B)-C$

① ㄱ ② ㄷ ③ ㄱ, ㄴ
④ ㄴ, ㄷ ⑤ ㄱ, ㄴ, ㄷ

065

벤 다이어그램의 색칠한 부분을 나타내는 집합은?

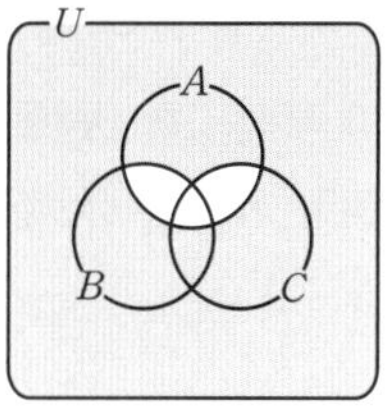

① $A^C \cap B^C \cap C$

② $A^C \cup B \cup C^C$

③ $A^C \cap (B^C \cup C^C)$

④ $A^C \cup (B \cap C)$

⑤ $A^C \cup (B^C \cap C^C)$

066

전체집합 $U=\{x \mid x$는 10 이하의 자연수$\}$의 서로 다른 두 부분집합 A, B에 대하여 연산 ※을 $A※B=(A \cup B) \cap (A \cap B)^C$으로 약속하자.
$A^C※B^C=\{x \mid x$는 홀수$\}$, $A=\{x \mid x$는 소수$\}$ 일 때, 집합 B의 모든 원소들의 합을 구하여라.

067

전체집합 U의 두 부분집합 A, B에 대하여 $(A-B) \cup B=A$가 성립할 때, 다음 중 항상 옳은 것은?

① $A \subset B$ ② $B \subset A$ ③ $A=B$

④ $A \cap B=\varnothing$ ⑤ $A \cup B=\varnothing$

068

전체집합 U의 두 부분집합 A, B에 대하여 $(A-B) \cup (A^C \cap B)=\varnothing$일 때, 두 집합 A, B 사이의 포함 관계를 벤 다이어그램으로 옳게 나타낸 것은? (단, $A \neq \varnothing$, $B \neq \varnothing$)

① 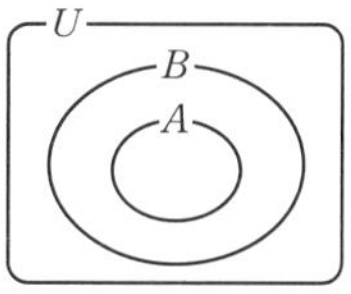

② 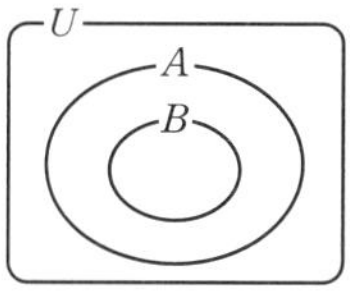

③ 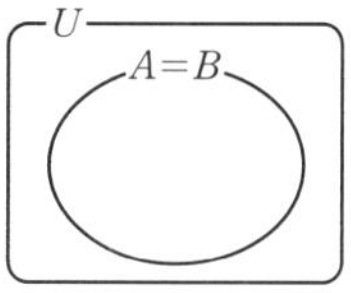

④ 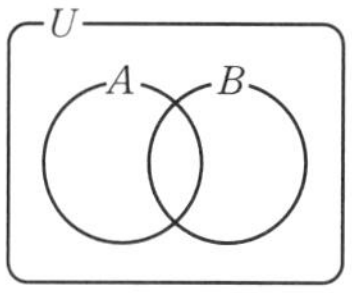

⑤ 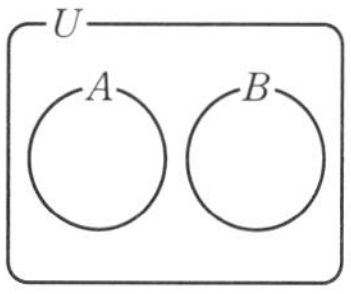

069

전체집합 U의 두 부분집합 A, B에 대하여 연산 △를 $A \triangle B=(A \cup B)-(A \cap B)$로 약속할 때, 옳은 것만을 보기에서 있는 대로 고른 것은?

보기
ㄱ. $A \triangle B=(A-B) \cup (B-A)$
ㄴ. $(A \triangle B) \triangle C=A \triangle (B \triangle C)$
ㄷ. $A \triangle B=\varnothing$이면 $A=B$이다.

① ㄱ ② ㄷ ③ ㄱ, ㄴ

④ ㄴ, ㄷ ⑤ ㄱ, ㄴ, ㄷ

STEP 2

070

집합 $A=\{x|x$는 8의 양의 약수$\}$에 대하여 다음 두 조건을 만족시키는 집합 B의 개수를 구하여라.
(단, $n(X)$는 집합 X의 원소의 개수이다.)

(가) $B\subset A$	(나) $n(A-B)=2$

071

집합 $A=\{-2, -1, 0, 1, 2\}$의 임의의 두 원소 a, b에 대하여 연산 ★를

$$a\bigstar b=\begin{cases} a^2+b^2 & (ab\neq 0) \\ 0 & (ab=0) \end{cases}$$

으로 약속하자.
집합 $B=\{x|x=a\bigstar b,\ a\in A,\ b\in A\}$일 때, 집합 B의 부분집합의 개수를 구하여라.

072

집합 S의 원소 중에서 가장 큰 원소를 $M(S)$라 하자. 예를 들어 $S=\{4\}$일 때 $M(S)=4$이고, $S=\{1, 2\}$일 때 $M(S)=2$이다. 집합 $A=\{1, 2, 3, 4, 5\}$의 부분집합 X에 대하여 $M(X)\geq 3$을 만족시키는 집합 X의 개수를 구하여라.

073

전체집합 $U=\{x|x$는 10 이하의 짝수인 자연수$\}$의 부분집합 X에 대하여 $S(X)$를 집합 X의 모든 원소들의 합이라고 하자. $A\cup B=U$, $A\cap B=\varnothing$을 만족시키는 두 집합 A, B에 대하여 $S(A)\times S(B)=200$을 만족시키는 순서쌍 (A, B)의 개수를 구하여라. (단, $S(A)>S(B)$)

074

학생 100명을 대상으로 축구와 야구에 대한 선호도를 조사한 결과 다음과 같은 사실을 알게 되었다.

(가) 축구와 야구를 모두 좋아하는 학생 수는 16이다.
(나) 축구와 야구 중 어느 한 종목도 좋아하지 않는 학생 수는 26이다.
(다) 축구를 좋아하는 학생 수는 야구를 좋아하는 학생 수의 $\frac{3}{2}$배이다.

이 학생 100명 중에서 축구를 좋아하지만 야구를 좋아하지 않는 학생 수는?

① 32 ② 34 ③ 36
④ 38 ⑤ 40

2 명제

수학의 생명은 명쾌함. 아무리 어렵게 표현해도, 그럴싸하게 꾸며도
옳은 것은 옳고, 그른 것은 그르다.
옳은 것과 그른 것을 구별하는 방법을 배운다.

1 명제

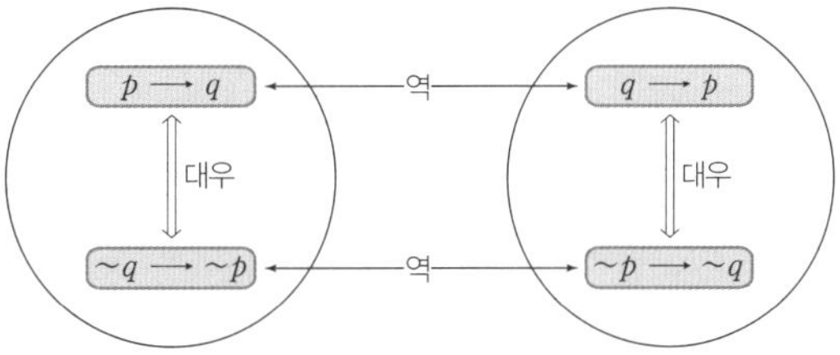

2 필요조건과 충분조건

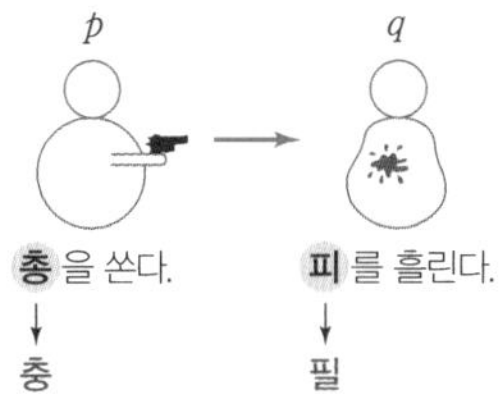

3 절대부등식

$$\frac{a+b}{2} \geq \sqrt{ab} \geq \frac{2ab}{a+b}$$

1 명제

01 명제와 조건

참, 거짓을 분명하게 구별할 수 있는 문장이나 식을 **명제**라 한다.

거짓말도 엄연한 명제이다. 다만 거짓인 명제일 뿐.

따라서 모든 명제는 참말과 거짓말 둘 중 하나이다.

만약 변수 x가 포함되어 문장이나 식에서 x의 값에 따라 참말도 되고 거짓말도 된다면 그 문장이나 식을 **조건**이라 한다. 조건은 명제가 아니다.

명제와 조건

(1) 명제: 참, 거짓을 명확하게 판별할 수 있는 문장이나 식

(2) 조건: 변수 x를 포함하면서 x의 값에 따라 참, 거짓이 결정되는 문장이나 식

예를 들어 '자연수 x는 2의 배수'라는 조건을 생각해 보자.

이 문장은 $x=2, 4, 6, \cdots$일 때에는 참말이고, $x=1, 3, 5, \cdots$일 때에는 거짓말이다.

이때 조건을 참이 되게 하는 원소들의 집합을 **진리집합**이라 한다.

위 조건의 진리집합은 $\{2, 4, 6, 8, \cdots\}$이다.

진리집합

전체집합 U의 원소 중 조건 $p(x)$가 참이 되게 하는 모든 원소의 집합을 조건 $p(x)$의 **진리집합**이라 한다. 즉, 조건 $p(x)$의 진리집합을 P라 하면

$$P=\{x|x\in U,\ p(x)\text{는 참}\}$$

| 개념확인 |

명제만을 보기에서 있는 대로 골라라.

보기

ㄱ. $2\times2=4$　　ㄴ. 백두산은 높은 산이다.

ㄷ. 모든 새는 날 수 있다.　　ㄹ. $x+1>6$

> 풀이 ㄱ. 참인 명제

ㄴ. '높은'의 기준은 명확하지 않으므로 명제가 아니다.

ㄷ. 거짓인 명제

ㄹ. x의 값에 따라 참, 거짓이 변하므로 명제가 아니다.

따라서 명제인 것은 ㄱ, ㄷ이다.

075 전체집합 $U=\{x|x$는 실수$\}$에 대하여 다음 조건 p의 진리집합을 구하여라.

(1) p : $x-3=0$ (2) p : $x^2+2x-3=0$ (3) p : $x^2+1>0$

풍산자日 조건을 참으로 만드는 값 또는 범위를 구한다.

> 풀이

(1) $x=3$이므로 조건 p의 진리집합은 $\{\mathbf{3}\}$

(2) $x^2+2x-3=0$에서 $(x-1)(x+3)=0$

$\therefore$ $x=1$ 또는 $x=-3$

따라서 조건 p의 진리집합은 $\{\mathbf{1},\ \mathbf{-3}\}$

(3) $x^2+1>0$은 모든 실수 x에 대하여 성립하므로 진리집합은 실수 전체의 집합이다.

정답과 풀이 **9**쪽

유제 **076** 전체집합 $U=\{x|x$는 실수$\}$에 대하여 다음 조건 p의 진리집합을 구하여라.

(1) p : $x^2-4=0$ (2) p : x는 10보다 작은 소수

077 전체집합 $U=\{x|x$는 10 이하의 자연수$\}$에 대하여 다음 두 조건

p : $3(x-2)+1\le7$, q : x는 2의 배수

의 진리집합을 각각 P, Q라 할 때, $P\cap Q$의 모든 원소의 합을 구하여라.

풍산자日 조건이 주어지면 조건이 참이 되게 하는 진리집합을 구한다.
조건 p 또는 q의 진리집합은 $P\cup Q$이고, p 그리고 q의 진리집합은 $P\cap Q$이다.

> 풀이

$3(x-2)+1\le7$에서 $3(x-2)\le6$ $\therefore$ $x\le4$

$\therefore$ $P=\{1,\ 2,\ 3,\ 4\}$

10 이하의 자연수 중에서 2의 배수는 2, 4, 6, 8, 10이므로

$Q=\{2,\ 4,\ 6,\ 8,\ 10\}$

$\therefore$ $P\cap Q=\{2,\ 4\}$

따라서 $P\cap Q$의 모든 원소의 합은 $2+4=\mathbf{6}$

정답과 풀이 **9**쪽

유제 **078** 전체집합 $U=\{x|x$는 10 이하의 자연수$\}$에 대하여 다음 두 조건

p : x는 홀수가 아닌 소수, q : x는 15의 약수

의 진리집합을 각각 P, Q라 할 때, $P\cup Q$의 원소의 개수를 구하여라.

02 | 명제와 조건의 부정

조건 또는 명제 p에 대하여 'p가 아니다.'를 p의 **부정**이라 하고, $\sim p$ (not p)로 나타낸다. 부정은 아니라고 하는 것이므로 명제가 참이면 그 부정은 거짓이고, 명제가 거짓이면 그 부정은 참이다. 예를 들어 '-2는 양수이다.'는 거짓인 명제이고, 명제의 부정은 '-2는 양수가 아니다.'로 참인 명제이다.

조건의 부정을 정리하면 다음과 같다.

조건의 부정

두 조건 p, q에 대하여

조건	부정
같다. $(=)$	같지 않다. $(\neq)$
p 또는 q	$\sim p$ 이고 $\sim q$
p 이고 q	$\sim p$ 또는 $\sim q$
$x<a$ (미만)	$x\geq a$ (이상)
$x>a$ (초과)	$x\leq a$ (이하)
짝수	홀수
음수	음수가 아니다. (0을 포함한 양수이다.)
$x=y=z$	$x\neq y$ 또는 $y\neq z$ 또는 $z\neq x$
적어도 하나는 ~이다.	모두 ~가 아니다.

조건의 부정은 진리집합의 여집합에 정확히 대응한다.
조건 p, q의 진리집합을 각각 P, Q라 하면 조건과 진리집합은 다음과 같은 밀접한 관계가 있다.

조건과 진리집합

조건	진리집합
$\sim p$	P^C
$\sim(\sim p)=p$	$(P^C)^C=P$
p 또는 q	$P\cup Q$
p 그리고 q	$P\cap Q$
$\sim(p$ 또는 $q)$ ➡ $\sim p$ 이고 $\sim q$	$(P\cup Q)^C=P^C\cap Q^C$
$\sim(p$ 이고 $q)$ ➡ $\sim p$ 또는 $\sim q$	$(P\cap Q)^C=P^C\cup Q^C$

'또는'과 '그리고'의 부정은 드 모르간의 법칙을 떠올리면 쉽게 이해할 수 있고, 부등식의 부정은 수직선을 그리면 직관적으로 알 수 있다.

079 **다음 물음에 답하여라.**

(1) 조건 '두 실수 x, y는 모두 유리수이다.'의 부정을 말하여라.

(2) 전체집합 $U=\{1,\ 2,\ 3,\ 4,\ 5\}$에 대하여 조건 'x는 홀수이거나 6의 약수이다.'의 부정을 말하고, 그것의 진리집합을 구하여라.

풍산자旦 조건 '모두 ~가 아니다.'의 부정은 '적어도 하나는 ~이다.'이다.

> 풀이 (1) 주어진 조건의 부정은 '**두 실수 x, y 중 적어도 하나는 유리수가 아니다.**'이다.
> (2) 주어진 조건의 부정은 '**x는 홀수도 아니고, 6의 약수도 아니다.**'이다.
> 전체집합 U의 원소 중에서 홀수는 1, 3, 5이고 6의 약수는 1, 2, 3이다.
> 홀수도 아니고, 6의 약수도 아닌 것은 4뿐이므로 구하는 진리집합은 $\{4\}$이다.

정답과 풀이 9쪽

유제 **080** **다음 물음에 답하여라.**

(1) 조건 '두 실수 x, y 중 하나는 무리수이고 나머지 하나는 유리수이다.'의 부정을 말하여라.

(2) 전체집합 $U=\{1,\ 2,\ 3,\ 4,\ 5,\ 6\}$에 대하여 조건 '$x$는 짝수도 아니고, 4의 배수도 아니다.'의 부정을 말하고, 그것의 진리집합을 구하여라.

081 **명제 '1은 소수도 아니고, 합성수도 아니다.'의 부정을 말하고, 그것의 참, 거짓을 판별하여라.**

풍산자旦 'p 이고 q'의 부정은 '$\sim p$ 또는 $\sim q$'이다.

> 풀이 주어진 명제의 부정은 '**1은 소수이거나 합성수이다.**'이다.
> 1은 소수도 아니고, 합성수도 아니기 때문에 주어진 명제의 부정은 **거짓**이다.

정답과 풀이 9쪽

유제 **082** **명제 '0은 양수이거나 음수이다.'의 부정을 말하고, 그것의 참, 거짓을 판별하여라.**

083 전체집합 $U=\{x|x$는 10 이하의 자연수$\}$에 대하여 두 조건 p, q가

p : x는 2의 배수, q : x는 3의 배수

일 때, 다음 조건의 진리집합을 구하여라.

(1) $\sim p$ (2) $\sim q$

풍산자日 조건을 만족시키는 진리집합을 구하고 그것의 여집합을 구하면 된다.

> 풀이 두 조건 p, q의 진리집합을 각각 P, Q라 하면
$P=\{2, 4, 6, 8, 10\}$, $Q=\{3, 6, 9\}$
(1) $P^C=\{\mathbf{1, 3, 5, 7, 9}\}$
(2) $Q^C=\{\mathbf{1, 2, 4, 5, 7, 8, 10}\}$

정답과 풀이 **9**쪽

유제 **084** 실수 전체의 집합에서 정의된 두 조건 p, q가 p : $x<4$, q : $3\le x<8$일 때, 다음 조건의 진리집합을 구하여라.

(1) $\sim p$ (2) $\sim q$

085 전체집합 $U=\{x|x$는 실수$\}$에 대하여 두 조건 p, q가

p : $1\le x\le 5$, q : $2\le x\le 7$

일 때, 조건 '$\sim p$ 또는 q'의 진리집합을 구하여라.

풍산자日 부등식의 진리집합을 구할 때에는 수직선을 그려 놓고 생각한다.
이때 p 또는 q의 진리집합은 $P\cup Q$, p 그리고 q의 진리집합은 $P\cap Q$이다.

> 풀이 두 조건 p, q의 진리집합을 각각 P, Q라 하면
조건 '$\sim p$ 또는 q'의 진리집합은 $P^C\cup Q$이다.
그림에서 $P^C=\{x|x<1$ 또는 $x>5\}$이므로 $P^C\cup Q=\{\boldsymbol{x|x<1}$ **또는** $\boldsymbol{x\ge 2}\}$

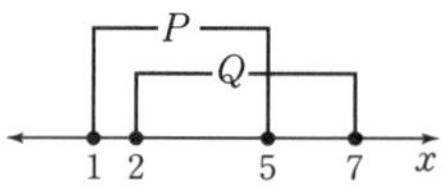

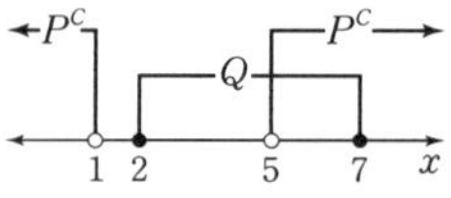

정답과 풀이 **9**쪽

유제 **086** 전체집합 $U=\{x|x$는 실수$\}$에 대하여 두 조건 p, q가

p : $0\le x\le 2$, q : $1\le x\le 3$

일 때, 조건 '$\sim p$이고 $\sim q$'의 진리집합을 구하여라.

03 | 명제 $p \longrightarrow q$

조건은 명제가 아니지만 조건 두 개를 '이면'으로 연결하면 명제가 된다.
두 조건 p, q에 대하여 'p이면 q이다.'의 꼴인 명제를 $\boldsymbol{p \longrightarrow q}$로 나타낸다. 이때 p를 **가정**이라 하고, q를 **결론**이라 한다.

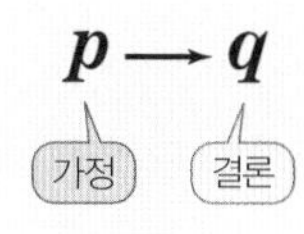

명제 $p \longrightarrow q$가 참일 때에는 $\boldsymbol{p \Longrightarrow q}$로 나타내고, 거짓일 때에는 $p \not\Longrightarrow q$로 나타낸다. 특히, $p \Longrightarrow q$이고 $q \Longrightarrow p$일 때에는 $\boldsymbol{p \Longleftrightarrow q}$로 나타낸다.

명제 $p \longrightarrow q$의 참, 거짓 판정은 대단히 중요하다. 수학의 발전이라는 것이 새로운 명제를 발견하고, 그 명제의 참, 거짓을 판정하는 과정이기 때문이다.
모든 명제의 참, 거짓 판정은 논리적인 분석이 중요하지만 명제 $p \longrightarrow q$의 참, 거짓은 진리집합을 이용하면 그 판정이 쉽다.

명제 $p \longrightarrow q$의 참, 거짓
두 조건 p, q의 진리집합을 각각 P, Q라 할 때,
(1) 명제 $p \longrightarrow q$가 참이면 $P \subset Q$이다.
역으로 $P \subset Q$이면 명제 $p \longrightarrow q$는 참이다.
(2) 명제 $p \longrightarrow q$가 거짓이면 $P \not\subset Q$이다.
역으로 $P \not\subset Q$이면 명제 $p \longrightarrow q$는 거짓이다.

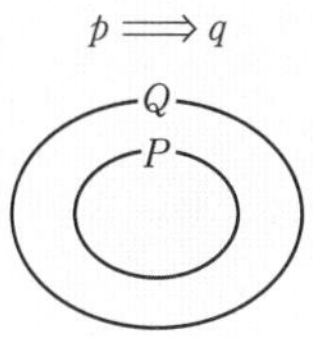

명제 $p \longrightarrow q$에서 가정 p는 만족시키지만 결론 q는 만족시키지 않는 예가 존재할 때, 이러한 예를 **반례**라 한다. 명제 $p \longrightarrow q$가 거짓임을 밝힐 때에는 반례가 하나라도 있음을 보이면 된다. p, q의 진리집합을 각각 P, Q라 할 때 반례는 $P-Q$의 원소이다.

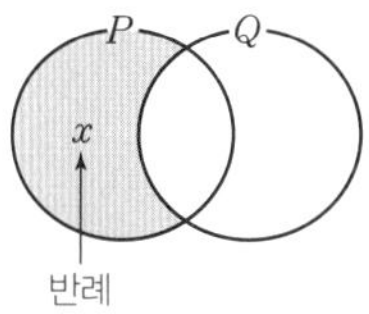

| 개념확인 |

다음 명제의 참, 거짓을 판별하여라.
(1) $2<x<6$이면 $x>1$이다.
(2) $x^2-4=0$이면 $x-2=0$이다.

> 풀이 명제 $p \longrightarrow q$에서 두 조건 p, q의 진리집합을 각각 P, Q라 하면
(1) $P=\{x \mid 2<x<6\}$, $Q=\{x \mid x>1\}$
$\therefore P \subset Q$ (참)
(2) $P=\{-2, 2\}$, $Q=\{2\}$
$\therefore P \not\subset Q$ (거짓)

大 원칙 명제 $p \longrightarrow q$가 참임을 보이려면 p, q의 진리집합 P, Q에 대하여 $P \subset Q$임을 보이면 된다.

087 참인 명제만을 보기에서 있는 대로 골라라.

보기

ㄱ. $(x-2)^2=0$이면 $x^2-3x+2=0$이다.

ㄴ. $2<x\le7$이면 $3\le x<8$이다.

ㄷ. n이 소수이면 n은 홀수이다.

ㄹ. $ab=0$이면 $a^2+b^2=0$이다.

풍산자日 진리집합을 찾아 포함 관계를 따진다.

진리집합을 구하기 힘들 때에는 '이면' 뒤에 '반드시'를 끼워 넣고 논리적인 분석을 한다.

부등식은 수직선 위에 나타내면 진리집합이 한눈에 보인다.

> 풀이 ㄱ은 참이다.

p : $(x-2)^2=0$, q : $x^2-3x+2=0$이라 하고, p, q의 진리집합을 각각 P, Q라 하면

$(x-2)^2=0$에서 $x-2=0$ $\quad\therefore x=2$

$x^2-3x+2=0$에서 $(x-1)(x-2)=0$ $\quad\therefore x=1$ 또는 $x=2$

$\therefore P=\{2\}$, $Q=\{1, 2\}$

$P\subset Q$이므로 $p \Longrightarrow q$

ㄴ은 거짓이다.

p : $2<x\le7$, q : $3\le x<8$이라 하고, p, q의 진리집합을 각각 P, Q라 하면 수직선에서 $P\not\subset Q$이므로 $p \not\Longrightarrow q$

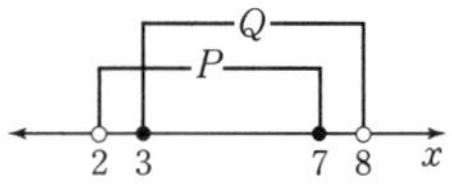

ㄷ도 거짓이다.

'이면' 뒤에 '반드시'를 끼워 생각해 본다.

n이 소수이면 반드시 n은 홀수일까?

아니다.

(반례) 2는 소수이지만 홀수가 아니다.

ㄹ도 거짓이다.

$ab=0$이면 반드시 $a^2+b^2=0$일까?

아니다.

(반례) $a=0$, $b=1$일 때, $ab=0$이지만 $a^2+b^2=1\ne0$이다.

따라서 참인 명제는 ㄱ뿐이다.

정답과 풀이 **10**쪽

유제 088 참인 명제만을 보기에서 있는 대로 골라라.

보기

ㄱ. $3x+1=-2$이면 $x^2-2x-3=0$이다.

ㄴ. 정수 x에 대하여 $0<x\le3$이면 $1\le x<4$이다.

ㄷ. $ax=ay$이면 $x=y$이다.

ㄹ. 두 실수 a, b에 대하여 $a^2+b^2=0$이면 $ab=0$이다.

089 전체집합 U에 대하여 두 조건 p, q의 진리집합을 각각 P, Q라 하자. 명제 $p \longrightarrow \sim q$가 참일 때, 다음 중 항상 옳은 것은?

① $P\cap Q=P$　　② $P\cap Q=Q$　　③ $P\cap Q=\varnothing$
④ $P-Q=\varnothing$　　⑤ $Q-P=\varnothing$

풍산자팁 두 조건 p, $\sim q$의 진리집합은 각각 P, Q^C이다.

> 풀이 $p \longrightarrow \sim q$가 참이므로 $P\subset Q^C$
즉, P는 Q의 바깥쪽에 있어야 하므로 벤 다이어그램과 같다.
$\therefore P\cap Q=\varnothing$
따라서 옳은 것은 ③이다.

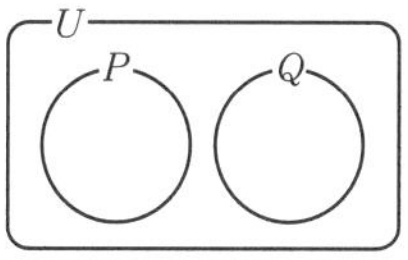

정답과 풀이 10쪽

유제 **090** 전체집합 U에 대하여 두 조건 p, q의 진리집합을 각각 P, Q라 하자. 명제 $p \longrightarrow q$가 참일 때, 다음 중 항상 옳은 것은?

① $P\cup Q=P$　　② $P\cap Q=Q$　　③ $P\cap Q^C=\varnothing$
④ $Q-P=\varnothing$　　⑤ $P=Q^C$

091 명제 '20의 양의 약수이면 30의 양의 약수이다.'는 거짓이다. 다음 중 이 명제가 거짓임을 보여 주는 반례로 적당한 것은?

① 1　　② 2　　③ 4　　④ 5　　⑤ 10

풍산자팁 명제 $p \longrightarrow q$가 거짓임을 보여 주는 반례는 p는 만족시키지만 q를 만족시키지 않는 것이다.

> 풀이 주어진 명제가 거짓임을 보여 주는 반례는 20의 양의 약수이지만 30의 양의 약수가 아닌 것이다. 20의 양의 약수는 1, 2, 4, 5, 10, 20이다.
또 30의 양의 약수는 1, 2, 3, 5, 6, 10, 15, 30이다.
따라서 20의 양의 약수 중 30의 양의 약수가 아닌 수는 4, 20이므로 주어진 수 중 반례로 적당한 것은 ③이다.

정답과 풀이 10쪽

유제 **092** 명제 '2의 양의 배수이면 6의 양의 배수이다.'는 거짓이다. 다음 중 이 명제가 거짓임을 보여 주는 반례로 적당한 것은?

① 3　　② 4　　③ 5　　④ 6　　⑤ 7

04 '모든' 또는 '어떤'이 들어 있는 명제

[1] '모든' 또는 '어떤'이 들어 있는 명제의 참, 거짓

일반적으로 조건 p는 명제가 아니지만 조건 앞에 '모든'이나 '어떤'이 붙으면 참, 거짓이 구별되므로 명제가 된다. 이 명제의 참, 거짓을 판정하는 방법은 다음과 같다.

'모든' 또는 '어떤'이 들어 있는 명제의 참, 거짓

전체집합 U에 대하여 조건 p의 진리집합을 P라 할 때,

(1) 명제 '모든 x에 대하여 $p(x)$이다.'의 참, 거짓

① $P=U$이면 참이다.

② $P\neq U$이면 거짓이다.

(2) 명제 '어떤 x에 대하여 $p(x)$이다.'의 참, 거짓

① $P\neq\varnothing$이면 참이다.

② $P=\varnothing$이면 거짓이다.

| 설명 | '모든 x에 대하여 p'가 참이려면 모든 x에 대하여 p가 성립해야 한다.
p를 만족시키지 않는 것이 단 하나만 존재해도 거짓이 된다.
'어떤 x에 대하여 p'가 참이려면 어떤 x에 대하여 p가 성립하면 된다.
p를 만족시키는 것이 단 하나만 존재해도 참이 된다.

| 개념확인 | 다음 명제의 참, 거짓을 판별하여라.

(1) 모든 양수 x에 대하여 $x>0$이다.

(2) 어떤 양수 x에 대하여 $x\leq 0$이다.

(3) 모든 실수 x에 대하여 $x^2\geq 0$이다.

(4) 어떤 실수 x에 대하여 $x^2<0$이다.

> 풀이 (1) 참 (2) 거짓 (3) 참 (4) 거짓

[2] '모든' 또는 '어떤'이 들어 있는 명제의 부정

'모든'이나 '어떤'이 붙은 명제의 부정은 어떻게 접근할까?

'모든 수학 문제는 어렵다.'라는 문장을 거짓인 명제라고 가정하고 그 부정을 생각해 보자.

이 명제의 부정은 '모든 수학 문제는 어렵지 않다.'일까?

안타깝게도 그렇지 않다. 표현을 조금 바꾸어 보자.

'모든 수학 문제가 어려운 것은 아니다.' 그렇다면?

'어떤 수학 문제는 어렵지 않다.'가 된다. 옳거니! 이것이 바른 부정이다.

부정의 뜻은 생각하지 않고 표현만 외우는 경우가 많다.

언어적인 접근으로 뜻을 생각하면 이해나 암기가 쉬워질 것이다.

093 **다음 명제의 부정을 말하고, 그것의 참, 거짓을 판별하여라.**

(1) 모든 실수 x에 대하여 $x^2>0$이다.

(2) 어떤 유리수 x에 대하여 $2x=3$이다.

풍산자日 '모든'을 부정하면 '어떤'이 되고, '어떤'을 부정하면 '모든'이 된다.

> 풀이 (1) 주어진 명제의 부정

➡ **'어떤 실수 x에 대하여 $x^2\leq 0$이다.'**

이것은 $x=0$일 때 $x^2\leq 0$이 성립하므로 **참**이다.

(2) 주어진 명제의 부정

➡ **'모든 유리수 x에 대하여 $2x\neq 3$이다.'**

이것은 $x=\frac{3}{2}$일 때 $2x=3$이므로 **거짓**이다.

> 참고 '모든 것이 p이다.'의 부정은 다음과 같이 3가지 형태로 표현할 수 있다.

① 어떤 것은 p가 아니다.

② 적어도 하나는 p가 아니다.

③ p가 아닌 것도 있다.

예를 들어 '모든 새는 날 수 있다.'의 부정은 다음과 같이 3가지 형태로 표현할 수 있다.

① 어떤 새는 날 수 없다.

② 적어도 한 마리의 새는 날 수 없다.

③ 날 수 없는 새도 있다.

정답과 풀이 **10**쪽

유제 **094** **다음 명제의 부정을 말하고, 그것의 참, 거짓을 판별하여라.**

(1) 모든 실수 x에 대하여 $2x+3>5$이다.

(2) 어떤 자연수 x에 대하여 $x^2=3x$이다.

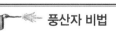

풍산자 비법

- 명제의 참, 거짓 판별은 진리집합이 넘버원! 진리집합으로 포함 관계를 따져 보자.

  ➔ 명제 $p \longrightarrow q$가 참이면 $P\subset Q$이다.

- 조건이나 명제를 부정할 때에는 언어적인 사고를 바탕으로 해야 한다.

05 역과 대우

명제 $p \longrightarrow q$에 대하여 앞뒤를 바꾼 명제 $q \longrightarrow p$를 역이라 하고, 부정하여 앞뒤를 바꾼 명제 $\sim q \longrightarrow \sim p$를 대우라 한다.

명제 $p \longrightarrow q$의 역과 대우

(1) 역: $q \longrightarrow p$

(2) 대우: $\sim q \longrightarrow \sim p$

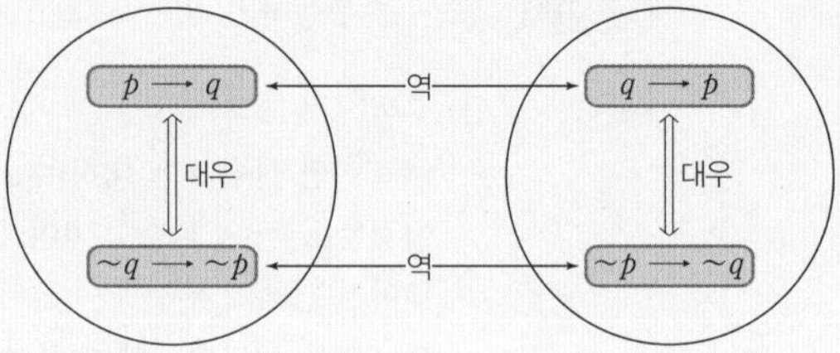

명제 $p \longrightarrow q$와 그 대우 $\sim q \longrightarrow \sim p$의 참, 거짓은 항상 일치한다.

명제 $p \longrightarrow q$와 그 역 $q \longrightarrow p$의 참, 거짓은 아무 상관없다.

| 설명 | 명제가 참이면 그 대우도 반드시 참이다. 또 명제가 거짓이면 그 대우도 반드시 거짓이다. 명제와 그 대우의 참, 거짓이 항상 일치한다는 것은 벤 다이어그램으로 간단히 보일 수 있다.

두 조건 p, q의 진리집합을 각각 P, Q라 할 때,

$p \longrightarrow q$가 참이면 $P \subset Q$ $\quad \therefore Q^C \subset P^C$

따라서 $p \longrightarrow q$가 참이면 $\sim q \longrightarrow \sim p$도 참이다.

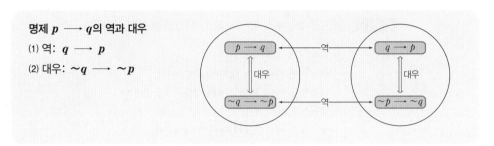

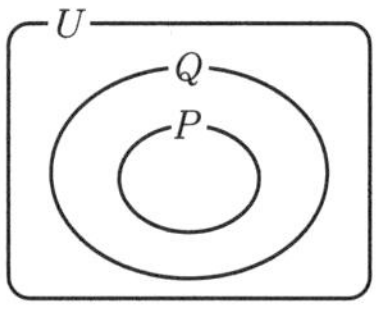

| 명제의 역, 이, 대우 |

095 **다음 명제와 그 역, 대우의 참, 거짓을 판별하여라.**

(1) $xy=0$이면 $x=0$ 또는 $y=0$이다.

(2) $x+y=3$이면 $x=1$이고 $y=2$이다.

풍산자팁 명제와 그 대우의 참, 거짓은 일치하므로 명제의 참, 거짓을 판별하기 어려우면 대우의 참, 거짓을 판별해 본다.

> 풀이 (1) 명제: $xy=0$이면 $x=0$ 또는 $y=0$이다. (**참**)

역: $x=0$ 또는 $y=0$이면 $xy=0$이다. (**참**)

대우: $x \neq 0$이고 $y \neq 0$이면 $xy \neq 0$이다. (**참**)

(2) 명제: $x+y=3$이면 $x=1$이고 $y=2$이다. (**거짓**) ➡ (반례) $x=0$, $y=3$

역: $x=1$이고 $y=2$이면 $x+y=3$이다. (**참**)

대우: $x \neq 1$ 또는 $y \neq 2$이면 $x+y \neq 3$이다. (**거짓**) ➡ (반례) $x=0$, $y=3$

정답과 풀이 10쪽

유제 **096** **다음 명제와 그 역, 대우의 참, 거짓을 판별하여라.**

(1) $x=1$ 또는 $x=-1$이면 $x^2=1$이다.

(2) $x>1$이고 $y>1$이면 $x+y>2$이다.

097 두 조건 p, q에 대하여 명제 $p \longrightarrow \sim q$의 역이 참일 때, 다음 중 반드시 참인 명제는?

① $\sim p \longrightarrow q$　② $\sim q \longrightarrow \sim p$　③ $\sim p \longrightarrow \sim q$
④ $q \longrightarrow p$　⑤ $p \longrightarrow \sim q$

풍산자曰 명제와 그 대우는 항상 참, 거짓이 일치한다.
역이 참이므로 역의 대우를 찾으라는 소리!!

> 풀이 $p \longrightarrow \sim q$의 역은 $\sim q \longrightarrow p$이고 이것이 참이므로 역의 대우 $\sim p \longrightarrow q$도 참이다.
따라서 반드시 참인 명제는 ①이다.

정답과 풀이 **10**쪽

유제 **098** 두 조건 p, q에 대하여 명제 $\sim p \longrightarrow q$의 역이 참일 때, 다음 중 반드시 참인 명제는?

① $p \longrightarrow \sim q$　② $\sim q \longrightarrow p$　③ $\sim p \longrightarrow q$
④ $\sim q \longrightarrow \sim p$　⑤ $\sim p \longrightarrow \sim q$

099 명제 '$x^2-ax+8=0$이면 $x=2$이다.'의 역이 참이 되도록 하는 상수 a의 값을 구하여라.

풍산자曰 명제 $p \longrightarrow q$의 역은 $q \longrightarrow p$이다.
역을 한번 써 보자. 그러면 아주 익숙한 문장이 나타난다.

> 풀이 주어진 명제의 역은 '$x=2$이면 $x^2-ax+8=0$이다.'이다.
역이 참이어야 하므로 $x=2$를 $x^2-ax+8=0$에 대입하면
$4-2a+8=0$, $2a=12$
$a=6$

정답과 풀이 **10**쪽

유제 **100** 명제 '$x^2-ax+6=0$이면 $x-1=0$이다.'의 역이 참이 되도록 하는 상수 a의 값을 구하여라.

06 삼단논법

두 개의 명제에서 새로운 하나의 명제를 얻는 추론을 **삼단논법**이라 한다.

사람은 배고프다, 나는 사람이다, 그러므로 나는 배고프다.

이것이 삼단논법이다.

삼단논법

$p \longrightarrow q$가 참이고 $q \longrightarrow r$가 참이면 $p \longrightarrow r$도 참이다.

| 설명 | 세 조건 p, q, r의 진리집합을 각각 P, Q, R라 할 때

$p \longrightarrow q$, $q \longrightarrow r$가 참이면

$P \subset Q$, $Q \subset R$ $\quad \therefore P \subset R$

따라서 $p \longrightarrow q$와 $q \longrightarrow r$가 참이면 $p \longrightarrow r$도 참이다.

대우의 성질과 삼단논법이 뭉치면 새로운 명제가 탄생한다.

$p \longrightarrow q$가 참이고 $\sim p \longrightarrow \sim s$가 참이면 대우도 참이므로 $s \longrightarrow p$도 참이다.

이때 $s \longrightarrow p$가 참이고 $p \longrightarrow q$가 참이므로 삼단논법에 의해 명제 $s \longrightarrow q$도 참이다.

| 삼단논법 |

101 **두 명제 $p \longrightarrow \sim q$와 $r \longrightarrow q$가 모두 참일 때, 다음 명제 중 반드시 참이라고 할 수 <u>없는</u> 것은?**

① $r \longrightarrow \sim p$ ② $\sim q \longrightarrow \sim r$ ③ $q \longrightarrow \sim p$

④ $p \longrightarrow r$ ⑤ $p \longrightarrow \sim r$

풍산자 두 개의 명제에 대우의 성질과 삼단논법을 적용하면 항상 네 개의 새로운 사실이 튀어 나온다.

> 풀이 (i) 주어진 두 명제가 참이므로 그 대우 $q \longrightarrow \sim p$와 $\sim q \longrightarrow \sim r$도 참이다.

(ii) $p \longrightarrow \sim q$와 $\sim q \longrightarrow \sim r$가 참이므로 삼단논법을 적용하면 $p \longrightarrow \sim r$도 참이다.

(iii) 명제 $p \longrightarrow \sim r$가 참이므로 그 대우 $r \longrightarrow \sim p$도 참이다.

따라서 반드시 참이라고 할 수 없는 것은 ④이다.

정답과 풀이 10쪽

유제 **102** **두 명제 $p \longrightarrow \sim q$와 $\sim r \longrightarrow q$가 모두 참일 때, 다음 명제 중 반드시 참이라고 할 수 <u>없는</u> 것은?**

① $\sim q \longrightarrow r$ ② $p \longrightarrow r$ ③ $q \longrightarrow \sim p$

④ $\sim r \longrightarrow \sim p$ ⑤ $\sim p \longrightarrow q$

07 대우를 이용한 증명법

혹자는 말한다. "수학은 고행의 연속이다." 풍산자는 말한다. "수학은 즐거움의 연속이다."
같은 것을 두고도 누가 말하는지에 따라 그 뜻이 바뀐다.
하지만 명쾌한 수학은 그렇지 않다. 식이나 단어의 뜻을 하나로 약속한다.
이렇게 정한 것을 바로 **정의**라 한다.
정의를 이용하면 여러 가지 명제를 만들 수 있다.
이렇게 만들어진 명제의 참, 거짓을 논리적으로 밝히는 과정을 **증명**이라 하고 증명된 명제 중 중요한 것을 **정리**라 한다.
증명의 큰 두 줄기는 직접 증명법과 간접 증명법!
명제를 가정과 결론의 순서로 증명하는 방법을 직접 증명법이라 하며 도형의 성질을 증명할 때 주로 이용한다.
간접 증명법은 직접 증명이 어려울 때 사용하는 증명법으로 **대우를 이용한 증명법**과 **귀류법**이 있다.

대우를 이용한 증명법
명제와 그 대우의 참, 거짓은 항상 일치하므로 명제가 참임을 증명하기 어려울 때에는 **그 대우가 참임을 증명**하면 된다.

| 대우를 이용한 증명 |

103 명제 'n이 자연수일 때, n^2이 짝수이면 n도 짝수이다.'가 참임을 대우를 이용하여 증명하여라.

풍산자曰 명제와 그 대우의 참, 거짓은 항상 일치하므로 명제를 증명하기 어려울 때에는 주저없이 대우를 증명한다.

> 증명 주어진 명제의 대우는 'n이 자연수일 때, n이 홀수이면 n^2도 홀수이다.'이다.
n이 홀수이면 $n=2k-1$ (k는 자연수)로 나타낼 수 있으므로
$$n^2=(2k-1)^2=4k^2-4k+1=\underbrace{2(2k^2-2k+1)}_{㉠}-1$$
여기서 ㉠이 짝수이므로 n^2은 홀수이다.
따라서 주어진 명제의 대우가 참이므로 주어진 명제도 참이다.

정답과 풀이 11쪽

유제 **104** 명제 'n이 자연수일 때, n^2이 홀수이면 n도 홀수이다.'가 참임을 대우를 이용하여 증명하여라.

08 귀류법

또 다른 간접 증명법으로 귀류법이 있다.

귀류법

어떤 명제가 참임을 직접 증명하기 어려울 때, 그 명제의 **결론을 부정하면 가정, 정리 등에 모순**임을 밝힘으로써 그 명제가 참임을 증명한다.

| 증명 | 귀류법의 한자어를 살펴보면 류(謬)는 '틀리다, 오류가 있다, 잘못 되었다.'의 뜻이고, 귀(歸)는 '돌아간다.'의 뜻이다. 즉, 귀류법은 '결론을 부정하면 오류로 돌아간다'는 뜻. 한마디로 모순을 일으켜 명제를 증명하는 방법이다.

'p이면 q이다.'를 증명하는 귀류법의 핵심은 'q가 아니라면 p에 모순이다.'이다.

명제 '$\sqrt{2}$ 는 유리수가 아니다.'가 참임을 귀류법으로 증명해 보자.

주어진 명제의 결론을 부정하여 $\sqrt{2}$ 는 유리수라고 가정하면

$\sqrt{2}=\dfrac{n}{m}$ (m, n은 서로소인 자연수)인 m, n이 존재한다.

$\sqrt{2}=\dfrac{n}{m}$의 양변을 제곱하면

$2=\dfrac{n^2}{m^2}$

$\therefore\ n^2=2m^2$ …… ㉠

따라서 n^2이 2의 배수이므로 n도 2의 배수이다.

$n=2k$ (k는 자연수)로 놓고 ㉠에 대입하면

$(2k)^2=2m^2$

$\therefore\ m^2=2k^2$

m^2이 2의 배수이므로 m도 2의 배수이다.

이것은 m, n이 서로소라는 가정에 모순이므로 $\sqrt{2}$ 는 유리수가 아니다.

大 원칙 | 결론을 부정해서 모순을 이끌어 내는 방법. 이것이 귀류법이다.

105 **다음 명제가 참임을 귀류법을 이용하여 증명하여라.**

(1) n이 자연수일 때, n^2+3n이 9의 배수가 아니면 n은 3의 배수가 아니다.

(2) $\sqrt{2}+1$은 무리수이다.

풍산자 TIP 결론을 부정하여 n을 3의 배수라고 가정하고 명제의 가정에 어긋나는 모순점을 찾으면 된다.

> 증명
(1) n을 3의 배수라고 가정하면 $n=3k$ (k는 자연수)로 나타낼 수 있으므로

$$n^2+3n=(3k)^2+3\cdot 3k=9k^2+9k=\underbrace{9(k^2+k)}_{㉠}$$

여기서 ㉠이 9의 배수이므로 n^2+3n은 9의 배수이다.
이것은 n^2+3n이 9의 배수가 아니라는 주어진 명제의 가정에 모순이다.
따라서 n은 3의 배수가 아니다.

(2) $\sqrt{2}+1$은 무리수가 아니라고 가정하자.
즉, 유리수라고 가정하면 $\sqrt{2}+1$과 1은 유리수이므로
$(\sqrt{2}+1)-1=\sqrt{2}$
도 유리수이다.
이것은 $\sqrt{2}$가 무리수라는 사실에 모순이므로 $\sqrt{2}+1$은 유리수가 아니다.

정답과 풀이 11쪽

유제 **106** **다음 명제가 참임을 귀류법을 이용하여 증명하여라.**

(1) n이 자연수일 때, n^2+2n이 4의 배수가 아니면 n은 2의 배수가 아니다.

(2) $\sqrt{3}$은 무리수이다.

풍산자 비법

- 명제 $p \longrightarrow q$의 역은 $q \longrightarrow p$이고, 대우는 $\sim q \longrightarrow \sim p$이다.
- $p \longrightarrow q$가 참이고 $q \longrightarrow r$가 참이면 $p \longrightarrow r$도 참이다.
- 명제가 참임을 직접 증명법으로 증명하기 어려울 때에는 대우가 참임을 보이거나, 결론을 부정하여 모순임을 밝힌다.

필수 확인 문제

* 더 많은 유형은 **풍산자필수유형 수학(하)** 022쪽

정답과 풀이 11쪽

107

명제인 것만을 보기에서 있는 대로 고른 것은?

보기
ㄱ. 중국의 수도는 홍콩이다.
ㄴ. 세계에서 가장 높은 산은 아시아에 있다.
ㄷ. 장미꽃은 예쁘다.
ㄹ. 한라산은 높다.

① ㄱ　　② ㄱ, ㄴ
③ ㄴ, ㄹ　　④ ㄱ, ㄷ, ㄹ
⑤ ㄱ, ㄴ, ㄷ, ㄹ

108

명제 '$x+y\le0$인 어떤 실수 x, y에 대하여 $x\le0$ 또는 $y\le0$이다'의 부정을 말하고, 그것의 참, 거짓을 판별하여라.

109

명제 '두 실수 x, y에 대하여 $xy>1$이면 $x>1$ 또는 $y\ge1$이다.'는 거짓이다.
다음 중 이 명제가 거짓임을 보여 주는 반례로 적당한 것은?

① $x=-2$, $y=-1$　　② $x=3$, $y=2$
③ $x=2$, $y=1$　　④ $x=1$, $y=1$
⑤ $x=\frac{1}{2}$, $y=1$

110

전체집합 $U=\{x|1\le x\le10,\ x$는 자연수$\}$에 대하여 두 조건 p, q가

p : x는 짝수, q : x는 3의 배수

일 때, 조건 '$\sim p$이고 q'의 진리집합을 구하여라.

111

다음 명제 중 그 역이 참인 것은?

① 사람은 동물이다.
② $x=1$이면 x는 홀수이다.
③ $x^2-x=0$이면 $x=0$이다.
④ $x+y=0$이면 $xy=0$이다.
⑤ $x>0$이고 $y<0$이면 $xy<0$이다.

112

전체집합 U에 대하여 세 조건 p, q, r의 진리집합을 각각 P, Q, R라 할 때, 세 집합 P, Q, R 사이의 포함 관계는 그림과 같다. 이때 다음 중 거짓인 명제는?

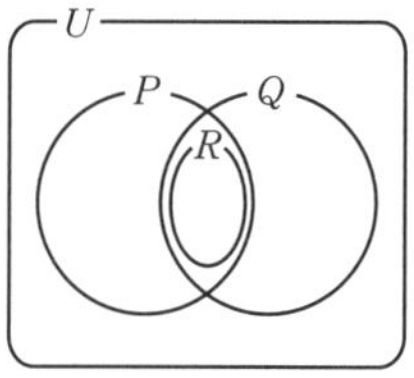

① $r \longrightarrow p$　　② $r \longrightarrow q$
③ $\sim p \longrightarrow \sim r$　　④ $\sim p \longrightarrow q$
⑤ $\sim q \longrightarrow \sim r$

2 필요조건과 충분조건

01 필요조건과 충분조건

명제에서 중요한 것은 크게 세 가지가 있다.

(1) 명제의 참, 거짓의 판정

(2) 대우와 삼단논법의 응용

(3) 필요조건과 충분조건의 판정

이 중 마지막 필요조건과 충분조건에 대하여 배운다.

필요조건과 충분조건 중요!

(1) 명제 $p \longrightarrow q$가 참일 때, 즉 $p \Longrightarrow q$일 때,
p는 q이기 위한 **충분조건**,
q는 p이기 위한 **필요조건**이라 한다.

$p \Longrightarrow q$

q이기 위한 충분조건 / p이기 위한 필요조건

(2) $p \Longrightarrow q$이고 $q \Longrightarrow p$일 때, p는 q이기 위한 **필요충분조건**이라 하고, $\boldsymbol{p} \Longleftrightarrow \boldsymbol{q}$로 나타낸다.
이때 q도 p이기 위한 필요충분조건이다.

| 설명 | **총**을 쏘는 것이 **충**분조건이고, **피**를 흘리는 것이 **필**요조건이다!

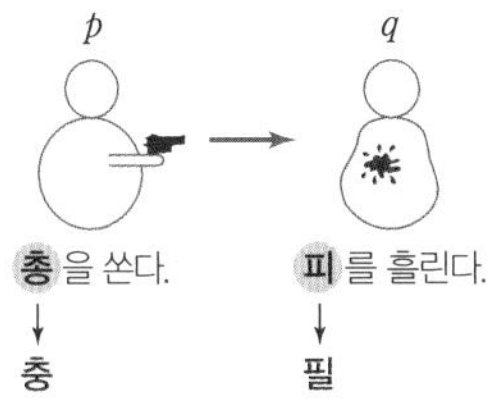

필요조건과 충분조건을 진리집합으로 나타내면 다음과 같다.

필요조건, 충분조건과 진리집합

두 조건 p, q의 진리집합을 각각 P, Q라 하면

(1) $P \subset Q$일 때,
p는 q이기 위한 충분조건, q는 p이기 위한 필요조건이다.

(2) $P=Q$이면 p는 q이기 위한 필요충분조건이다.

충분조건 필요조건

$p \Longrightarrow q$

$P \subset Q$

작은 집합은 큰 집합에 충분히 들어가므로 충분조건이다.

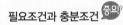

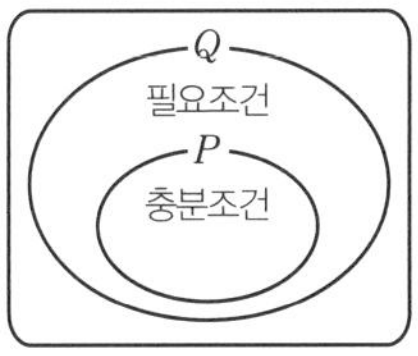

큰 소리로 외친다. ➡ **"큰 집합이 big 조건"**

big 조건 ➡ **빅** 조건 ➡ **필**요조건

113 **다음에서 조건 p는 조건 q이기 위한 어떤 조건인지 판정하여라.**

(1) p : $2017 \le x \le 2020$　　q : $2018 < x \le 2019$

(2) p : $(x-1)^2=0$　　q : $x^2+2x-3=0$

풍산자日 조건의 진리집합을 구했을 때 큰 집합이 필요조건, 작은 집합이 충분조건이다.

풀이 필요조건, 충분조건 문제는 $p \longrightarrow q$에서 항상 두 조건 p, q를 비교한다.
묻는 것은 주어인 p가 어떤 조건이냐는 것.

(1) p, q의 진리집합을 각각 P, Q라 하면 P는 Q를 포함한다.
따라서 p는 q이기 위한 **필요조건**이다.

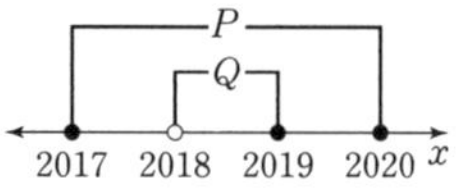

(2) p, q의 진리집합을 각각 P, Q라 하면
$P=\{1\}$, $Q=\{1, -3\}$이므로 P는 Q에 포함된다.
따라서 p는 q이기 위한 **충분조건**이다.

정답과 풀이 **12쪽**

유제 **114** **다음에서 조건 p는 조건 q이기 위한 어떤 조건인지 판정하여라.**

(1) p : $0<x<2$　　q : $x<3$

(2) p : $x=0$　　q : $x^2=0$

115 **다음에서 조건 p는 조건 q이기 위한 어떤 조건인지 판정하여라.**

(1) p : 정삼각형이다.　　q : 이등변삼각형이다.

(2) p : $A \subset B$　　q : $A \cap B = A$

풍산자日 집합을 이용하는 방법이 빠르고 명쾌하지만 집합으로 판정되지 않는 문제들도 있다. 이런 경우 명제를 이용하여 판정한다.

[1단계] 두 명제 $p \longrightarrow q$와 $q \longrightarrow p$의 참, 거짓을 판정한다.

[2단계] 주어진 조건 p가 총을 쏘면 충분조건, 피를 흘리면 필요조건이다.

풀이 (1) $p \longrightarrow q$: 정삼각형이면 이등변삼각형이다. (참)
$q \longrightarrow p$: 이등변삼각형이면 정삼각형이다. (거짓)
참인 명제 $p \longrightarrow q$를 이용하여 판정하면 p는 q이기 위한 **충분조건**이다.

(2) $p \longrightarrow q$: $A \subset B$이면 $A \cap B = A$이다. (참)
$q \longrightarrow p$: $A \cap B = A$이면 $A \subset B$이다. (참)
두 명제 $p \longrightarrow q$와 $q \longrightarrow p$가 모두 참이므로 p는 q이기 위한 **필요충분조건**이다.

정답과 풀이 **12쪽**

유제 **116** **다음에서 조건 p는 조건 q이기 위한 어떤 조건인지 판정하여라.**

(1) p : 두 삼각형이 닮음이다.　q : 두 삼각형이 합동이다.

(2) p : $a+c>b+c$　　q : $a>b$

117 전체집합 U에 대하여 두 조건 p, q의 진리집합을 각각 P, Q라 하자.
$\sim p$가 $\sim q$이기 위한 필요조건이지만 충분조건은 아닐 때, 다음 중 옳지 않은 것은?

① $Q^C \subset P^C$　② $P-Q=\varnothing$　③ $P \cup Q=Q$
④ $Q-P=\varnothing$　⑤ $P \cap Q=P$

풍산자T 필요조건 하면 '큰 집합'을, 충분조건 하면 '작은 집합'을 떠올린다.

> 풀이

$\sim p$가 $\sim q$이기 위한 필요조건이므로
$Q^C \subset P^C$
$\therefore P \subset Q$
벤 다이어그램에서
$Q-P \neq \varnothing$이므로 옳지 않은 것은 ④이다.

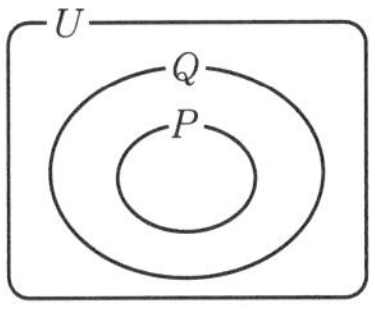

정답과 풀이 12쪽

유제 **118** 전체집합 U에 대하여 두 조건 p, q의 진리집합을 각각 P, Q라 하자.
q가 $\sim p$이기 위한 충분조건이지만 필요조건은 아닐 때, 다음 중 옳은 것은?

① $P \cup Q=P$　② $P \cap Q=P$　③ $P \cup Q^C=U$
④ $P \cap Q^C=\varnothing$　⑤ $P \cap Q=\varnothing$

119 $a \le x \le 4$는 $1 \le x \le 3$이기 위한 필요조건이고, $b \le x \le 3$은 $-1 \le x \le 3$이기 위한 충분조건일 때, a의 최댓값과 b의 최솟값의 합을 구하여라.

풍산자T 부등식을 수직선에 나타낸 후 집합의 포함 관계를 따져 본다.
필요조건이 충분조건을 포함한다.

> 풀이

(i) $a \le x \le 4$는 $1 \le x \le 3$이기 위한 필요조건이므로
$\{x | 1 \le x \le 3\} \subset \{x | a \le x \le 4\}$
$\therefore a \le 1$

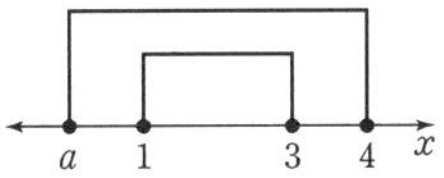

(ii) $b \le x \le 3$은 $-1 \le x \le 3$이기 위한 충분조건이므로
$\{x | b \le x \le 3\} \subset \{x | -1 \le x \le 3\}$
$\therefore -1 \le b \le 3$

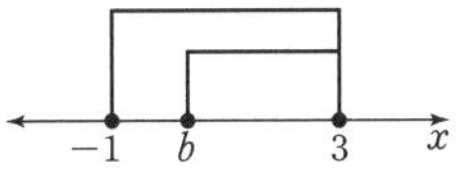

(i), (ii)에서 a의 최댓값은 1, b의 최솟값은 -1이므로 구하는 합은
$1+(-1)=\mathbf{0}$

정답과 풀이 12쪽

유제 **120** $x \le -2$는 $x \le a$이기 위한 충분조건이고, $x \ge 2$는 $x \ge b$이기 위한 필요조건일 때, a의 최솟값과 b의 최솟값의 합을 구하여라.

121 $x^2+kx-6=0$이 $x+2=0$이기 위한 필요조건일 때, 상수 k의 값을 구하여라.

풍산자日 진리집합을 구하여 포함 관계를 살핀다. 필요조건이 충분조건을 포함한다.

> 풀이 $x^2+kx-6=0$이 $x+2=0$이기 위한 필요조건이므로
$\{x|x+2=0\}\subset\{x|x^2+kx-6=0\}$
따라서 $x=-2$가 $x^2+kx-6=0$을 만족시키므로
$4-2k-6=0 \quad \therefore\ k=\mathbf{-1}$

정답과 풀이 **12**쪽

유제 **122** $x-1=0$이 $x^2-ax+3=0$이기 위한 충분조건일 때, 상수 a의 값을 구하여라.

123 다음 ☐ 안에 필요, 충분, 필요충분 중 알맞은 말을 각각 써넣어라.

> 세 조건 p, q, r에 대하여 p는 q이기 위한 충분조건, q는 r이기 위한 필요조건, r는 s이기 위한 필요조건, s는 q이기 위한 필요조건이다. 이때 p는 s이기 위한 ☐ 조건이고, q는 s이기 위한 ☐ 조건이다.

풍산자日 주어진 조건을 기호로 나타낸 후, 삼단논법을 적용한다.

> 풀이 주어진 조건을 기호로 나타내면

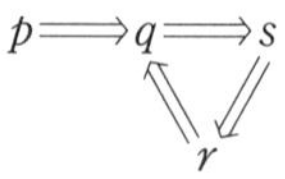

$p \Longrightarrow q$, $r \Longrightarrow q$, $s \Longrightarrow r$, $q \Longrightarrow s$
이것을 정리하면 그림과 같다.
(ⅰ) $p \Longrightarrow q$, $q \Longrightarrow s$에서 $p \Longrightarrow s$이므로 p는 s이기 위한 **충분** 조건이다.
(ⅱ) $s \Longrightarrow r$, $r \Longrightarrow q$에서 $s \Longrightarrow q$이고, $q \Longrightarrow s$이므로 q는 s이기 위한 **필요충분** 조건이다.

정답과 풀이 **12**쪽

유제 **124** 다음 ☐ 안에 필요, 충분, 필요충분 중 알맞은 말을 각각 써넣어라.

> 세 조건 p, q, r에 대하여 r는 p이기 위한 충분조건, q는 p이기 위한 필요조건, q는 s이기 위한 충분조건, p는 s이기 위한 필요조건이다. 이때 s는 r이기 위한 (가) 조건이고, p는 s이기 위한 (나) 조건이다.

풍산자 비법

• 총을 쏘는 것이 충분조건이고, 피를 흘리는 것이 필요조건이다.
• 진리집합에서는 큰 집합이 필요조건이다.

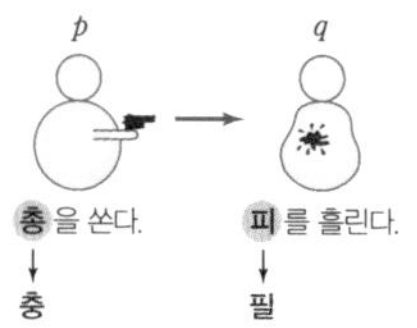

3 절대부등식

01 기본적인 절대부등식

항상 성립하는 등식을 항등식이라 하는 것처럼 항상 성립하는 부등식을 **절대부등식**이라 한다. 따라서 절대부등식의 해를 구하는 것은 무의미하다. 해는 항상 모든 실수니까.

중요한 항등식을 곱셈 공식이라는 이름으로 암기했던 것처럼 중요한 절대부등식은 암기해야 활용할 수 있다.

기본적인 절대부등식

a, b, c가 실수일 때,

(1) $\boldsymbol{a^2-2ab+b^2\geq 0}$ (단, 등호는 $a=b$일 때 성립)

(2) $\boldsymbol{a^2+b^2+c^2-ab-bc-ca\geq 0}$ (단, 등호는 $a=b=c$일 때 성립)

(3) $\boldsymbol{|a|+|b|\geq |a+b|}$ (단, 등호는 $ab\geq 0$일 때 성립)

| 증명 | a, b, c가 실수일 때,

(1) $\boldsymbol{a^2-2ab+b^2\geq 0}$의 증명

$a^2-2ab+b^2=(a-b)^2$

실수의 제곱은 항상 0보다 크거나 같으므로

$a^2-2ab+b^2\geq 0$ (단, 등호는 $a=b$일 때 성립)

(2) $\boldsymbol{a^2+b^2+c^2-ab-bc-ca\geq 0}$의 증명

$$a^2+b^2+c^2-ab-bc-ca=\frac{1}{2}(2a^2+2b^2+2c^2-2ab-2bc-2ca)$$
$$=\frac{1}{2}\{(a-b)^2+(b-c)^2+(c-a)^2\}$$

실수의 제곱은 항상 0보다 크거나 같으므로 완전제곱식의 합 또한 항상 0보다 크거나 같다.

$\therefore$ $a^2+b^2+c^2-ab-bc-ca\geq 0$ (단, 등호는 $a=b=c$일 때 성립)

| 참고 | 우리가 만나는 절대부등식은 대부분 완전제곱식으로 변형한 후 **(실수)**$^2\geq 0$임을 이용하면 증명할 수 있다. 보통 다음과 같은 과정을 거친다.

① 모든 항을 좌변으로 이항한다.

$a>b \iff a-b>0$

② 좌변을 완전제곱식으로 변형한 후 (실수)$^2\geq 0$임을 이용하여 부등식을 증명한다.

$a^2\geq 0$, $a^2+b^2\geq 0$

③ 등호가 포함된 부등식의 경우 등호가 성립할 조건을 구한다.

$a^2+b^2=0 \iff a=0,\ b=0$

125 다음은 a, b가 실수일 때, 부등식 $|a|+|b|\geq|a+b|$를 증명한 것이다.

증명

$(|a|+|b|)^2-|a+b|^2=2(\boxed{(가)})\geq 0$

$\therefore (|a|+|b|)^2\geq|a+b|^2$

그런데 $|a|+|b|\geq 0$, $|a+b|\geq 0$이므로

$|a|+|b|\geq|a+b|$ (단, 등호는 $\boxed{(나)}$일 때 성립)

위의 증명에서 (가), (나)에 알맞은 것을 써넣어라.

풍산자팁 절댓값 기호가 있는 부등식을 증명하려면 부등식의 양변을 제곱하여 몽땅 좌변으로 이항한다.

> 풀이

$(|a|+|b|)^2-|a+b|^2=(|a|^2+2|a||b|+|b|^2)-(a+b)^2$

$=(a^2+2|ab|+b^2)-(a^2+2ab+b^2)$

$=2\boxed{\mathbf{(|ab|-ab)}}\geq 0$ ($\because |ab|\geq ab$)

$\therefore (|a|+|b|)^2\geq|a+b|^2$

그런데 $|a|+|b|\geq 0$, $|a+b|\geq 0$이므로

$|a|+|b|\geq|a+b|$ (단, 등호는 $|ab|=ab$, 즉 $\boxed{\mathbf{ab\geq 0}}$일 때 성립)

정답과 풀이 12쪽

유제 **126** 다음은 $a>0$, $b>0$일 때, 부등식 $\sqrt{a}+\sqrt{b}>\sqrt{a+b}$를 증명한 것이다.

증명

$(\sqrt{a}+\sqrt{b})^2-(\sqrt{a+b})^2=\boxed{(가)}>0$

$\therefore (\sqrt{a}+\sqrt{b})^2\ \boxed{(나)}\ (\sqrt{a+b})^2$

그런데 $\sqrt{a}+\sqrt{b}>0$, $\sqrt{a+b}>0$이므로 $\sqrt{a}+\sqrt{b}\ \boxed{(다)}\ \sqrt{a+b}$

위의 증명에서 (가), (나), (다)에 알맞은 것을 써넣어라.

127 a, b가 실수일 때, $a^2+ab+b^2\geq 0$임을 증명하여라.

풍산자팁 $(실수)^2\geq 0$을 이용하여 증명한다.

> 풀이

$a^2+ab+b^2=\left(a+\frac{1}{2}b\right)^2+\frac{3}{4}b^2$

그런데 $\left(a+\frac{1}{2}b\right)^2\geq 0$이고, $\frac{3}{4}b^2\geq 0$이므로

$a^2+ab+b^2\geq 0$ (단, 등호는 $a=b=0$일 때 성립)

정답과 풀이 12쪽

유제 **128** a, b가 실수일 때, $\sqrt{2(a^2+b^2)}\geq|a|+|b|$ 임을 증명하여라.

02 산술 · 기하평균과 코시-슈바르츠의 부등식

서로 다른 두 수의 평균을 구하는 세 가지 방법으로 산술평균, 기하평균, 조화평균이 있으며 이 순서로 작아진다. 두 양수 a, b에 대하여 $\frac{a+b}{2}$를 산술평균, $\sqrt{ab}$를 기하평균, $\frac{2ab}{a+b}$를 조화평균이라 한다. 산술평균과 기하평균의 관계는 양수 조건이 주어졌을 때, 최대 · 최소 문제의 해결사로서 매우 강력한 힘을 발휘한다.

코시-슈바르츠의 부등식은 산술평균과 기하평균의 관계와 더불어 절대부등식 세계의 양대 산맥이다. 그다지 어렵지는 않지만 꼭 증명해 보고 기억해야 할 부등식이다.

(1) **산술평균, 기하평균, 조화평균의 관계**

$a>0$, $b>0$일 때,

$\boldsymbol{\frac{a+b}{2}\ge\sqrt{ab}\ge\frac{2ab}{a+b}}$ (단, 등호는 $a=b$일 때 성립) 중요!

(2) **코시-슈바르츠의 부등식**

a, b, c, x, y, z가 실수일 때,

$\boldsymbol{(a^2+b^2)(x^2+y^2)\ge(ax+by)^2}$ $\left(\text{단, 등호는 } \frac{x}{a}=\frac{y}{b}\text{일 때 성립}\right)$

$(a^2+b^2+c^2)(x^2+y^2+z^2)\ge(ax+by+cz)^2$ $\left(\text{단, 등호는 } \frac{x}{a}=\frac{y}{b}=\frac{z}{c}\text{일 때 성립}\right)$

| 증명 | (1) **산술평균, 기하평균, 조화평균의 관계의 증명**

$a>0$, $b>0$일 때,

$$\frac{a+b}{2}-\sqrt{ab}=\frac{a+b-2\sqrt{ab}}{2}=\frac{(\sqrt{a})^2+(\sqrt{b})^2-2\sqrt{a}\sqrt{b}}{2}=\frac{(\sqrt{a}-\sqrt{b})^2}{2}\ge0$$

$\therefore \frac{a+b}{2}\ge\sqrt{ab}$ …… ㉠

$$\sqrt{ab}-\frac{2ab}{a+b}=\frac{\sqrt{ab}(a+b)-2ab}{a+b}=\frac{\sqrt{ab}(a+b-2\sqrt{ab})}{a+b}=\frac{\sqrt{ab}(\sqrt{a}-\sqrt{b})^2}{a+b}\ge0$$

$\therefore \sqrt{ab}\ge\frac{2ab}{a+b}$ …… ㉡

㉠, ㉡에서 $\frac{a+b}{2}\ge\sqrt{ab}\ge\frac{2ab}{a+b}$ (단, 등호는 $a=b$일 때 성립)

(2) **코시-슈바르츠의 부등식의 증명**

$$(a^2+b^2)(x^2+y^2)-(ax+by)^2=(a^2x^2+a^2y^2+b^2x^2+b^2y^2)-(a^2x^2+2abxy+b^2y^2)=a^2y^2-2abxy+b^2x^2=(ay-bx)^2\ge0$$

$\therefore (a^2+b^2)(x^2+y^2)\ge(ax+by)^2$ $\left(\text{단, 등호는 } ay=bx\text{, 즉 } \frac{x}{a}=\frac{y}{b}\text{일 때 성립}\right)$

| 설명 | 산술평균과 기하평균의 관계를 이용하면

➡ 두 양수의 합이 일정할 때 곱의 최댓값을 구할 수 있다.

➡ 두 양수의 곱이 일정할 때 합의 최솟값을 구할 수 있다.

129 $a>0$, $b>0$일 때, $\frac{2b}{a}+\frac{8a}{b}$의 최솟값을 구하여라.

풍산자日 양수 조건이 주어졌고 최댓값 또는 최솟값을 구하는 문제이다. 심지어 역수 관계! 대놓고 산술평균과 기하평균을 쓰라는 의미!

> 풀이 $a>0$, $b>0$이므로 산술평균과 기하평균의 관계에 의해

$\frac{2b}{a}+\frac{8a}{b}\geq 2\sqrt{\frac{2b}{a}\cdot\frac{8a}{b}}=2\cdot 4=8$ $\left(\text{단, 등호는 } \frac{2b}{a}=\frac{8a}{b}\text{, 즉 } b=2a\text{일 때 성립}\right)$

따라서 $\frac{2b}{a}+\frac{8a}{b}$의 최솟값은 8이다.

정답과 풀이 13쪽

유제 **130** $a>0$, $b>0$일 때, $\frac{b}{a}+\frac{a}{b}$의 최솟값을 구하여라.

131 $a>0$, $b>0$일 때, $\left(a+\frac{1}{b}\right)\left(4b+\frac{1}{a}\right)$의 최솟값을 구하여라.

풍산자日 역수로 주어지긴 하였지만 괄호에 각각 묶여 있다. 전개 후에 산술평균과 기하평균의 관계를 이용한다.

> 풀이 $a>0$, $b>0$이므로 산술평균과 기하평균의 관계에 의해

$$\left(a+\frac{1}{b}\right)\left(4b+\frac{1}{a}\right)=4ab+1+4+\frac{1}{ab}=4ab+\frac{1}{ab}+5$$
$$\geq 2\sqrt{4ab\cdot\frac{1}{ab}}+5$$
$$=2\cdot 2+5=9\ \left(\text{단, 등호는 } 4ab=\frac{1}{ab}\text{, 즉 } ab=\frac{1}{2}\text{일 때 성립}\right)$$

따라서 $\left(a+\frac{1}{b}\right)\left(4b+\frac{1}{a}\right)$의 최솟값은 9이다.

> 참고 역수가 보인다고 해서 전개를 하지 않고 각 항의 최솟값을 구하여 곱하지 않도록 유의한다.

$a+\frac{1}{b}\geq 2\sqrt{\frac{a}{b}}$ (단, 등호는 $ab=1$일 때 성립)

$4b+\frac{1}{a}\geq 2\sqrt{\frac{4b}{a}}$ (단, 등호는 $4ab=1$일 때 성립)

하지만 $\left(a+\frac{1}{b}\right)\left(4b+\frac{1}{a}\right)\geq 4\sqrt{\frac{a}{b}\cdot\frac{4b}{a}}=4\cdot 2=8$은 성립하지 않는다.

왜냐하면 각각의 최솟값이 되는 a와 b의 값이 다르기 때문이다.

정답과 풀이 13쪽

유제 **132** $a>0$, $b>0$일 때, $(a+b)\left(\frac{1}{a}+\frac{4}{b}\right)$의 최솟값을 구하여라.

133 $x>0$, $y>0$이고 $xy=10$일 때, $2x+5y$의 최솟값을 구하여라.

풍산자日 양수 조건과 함께 합과 곱의 꼴이 보이면 산술평균과 기하평균의 관계를 이용한다.

> 풀이 $x>0$, $y>0$이므로 산술평균과 기하평균의 관계에 의해

$2x+5y \geq 2\sqrt{2x \cdot 5y}=2\sqrt{10xy}$ (단, 등호는 $2x=5y$일 때 성립)

그런데 $xy=10$이므로

$2x+5y \geq 2\sqrt{10^2}=20$

따라서 $2x+5y$의 최솟값은 **20**이다.

정답과 풀이 13쪽

유제 **134** $a>0$, $b>0$이고 $ab=4$일 때, $2a+4b$의 최솟값을 구하여라.

135 두 실수 x, y에 대하여 $x^2+y^2=5$일 때, $2x+y$의 최댓값과 최솟값을 구하여라.

풍산자日 실수 조건에서 제곱의 합이 주어지면 코시-슈바르츠의 부등식을 떠올린다.

> 풀이 $a=2$, $b=1$로 놓고 코시-슈바르츠의 부등식을 적용하면

$(2^2+1^2)(x^2+y^2) \geq (2x+y)^2$ $\left(\text{단, 등호는 } \frac{x}{2}=y\text{일 때 성립}\right)$

그런데 $x^2+y^2=5$이므로 $5^2 \geq (2x+y)^2$ $\quad \therefore -5 \leq 2x+y \leq 5$

따라서 $2x+y$의 최댓값은 **5**, 최솟값은 **−5**이다.

정답과 풀이 13쪽

유제 **136** 두 실수 x, y에 대하여 $x^2+y^2=1$일 때, $3x+4y$의 최댓값과 최솟값을 구하여라.

풍산자 비법

양수 조건이 주어지고 최댓값 또는 최솟값을 구하는 문제 ➔ 산술평균과 기하평균 이용

실수 조건이 주어지고 최댓값 또는 최솟값을 구하는 문제 ➔ 코시-슈바르츠의 부등식 이용

이때 등식이 성립하는 조건도 놓치지 말자.

필수 확인 문제

＊더 많은 유형은 **풍산자필수유형 수학(하)** 026쪽

정답과 풀이 13쪽

137

다음 두 조건 p, q에 대하여 p가 q이기 위한 필요충분조건인 것은? (단, x, y는 실수이다.)

① $p: x^2+y^2=0$ $q: x=0$ 또는 $y=0$

② $p: x=1$ $q: x^2-3x+2=0$

③ $p: x^2+y^2=1$ $q: |x|+|y|=1$

④ $p: x>0,\ y>0$ $q: x+y>0,\ xy>0$

⑤ $p: x<y$ $q: x^2<y^2$

138

두 조건

$p: -1<x<3$, $q: a-1<x<a+5$에 대하여 p는 q이기 위한 충분조건일 때, a의 최댓값과 최솟값의 합을 구하여라.

139

세 조건 p, q, r에 대하여 p는 q이기 위한 충분조건이고, $\sim q$는 r이기 위한 필요조건일 때, 다음 명제 중 반드시 참이라고 할 수 <u>없는</u> 것은?

① $p \longrightarrow \sim r$ ② $q \longrightarrow \sim r$

③ $\sim q \longrightarrow \sim p$ ④ $r \longrightarrow \sim p$

⑤ $\sim r \longrightarrow q$

140

a, b, c, d가 실수일 때, 다음 중 옳지 <u>않은</u> 것은?

① $a^2-ab+b^2\geq 0$

② $a^3+b^3+c^3\geq 3abc$ (단, a, b, c는 양수)

③ $\left(\dfrac{b}{a}+\dfrac{d}{c}\right)\left(\dfrac{a}{b}+\dfrac{c}{d}\right)\geq 4$ (단, a, b, c, d는 양수)

④ $\sqrt{a}+\sqrt{b}>\sqrt{2(a+b)}$ (단, a, b는 양수)

⑤ $(a^2+b^2)(c^2+d^2)\geq(ac+bd)^2$

141

$a>0$, $b>0$이고 $a+b=6$일 때, ab의 최댓값을 구하여라.

142

$x>-1$일 때, $x+\dfrac{4}{x+1}$의 최솟값을 구하여라.

143

두 실수 x, y에 대하여 $4x+3y=10$일 때, x^2+y^2의 최솟값을 구하여라.

중단원 마무리

▶ 명제와 조건

명제와 조건	① 명제: 참, 거짓을 명확하게 판별할 수 있는 문장이나 식 ② 조건: 문자 x를 포함하며 x의 값에 따라 참, 거짓이 결정되는 문장이나 식 ③ 진리집합: 전체집합의 원소 중 조건을 참이 되게 하는 모든 원소의 집합
명제 $p \longrightarrow q$	두 조건 p, q의 진리집합을 각각 P, Q라 할 때, ① 명제가 참이면 그 부정은 거짓이다. ② $P \subset Q$이면 명제 $p \longrightarrow q$가 참이다.

▶ 명제의 역과 대우

역과 대우	① 명제 $p \longrightarrow q$에 대하여 역은 $q \longrightarrow p$이고 대우는 $\sim q \longrightarrow \sim p$이다. ② 명제와 역의 참, 거짓은 관계가 없다. 명제가 참이면 그 대우는 항상 참이다.
간접 증명법	① 명제가 참임을 직접 증명하기 어려울 때에는 그 대우가 참임을 증명한다. ② 귀류법은 그 명제의 결론을 부정하면 가정, 정리 등에 모순임을 밝힘으로써 그 명제가 참임을 증명하는 방법이다.

▶ 필요조건, 충분조건과 절대부등식

필요조건과 충분조건	명제 $p \longrightarrow q$가 참일 때, 즉 $p \Longrightarrow q$일 때, p는 q이기 위한 충분조건, q는 p이기 위한 필요조건이라 한다.
절대부등식	a, b, c가 실수일 때, ① $a^2-2ab+b^2 \geq 0$ (단, 등호는 $a=b$일 때 성립) ② $a^2+b^2+c^2-ab-bc-ca \geq 0$ (단, 등호는 $a=b=c$일 때 성립) ③ $\lvert a \rvert + \lvert b \rvert \geq \lvert a+b \rvert$ (단, 등호는 $ab \geq 0$일 때 성립) ① 산술평균, 기하평균의 관계 $a>0$, $b>0$일 때, $\frac{a+b}{2} \geq \sqrt{ab}$ (단, 등호는 $a=b$일 때 성립) ② 코시-슈바르츠의 부등식 a, b, x, y가 실수일 때, $(a^2+b^2)(x^2+y^2) \geq (ax+by)^2$ $\left(\text{단, 등호는 } \frac{x}{a}=\frac{y}{b}\text{일 때 성립}\right)$

실전 연습문제

STEP 1

144

다음 중 명제 '어떤 실수의 제곱은 음수이다.'의 부정으로 옳은 것은?

① 어떤 실수의 제곱은 양수이다.
② 모든 실수의 제곱은 양수이다.
③ 어떤 실수의 제곱은 0이다.
④ 모든 실수의 제곱은 음수가 아니다.
⑤ 어떤 실수의 제곱은 음수가 아니다.

145

실수 전체의 집합에서 정의된 두 조건

$$p : -1<x<a+1,\ q : |x-10| \geq 1$$

에 대하여, 명제 $p \longrightarrow q$가 참이 되도록 하는 실수 a의 최댓값을 구하여라.

146

전체집합 U에 대하여 세 조건 p, q, r의 진리집합 P, Q, R의 포함 관계를 벤 다이어그램으로 나타내면 그림과 같을 때, 다음 명제 중 항상 참인 것은?

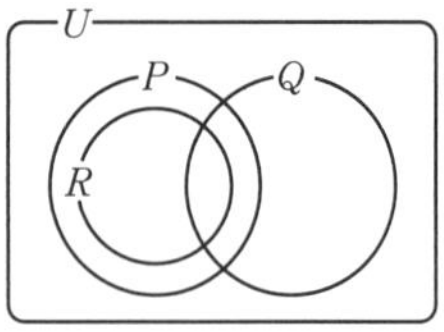

① $p \longrightarrow q$　② $q \longrightarrow r$
③ $r \longrightarrow \sim q$　④ $\sim r \longrightarrow \sim q$
⑤ $\sim p \longrightarrow \sim r$

147

세 조건 p, q, r의 진리집합을 각각 P, Q, R라 하자. $(P \cup Q) \cap R = \varnothing$일 때, 다음 중 항상 참인 명제는?

① p이면 r이다.　② q이면 r이다.
③ p이면 $\sim r$이다.　④ $\sim r$이면 p이다.
⑤ $\sim r$이면 q이다.

148

조건 p, q, r에 대하여 두 명제 $p \longrightarrow q$, $q \longrightarrow \sim r$가 모두 참일 때, 다음 중 항상 참인 명제는?

① $q \longrightarrow p$　② $q \longrightarrow r$
③ $r \longrightarrow \sim p$　④ $\sim r \longrightarrow \sim p$
⑤ $\sim q \longrightarrow \sim r$

149

정수 전체의 집합에서 정의된 두 조건 p, q에 대하여 p가 q이기 위한 필요충분조건인 것만을 보기에서 있는 대로 고른 것은?

보기

ㄱ. $p : x=2$
　$q : x^2+x-6=0$
ㄴ. p : x는 16의 양의 약수
　q : x는 8의 양의 약수
ㄷ. $p : x^2-1=0$
　$q : |x|=1$

① ㄱ　② ㄴ　③ ㄷ
④ ㄱ, ㄷ　⑤ ㄴ, ㄷ

150

전체집합 $U=\{x|x$는 실수$\}$에 대하여 두 조건 p, q가

p : $x^2-3ax+2a^2>0$, q : $-8<x\le 18$

이다. $\sim p$는 q이기 위한 충분조건이 되도록 하는 때, 정수 a의 개수를 구하여라.

151

양수 x에 대하여 $8x+\dfrac{2}{x}$의 최솟값을 m, 그때의 x의 값을 n이라 하자. 이때 mn의 값을 구하여라.

152

세 실수 x, y, z에 대하여 $x^2+y^2+z^2=14$일 때, $x-2y+3z$의 최댓값을 M, 최솟값을 m이라 하자. 이때 $M-m$의 값을 구하여라.

STEP 2

153

전체집합 U의 공집합이 아닌 세 부분집합 P, Q, R가 각각 세 조건 p, q, r의 진리집합이고, 세 명제 $p \longrightarrow q$, $\sim p \longrightarrow q$, $\sim r \longrightarrow p$가 모두 참일 때, 항상 참인 것만을 보기에서 있는 대로 고른 것은?

보기
ㄱ. $P^C \subset Q$
ㄴ. $R-P^C=\varnothing$
ㄷ. $(R^C \cup P^C) \subset Q$

① ㄱ ② ㄴ ③ ㄱ, ㄷ
④ ㄴ, ㄷ ⑤ ㄱ, ㄴ, ㄷ

154

어느 휴대폰 제조 회사에서 휴대폰 판매량과 사용자 선호도에 대한 시장 조사를 하여 다음과 같은 결과를 얻었다.

(가) 10대에게 선호도가 높은 제품은 판매량이 많다.
(나) 가격이 싼 제품은 판매량이 많다.
(다) 기능이 많은 제품은 10대에게 선호도가 높다.

위의 결과로부터 추론한 내용으로 항상 옳은 것은?

① 기능이 많은 제품은 가격이 싸지 않다.
② 가격이 싸지 않은 제품은 판매량이 많지 않다.
③ 판매량이 많지 않은 제품은 기능이 많지 않다.
④ 10대에게 선호도가 높은 제품은 기능이 많다.
⑤ 10대에게 선호도가 높은 제품은 가격이 싸지 않다.

155

전체집합 U에 대하여 세 조건 p, q, r의 진리집합을 각각 P, Q, R라 하자.
세 명제 $p \longrightarrow \sim q$, $\sim q \longrightarrow r$, $r \longrightarrow \sim q$가 모두 참일 때, 항상 옳은 것만을 보기에서 있는 대로 고른 것은?

보기
ㄱ. $P \cap Q = \varnothing$
ㄴ. $P \cap R = R$
ㄷ. $Q \cup R = U$

① ㄱ ② ㄷ ③ ㄱ, ㄴ
④ ㄱ, ㄷ ⑤ ㄴ, ㄷ

156

세 실수 x, y, z에 대하여 조건 p가 조건 q이기 위한 충분조건이지만 필요조건이 아닌 것만을 보기에서 있는 대로 고른 것은?

보기
ㄱ. p : $x=0$이고 $y=0$
q : $|x+y|=|x-y|$
ㄴ. p : $x>y>z$
q : $(x-y)(y-z)(z-x)<0$
ㄷ. p : $xy<0$
q : $|x|+|y|>|x+y|$

① ㄱ ② ㄷ ③ ㄱ, ㄴ
④ ㄴ, ㄷ ⑤ ㄱ, ㄴ, ㄷ

157

실수 전체의 집합에서 정의된 네 조건 p, q, r, s를 각각
p : x는 정수이다. q : x^2은 정수이다.
r : x^3은 정수이다. s : x^4은 정수이다.
라 하자. 옳은 것만을 보기에서 있는 대로 고른 것은?

보기
ㄱ. r는 s이기 위한 충분조건이다.
ㄴ. p이고 r는 q이기 위한 충분조건이다.
ㄷ. p 또는 s는 q이기 위한 필요조건이다.

① ㄴ ② ㄷ ③ ㄱ, ㄴ
④ ㄴ, ㄷ ⑤ ㄱ, ㄴ, ㄷ

158

다음은 $x>1$일 때, $\dfrac{x^2-x+4}{x-1}$의 최솟값을 구하는 과정이다.

$x>1$이므로 $x-1>0$이고
$\dfrac{x^2-x+4}{x-1}=$ (가) $+\dfrac{4}{x-1}+1$이므로
$\dfrac{x^2-x+4}{x-1}\geq 2\sqrt{(\text{(가)})\times\dfrac{4}{x-1}}+1$
$=$ (나)
단, (가) $=\dfrac{4}{x-1}$일 때, 등호가 성립한다.
따라서 $\dfrac{x^2-x+4}{x-1}$는 $x=$ (다) 일 때,
최솟값 (나) 를 갖는다.

위의 과정에서 (가)에 알맞은 식을 $f(x)$라 하고, (나), (다)에 알맞은 수를 각각 p, q라 할 때, $f(2)+p+q$의 값은?

① 8 ② 9 ③ 10
④ 11 ⑤ 12

V

함수와 그래프

함수는 변수와 변수 사이의 **연결고리**

함수의 한자 표기는 函數이다.
이때의 함(函)은 상자라는 의미로
'함수'는 어떤 기능을 가진 상자라고 생각할 수 있다.
1을 상자에 넣으면 2가 나오고, 5를 넣으면 10이 나온다면
이 상자는 두 배의 기능(function)이 있다.
넣는 것을 x, 나오는 것을 y라 하면
$y=2x$의 관계가 성립한다.
이렇게 x의 값에 따라 y의 값이 하나씩
짝지어진 것이 바로 함수이다.
함수를 좌표평면 위에 나타내는 것을 그래프라 하는데,
그래프를 보면 관계식이라는 베일 속에 감추어져 있던
함수의 특징이 드러난다.
따라서 함수 공부의 첫걸음은 그래프 그리기.
그 그래프를 분석하고 응용할 수 있다면 완성이다.

1 함수

일차함수는 직선. 이차함수는 포물선.
지금부터는 특정 함수가 아닌
'함수' 본연의 특징을 살펴본다.

1 함수의 정의와 그래프

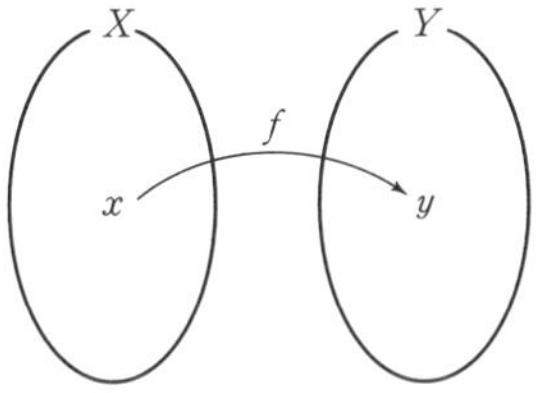

2 합성함수와 역함수

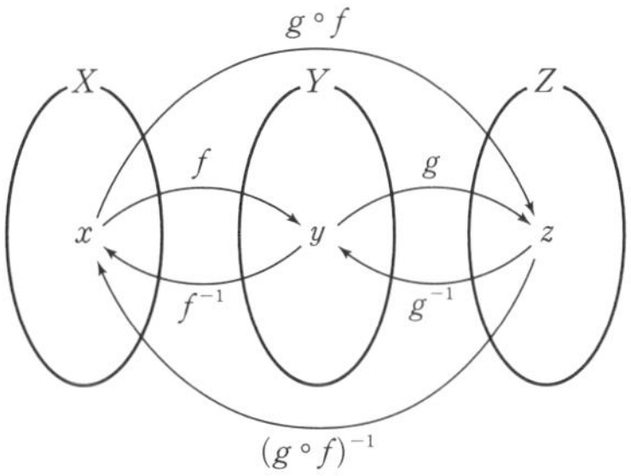

3 특수 그래프

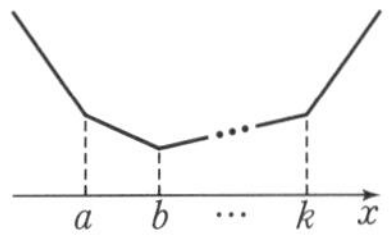

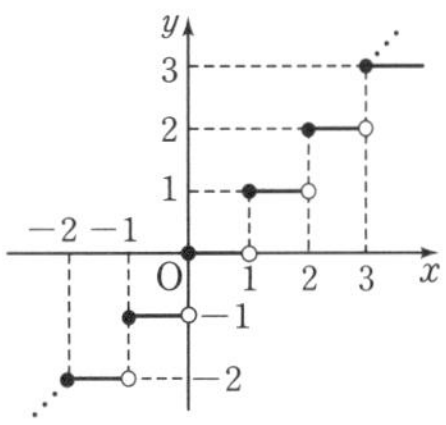

1 함수의 정의와 그래프

01 함수의 정의

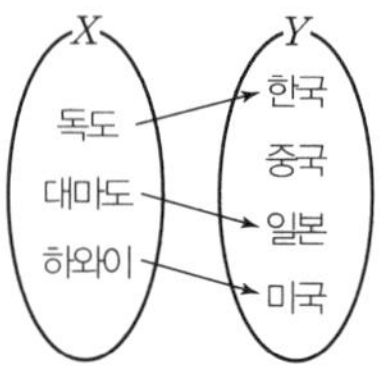

함수의 시작은 X와 Y의 짝짓기. 공집합이 아닌 두 집합 X, Y에서 집합 X의 원소에 집합 Y의 원소를 짝 지은 것을 집합 X에서 집합 Y로의 대응이라 한다.

특히 집합 X의 원소 x에 집합 Y의 원소 y가 대응할 때 $\boldsymbol{x \longrightarrow y}$로 나타내고 $\boldsymbol{x}$에 $\boldsymbol{y}$가 대응한다고 한다.

함수

두 집합 X, Y에 대하여 X의 모든 원소가 빠짐없이 Y의 원소에 오직 하나씩만 대응할 때, 이 대응 f를 X에서 Y로의 **함수**라 하고

$$\boldsymbol{f : X \longrightarrow Y}$$

로 나타낸다. X의 원소 x에 Y의 원소 y가 대응할 때, 이것을

$$\boldsymbol{y=f(x)}$$

로 나타낸다.

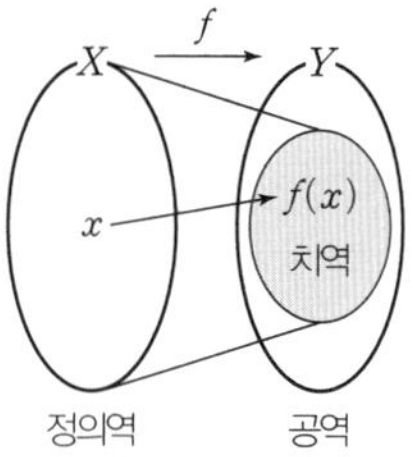

① X에서 Y로의 함수가 되려면 X의 모든 원소의 짝이 Y에 오직 하나씩만 있어야 한다. 짝이 없으면 안 된다. 짝이 둘이어도 안 된다.

② 집합 X를 **정의역**, 집합 Y를 **공역**이라 한다.

③ x의 짝을 **$\boldsymbol{x}$의 함숫값**이라 하고, $f(x)$로 나타낸다.

④ 함숫값 전체의 집합 $\{f(x) \mid x \in X\}$를 **치역**이라 한다. 치역은 항상 공역의 부분집합이다.

| 설명 | 함수는 영어로 function이라 하고 그 앞 글자를 딴 f부터 차례로 f, g, h, …로 표시한다.
다음 세 가지 대응 중 집합 X에서 집합 Y로의 함수인 것은 무엇일까?

①
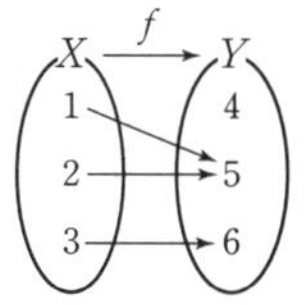

②
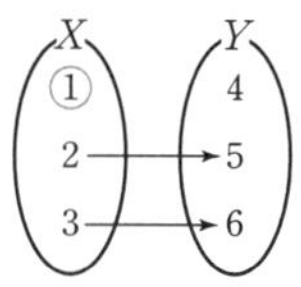

③
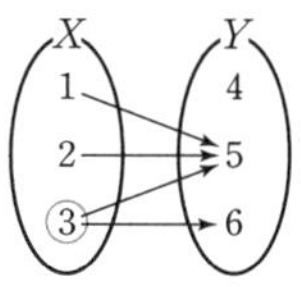

①, ②, ③의 정의역은 $\{1, 2, 3\}$, 공역은 $\{4, 5, 6\}$, 치역은 $\{5, 6\}$으로 모두 같다.
①은 모든 원소의 짝이 오직 하나씩만 있으므로 함수이다.
②는 1의 짝(1의 함숫값)이 없으므로 함수가 아니다.
③은 3의 짝(3의 함숫값)이 둘이므로 함수가 아니다.

159 **집합 $X=\{-1,\ 0,\ 1\}$에 대하여 다음 대응 중 X에서 X로의 함수인 것을 찾아라.**

(1) $x \longrightarrow |x|$　　(2) $x \longrightarrow x+1$　　(3) $x \longrightarrow x^2$

풍산자日 일단 주어진 대응을 화살표 그림으로 나타내 본다. X의 원소 중 짝이 없는 외톨이가 있거나 짝이 둘 이상인 욕심쟁이가 있으면 함수가 아니다.

> 풀이 주어진 대응을 그림으로 나타내면 다음과 같다.

(1)
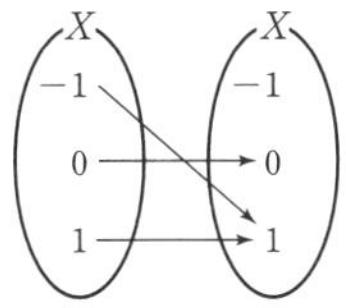

(2)
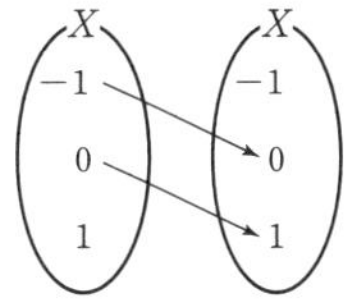

(3)
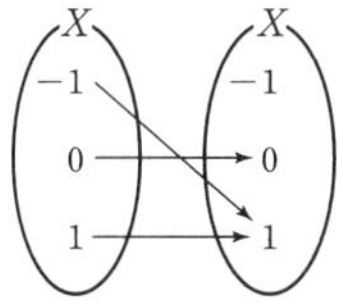

따라서 X에서 X로의 함수인 것은 **(1), (3)**이다.

정답과 풀이 **17**쪽

유제 **160** **두 집합 $X=\{-1,\ 0,\ 1\}$, $Y=\{0,\ 1,\ 2\}$에 대하여 다음 대응 중 X에서 Y로의 함수가 아닌 것을 찾아라.**

(1) $x \longrightarrow x^2+2$　　(2) $x \longrightarrow x^3+1$　　(3) $x \longrightarrow x+1$

161 **그림과 같은 함수 $f: X \longrightarrow Y$에 대하여 다음을 구하여라.**

(1) 정의역, 공역, 치역

(2) $f(x)=3$인 X의 원소 x

(3) $f(x)=x$인 X의 원소 x

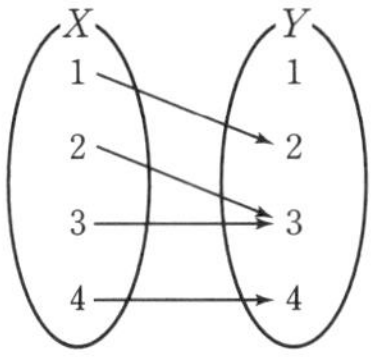

풍산자日 정의역, 공역, 치역에서 '역'은 집합을 의미하므로 반드시 집합 기호를 써서 나타낸다.

> 풀이 (1) 정의역: $\{\mathbf{1,\ 2,\ 3,\ 4}\}$, 공역: $\{\mathbf{1,\ 2,\ 3,\ 4}\}$, 치역: $\{\mathbf{2,\ 3,\ 4}\}$

(2) $f(x)=3$인 원소는 $x=\mathbf{2,\ 3}$

(3) $f(x)=x$인 원소는 $x=\mathbf{3,\ 4}$

정답과 풀이 **17**쪽

유제 **162** **그림과 같은 함수 $f: X \longrightarrow Y$에 대하여 다음을 구하여라.**

(1) 정의역, 공역, 치역

(2) $f(x)=4$인 X의 원소 x

(3) $f(x)=x+1$인 X의 원소 x

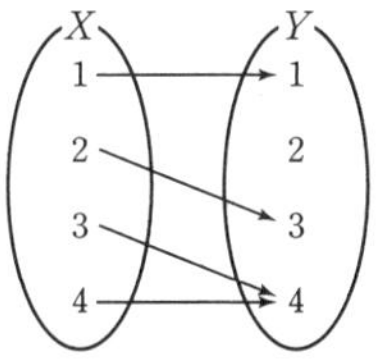

163 실수 전체의 집합에서 정의된 함수 $f(x)=\begin{cases} -x+2 & (x<1) \\ 2x-1 & (x\geq 1) \end{cases}$에 대하여 $f(-1)+f(2)$의 값을 구하여라.

풍산자目 헉! 상당히 괴상한 함수! 어렵나? 그렇지 않다. 경우에 따라 나누어 풀어 써 본다.

(ⅰ) x가 1보다 작을 때 ➡ $f(x)=-x+2$

(ⅱ) x가 1보다 크거나 같을 때 ➡ $f(x)=2x-1$

> 풀이 (ⅰ) $-1<1$이므로 $f(-1)=-(-1)+2=3$

(ⅱ) $2\geq 1$이므로 $f(2)=2\cdot 2-1=3$

(ⅰ), (ⅱ)에서 $f(-1)+f(2)=3+3=\mathbf{6}$

정답과 풀이 **17**쪽

유제 **164** 실수 전체의 집합에서 정의된 함수 $f(x)=\begin{cases} 2x-1 & (x\geq 2) \\ x^2-1 & (x<2) \end{cases}$에 대하여 $f(3)+f(-1)$의 값을 구하여라.

165 두 집합 $X=\{0, 1, 2, 3, 4\}$, $Y=\{y|y$는 정수$\}$에 대하여 함수 $f: X \longrightarrow Y$를 $f(x)=(x^2$을 5로 나누었을 때의 나머지$)$로 정의할 때, 함수 f의 치역을 구하여라.

풍산자目 치역을 구하려면 정의역의 원소에 대한 함숫값을 모조리 구해 집합으로 나타낸다.

> 풀이 집합 X의 각 원소의 함숫값을 구하면

$f(0)=(0^2$을 5로 나누었을 때의 나머지$)=0$

$f(1)=(1^2$을 5로 나누었을 때의 나머지$)=1$

$f(2)=(2^2$을 5로 나누었을 때의 나머지$)=4$

$f(3)=(3^2$을 5로 나누었을 때의 나머지$)=4$

$f(4)=(4^2$을 5로 나누었을 때의 나머지$)=1$

따라서 함수 f의 치역은 $\mathbf{\{0, 1, 4\}}$이다.

정답과 풀이 **17**쪽

유제 **166** 두 집합 $X=\{0, 1, 2, 3\}$, $Y=\{y|y$는 정수$\}$에 대하여 함수 $f: X \longrightarrow Y$를 $f(x)=(x^2$을 4로 나누었을 때의 나머지$)$로 정의할 때, 함수 f의 치역을 구하여라.

풍산자 비법

함수는 짝짓기. 정의역 X의 모든 원소는 딱 하나의 짝이 있어야 한다.

02 함수가 같을 조건

정의역이 같고 그 짝이 같으면 서로 같은 함수이다.

서로 같은 함수

두 함수 f, g가 다음 두 조건을 만족시킬 때, **f와 g는 서로 같다**고 하고, $f=g$로 나타낸다.

(1) 정의역과 공역이 각각 같다.

(2) 정의역에 속하는 모든 원소 x에 대하여 $f(x)=g(x)$이다.

함수의 관계식이 달라도 두 함수가 서로 같을 수 있다. 두 함수가 같은지 다른지는 정의역에 크게 의존한다.

정의역이 $\{0, 1\}$인 두 함수 $f(x)=x$, $g(x)=x^2$은 같다.

왜냐? $f(0)=g(0)$, $f(1)=g(1)$이니까.

| 개념확인 | 집합 $X=\{-1, 0, 1\}$을 정의역으로 하는 세 함수 $f(x)=x^3$, $g(x)=x^2$, $h(x)=|x|$ 중 서로 같은 것을 찾아라.

> 풀이 집합 $X=\{-1, 0, 1\}$에서 세 함수의 함숫값을 각각 구하면

$f(-1)=-1$, $f(0)=0$, $f(1)=1$

$g(-1)=1$, $g(0)=0$, $g(1)=1$

$h(-1)=1$, $h(0)=0$, $h(1)=1$

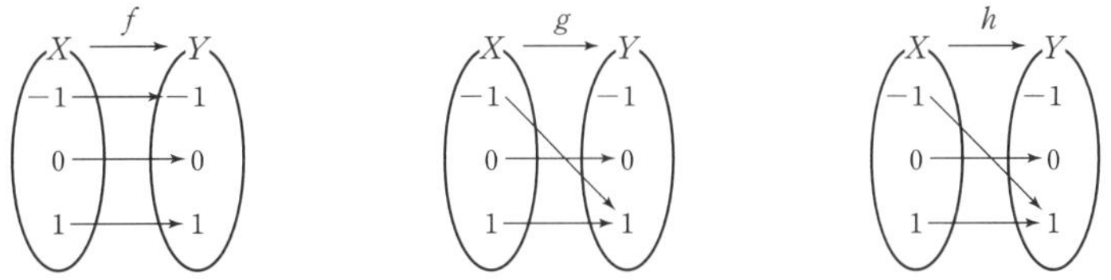

따라서 서로 같은 함수는 **g와 h**이다.

| 서로 같은 함수 |

167 집합 $X=\{-1, 1\}$을 정의역으로 하는 두 함수 $f(x)=ax+b$, $g(x)=x^2+3x$에 대하여 $f=g$일 때, 상수 a, b의 값을 구하여라.

풍산자日 정의역이 같은 두 함수가 서로 같은지 조사하려면 함숫값이 같은지만 조사하면 된다.

> 풀이 두 함수 f, g가 서로 같으므로 $f(-1)=g(-1)$, $f(1)=g(1)$에서

$-a+b=-2$, $a+b=4$

두 식을 연립하여 풀면 $\boldsymbol{a=3, b=1}$

정답과 풀이 17쪽

유제 **168** 집합 $X=\{1, 2\}$를 정의역으로 하는 두 함수 $f(x)=x+1$, $g(x)=x^2+ax+b$에 대하여 $f=g$일 때, 상수 a, b의 곱 ab의 값을 구하여라.

03 함수의 그래프

함수의 그래프는 조건을 만족시키는 순서쌍의 집합이다.

이것을 좌표평면 위에 나타내면 우리가 생각하는 그림의 형태가 된다.

함수의 그래프

함수 $f : X \longrightarrow Y$에서 정의역 X의 원소 x와 이에 대응하는 함숫값 $f(x)$의 순서쌍 $(x,\ f(x))$ 전체의 집합을 **함수 f의 그래프**라 한다.

$$G=\{(x,\ f(x))\,|\,x\in X\}$$

이 순서쌍의 집합을 좌표평면 위에 나타내는 것을 그래프를 그린다고 한다.

그래프 그리기의 핵심은 점찍기다. 정의역의 원소의 개수만큼 점이 찍힌다.

집합 $X=\{1,\ 2,\ 3\}$을 정의역으로 하는 함수 $f(x)=x$의 그래프를 좌표평면 위에 나타내면 다음과 같이 세 개의 점이 찍힌다.

$f(1)=1,\ f(2)=2,\ f(3)=3$ ➡ $G=\{(1,\ 1),\ (2,\ 2),\ (3,\ 3)\}$ ➡

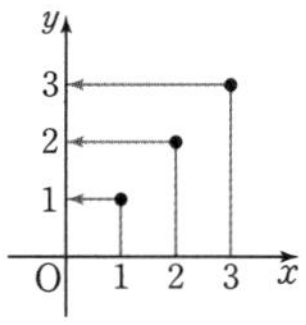

정의역이 실수 전체이면 점을 찍고 찍고 찍다 보면 직선이 된다.

이 직선이 우리가 흔히 아는 함수 $f(x)=x$의 그래프이다.

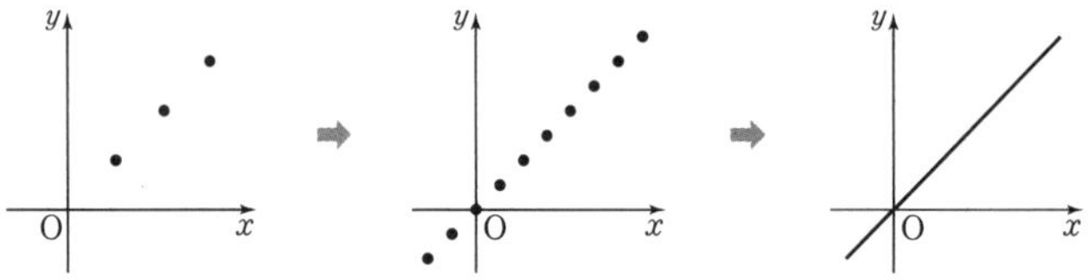

모든 그래프가 함수의 그래프인 것은 아니다. 함수가 되려면 x의 짝이 오직 하나씩만 있어야 한다. 짝이 없으면 안 된다. 짝이 둘이어도 안 된다. 따라서 y축에 평행한 직선을 그렸을 때 오직 하나의 점에서 만나야만 함수의 그래프가 된다.

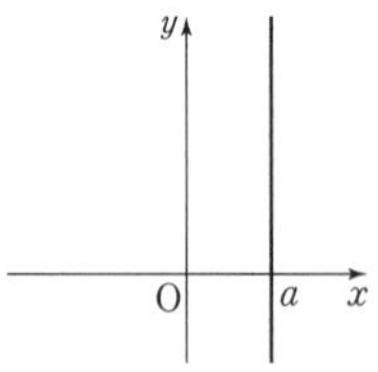

x의 값 a에 대응하는 y의 값이 무수히 많으므로 함수의 그래프가 아니다.

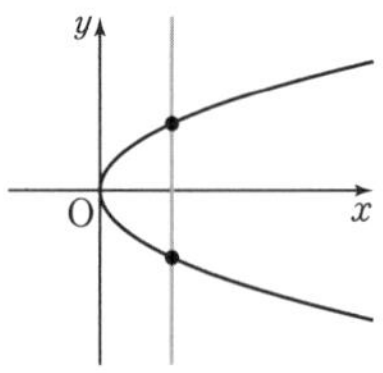

x의 값에 대응하는 y의 값이 두 개이므로 함수의 그래프가 아니다.

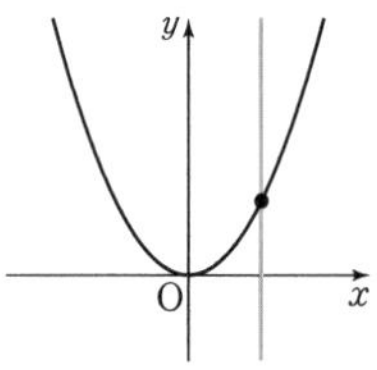

x의 값에 대응하는 y의 값이 오직 하나씩이므로 함수의 그래프이다.

169 다음 중 함수의 그래프인 것을 모두 고르면? (정답 2개)

①
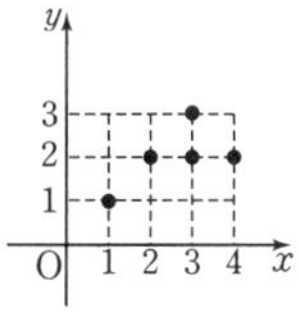

②
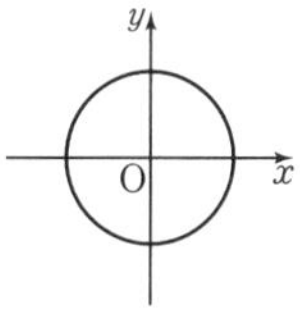

③
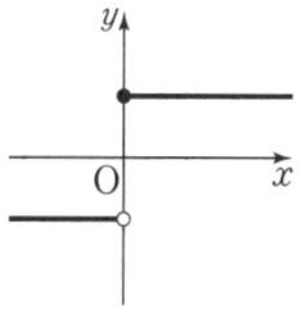

④
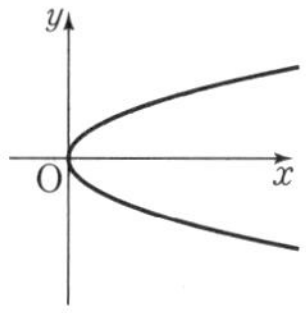

⑤
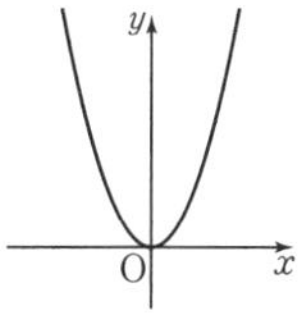

풍산자日 함수의 그래프인지 아닌지를 판단하려면 y축에 평행하게 직선을 그어 보면 된다. 교점이 1개이면 함수의 그래프이고, 2개 이상이면 함수의 그래프가 아니다.

> 풀이 y축에 평행한 직선을 그었을 때, 오직 한 점에서만 만나는 것을 찾으면 된다.

①
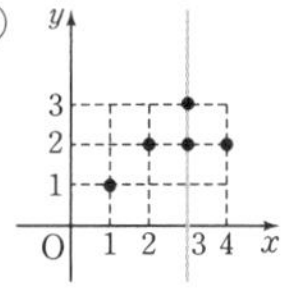

②
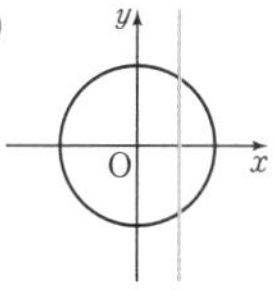

③
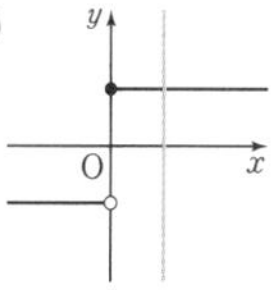

④
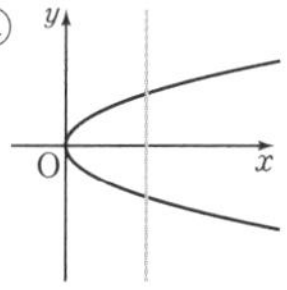

⑤
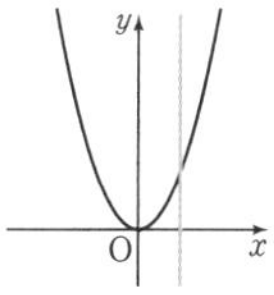

따라서 함수의 그래프인 것은 ③, ⑤이다.

정답과 풀이 **17**쪽

유제 **170** 다음 중 함수의 그래프인 것을 모두 고르면? (정답 2개)

①
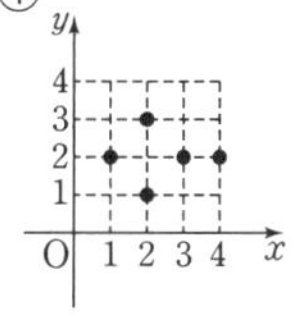

②
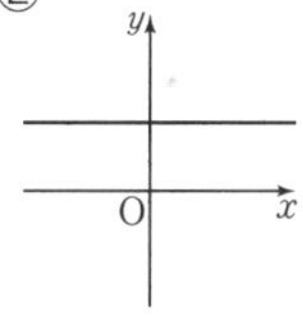

③
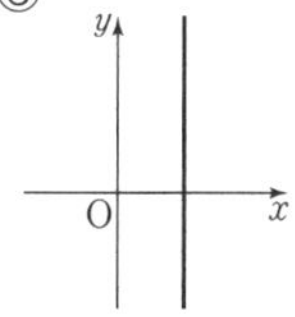

④
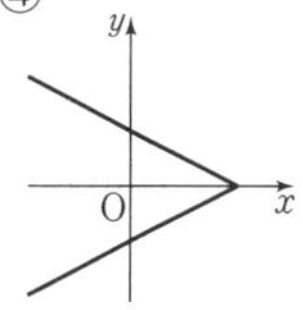

⑤
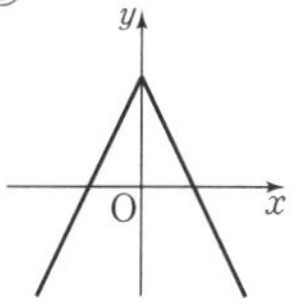

풍산자 비법

y축에 평행한 직선을 그었을 때 오직 하나의 점에서 만나야 함수의 그래프이다.

04 여러 가지 함수의 그래프

간단하지만 자주 쓰이는 함수를 정의한다. 그림을 중심으로 이해하면 쉽다.

여러 가지 함수 중요!

구분	설명	기호에 의한 정의
일대일함수	일대일로 짝짓는 함수 ➡ 아래 그림의 ①, ②, ③	함수 $f : X \longrightarrow Y$에서 $x_1,\ x_2 \in X$에 대하여 $x_1 \neq x_2$이면 $f(x_1) \neq f(x_2)$
일대일대응	외톨이가 없는 일대일함수 ➡ 아래 그림의 ②, ③	함수 $f : X \longrightarrow Y$에서 (i) $x_1,\ x_2 \in X$에 대하여 $x_1 \neq x_2$이면 $f(x_1) \neq f(x_2)$ (ii) (치역)=(공역)
항등함수	자신의 짝이 자신인 함수 ➡ 아래 그림의 ③	함수 $f : X \longrightarrow X$에서 $f(x)=x\ \ (x \in X)$
상수함수	모두가 하나를 찍는 함수 ➡ 아래 그림의 ④	함수 $f : X \longrightarrow Y$에서 $f(x)=c\ \ (c$는 상수, $c \in Y)$

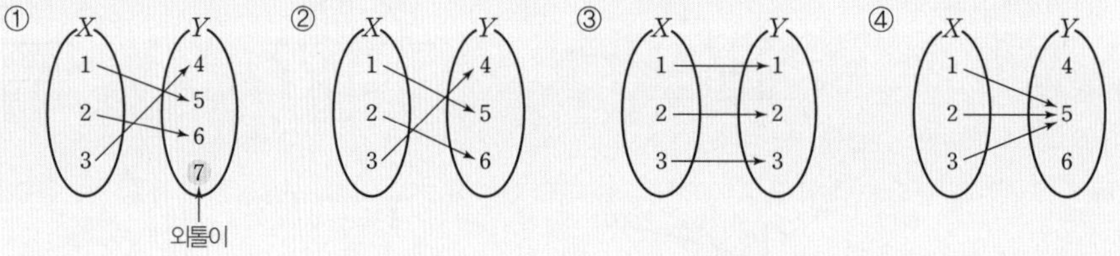

여러 가지 함수를 그래프로 나타낼 때, 일대일함수와 일대일대응을 구분하는 것이 중요하다. 일대일함수가 되려면 x축에 평행한 직선을 그었을 때 오직 한 점에서 만나야 한다. 따라서 일대일함수가 되려면 계속 증가하거나 계속 감소해야 한다. 일대일함수 중에 치역과 공역이 일치하는 함수가 일대일대응이다.

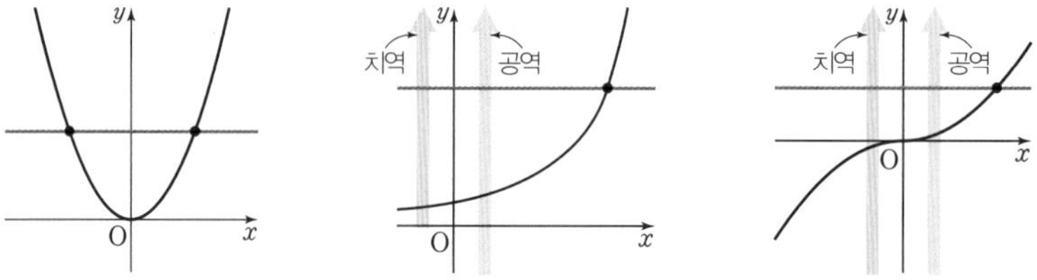

함수　　일대일함수 (치역≠공역)　　일대일대응 (치역=공역)

| 설명 | 항등함수의 그래프는 직선 $y=x$이다.
항등함수는 영어로 identity function이라 하고,
$I : X \longrightarrow X,\ I(x)=x$
로 나타낸다.
상수함수의 그래프는 직선 $y=c$이다.
이때 c는 상수를 나타내는 constant에서 따온 것이다.

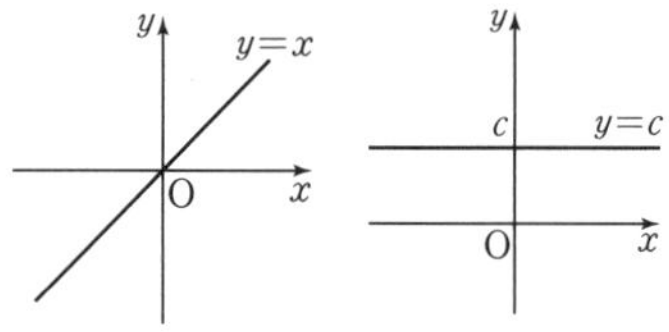

171 다음 보기의 함수 중 일대일함수, 항등함수, 상수함수를 찾아라.

보기

ㄱ. $y=x-1$　ㄴ. $y=x$　ㄷ. $y=x^2-1$　ㄹ. $y=|x|$　ㅁ. $y=5$

풍산자 일대일함수의 그래프가 되려면 x축에 평행한 직선을 그었을 때 오직 한 점에서 만나야 한다.

> 풀이 주어진 함수의 그래프를 좌표평면 위에 나타내면 다음과 같다.

ㄱ.
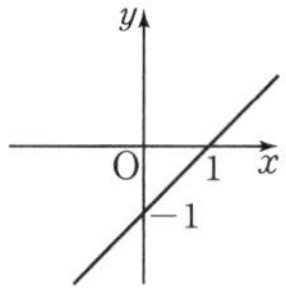

ㄴ.
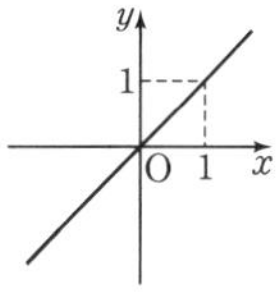

ㄷ.
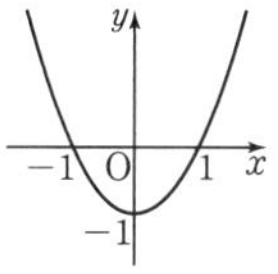

ㄹ.
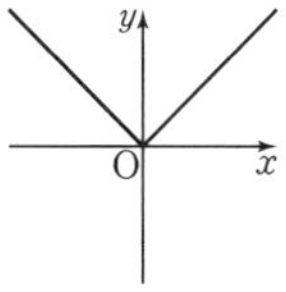

ㅁ
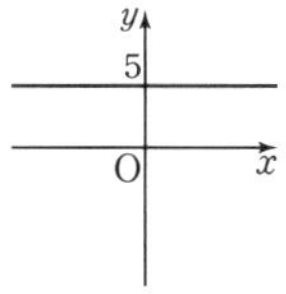

ㄷ, ㄹ은 x축에 평행한 직선을 그었을 때 두 점에서 만나는 경우가 있다. 따라서 일대일함수가 아니다. **일대일함수: ㄱ, ㄴ, 항등함수: ㄴ, 상수함수: ㅁ**

정답과 풀이 **17쪽**

유제 **172** 다음 보기의 그래프 중 일대일함수, 항등함수의 그래프를 찾아라.

보기

ㄱ.
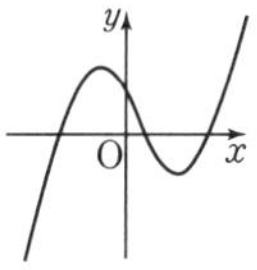

ㄴ.
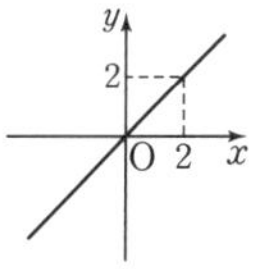

ㄷ.
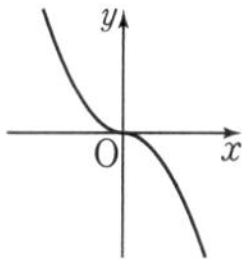

173 자연수 전체의 집합에서 정의된 함수 f는 항등함수, g는 상수함수이다. $f(2)=g(2)=2$일 때, $f(3)+g(3)$의 값을 구하여라.

풍산자 항등함수는 $f(x)=x$이므로 $f(1)=1$, $f(2)=2$, $f(3)=3$, $\cdots$
상수함수는 $g(x)=c$이므로 $g(1)=g(2)=g(3)=\cdots=c$

> 풀이 (ⅰ) f가 항등함수이므로 $f(x)=x$　$\therefore f(3)=3$
(ⅱ) g가 상수함수이고 $g(2)=2$이므로 $g(x)=2$　$\therefore g(3)=2$
(ⅰ), (ⅱ)에서 $f(3)+g(3)=3+2=$**5**

정답과 풀이 **17쪽**

유제 **174** 자연수 전체의 집합에서 정의된 함수 f는 항등함수, g는 상수함수이다. $f(6)=g(6)=6$일 때, $f(1)+g(1)$의 값을 구하여라.

175 두 집합 $X=\{x|1\le x\le 3\}$, $Y=\{y|5\le y\le 9\}$에 대하여 X에서 Y로의 함수 $f(x)=ax+b$가 일대일대응일 때, 상수 a, b의 값을 구하여라. (단, $a>0$)

풍산자日 일대일대응이려면 일대일함수이면서 치역과 공역이 일치해야 한다.

> 풀이 $a>0$에서 함수 $f(x)=ax+b$의 그래프는 증가하는 모양이므로 f는 일대일함수이다. f가 일대일대응이려면 치역과 공역이 일치해야 하므로 그림과 같이 그래프가 두 점 $(1, 5)$, $(3, 9)$를 지나야 한다.
즉, $f(1)=5$, $f(3)=9$이므로 $a+b=5$, $3a+b=9$
두 식을 연립하여 풀면 $\boldsymbol{a=2}$, $\boldsymbol{b=3}$

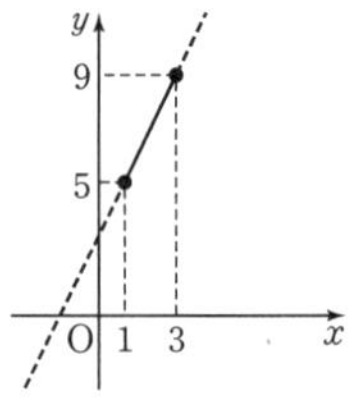

정답과 풀이 **18**쪽

유제 **176** 두 집합 $X=\{x|-1\le x\le 1\}$, $Y=\{y|0\le y\le 4\}$에 대하여 X에서 Y로의 함수 $f(x)=ax+b$가 일대일대응일 때, 상수 a, b의 값을 구하여라. (단, $a>0$)

177 실수 전체의 집합 R에서 R로의 함수 f가

$$f(x)=\begin{cases} 2x+1 & (x\ge 0) \\ (2-a)x+1 & (x<0) \end{cases}$$

로 정의되고 일대일대응일 때, 상수 a의 값의 범위를 구하여라.

풍산자日 일대일함수가 되려면 계속 증가하거나 계속 감소해야 한다.

> 풀이 (ⅰ) 함수 f가 일대일대응이므로 x의 값이 증가할 때 y의 값이 계속 증가하거나 계속 감소해야 한다.
$x\ge 0$에서 직선 $y=2x+1$은 기울기가 양수이므로 함수 f의 그래프는 증가하는 모양이다. 따라서 $x<0$에서 그림과 같이 직선 $y=(2-a)x+1$의 기울기도 양수여야 하므로 기울기 $2-a$의 값의 부호는
$2-a>0$ $\quad\therefore a<2$

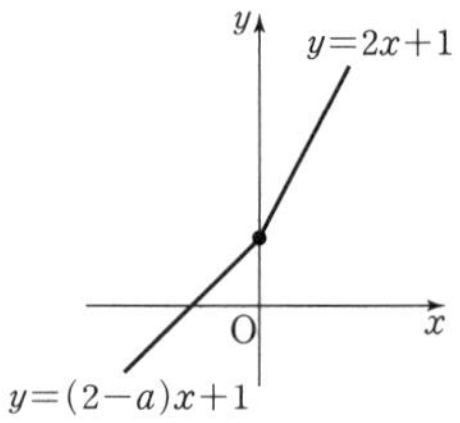

(ⅱ) 두 직선 $y=2x+1$, $y=(2-a)x+1$이 모두 점 $(0, 1)$을 지나므로 함수 $f(x)$에서 (치역)=(공역)이다.
(ⅰ), (ⅱ)에서 함수 $f(x)$가 일대일대응이 되기 위한 a의 값의 범위는 $\boldsymbol{a<2}$이다.

정답과 풀이 **18**쪽

유제 **178** 실수 전체의 집합 R에서 R로의 함수 f가

$$f(x)=\begin{cases} -x-1 & (x\ge 0) \\ (a+1)x-1 & (x<0) \end{cases}$$

로 정의되고 일대일대응일 때, 상수 a의 값의 범위를 구하여라.

179 **집합 $X=\{1, 2, 3, 4\}$에 대하여 X에서 X로의 함수 중 다음을 구하여라.**

(1) 함수의 개수 (2) 일대일대응의 개수

(3) 항등함수의 개수 (4) 상수함수의 개수

풍산자曰 정의역의 입장에서 생각해 본다.

> 풀이 (1) 1의 함숫값이 될 수 있는 것은 1, 2, 3, 4로 4개

2의 함숫값이 될 수 있는 것도 1, 2, 3, 4로 4개

3의 함숫값이 될 수 있는 것도 1, 2, 3, 4로 4개

4의 함숫값이 될 수 있는 것도 1, 2, 3, 4로 4개

따라서 함수의 개수는 $4\times4\times4\times4=$**256**

(2) 1의 함숫값이 될 수 있는 것은 1, 2, 3, 4로 4개

2의 함숫값이 될 수 있는 것은 1의 함숫값을 제외한 3개

3의 함숫값이 될 수 있는 것은 1, 2의 함숫값을 제외한 2개

4의 함숫값이 될 수 있는 것은 1, 2, 3의 함숫값을 제외한 1개

따라서 일대일대응의 개수는 $4\times3\times2\times1=$**24**

(3) 항등함수는 $f(x)=x$로 그 개수는 **1**이다.

(4) 상수함수는 $f(x)=1$, $f(x)=2$, $f(x)=3$, $f(x)=4$로 그 개수는 **4**이다.

> 참고 (1) 정의역의 원소의 개수가 m, 공역의 원소의 개수가 n일 때

➡ 함수의 개수: n^m

(2) 정의역과 공역의 원소의 개수가 모두 n일 때

➡ 일대일대응의 개수: $n\times(n-1)\times(n-2)\times\cdots\times2\times1$

정답과 풀이 **18**쪽

유제 **180** **집합 $X=\{1, 2, 3\}$에 대하여 X에서 X로의 함수 중 다음을 구하여라.**

(1) 함수의 개수 (2) 일대일대응의 개수

(3) 항등함수의 개수 (4) 상수함수의 개수

풍산자 비법

일대일대응과 일대일함수는 Y에 외톨이가 있는지 없는지에 따라 구분한다. 상수함수와 항등함수는 어렵지는 않지만 자주 쓰이므로 꼭 기억하도록 하자.

필수 확인 문제

* 더 많은 유형은 **풍산자필수유형 수학(하)** 039쪽

정답과 풀이 18쪽

181

두 집합 $X=\{-1,\ 0,\ 1\}$, $Y=\{0,\ 1,\ 2,\ 3\}$에 대하여 다음 대응 중 X에서 Y로의 함수인 것을 모두 고르면? (정답 3개)

① $x \longrightarrow x$
② $x \longrightarrow |x|$
③ $x \longrightarrow x^2+1$
④ $x \longrightarrow 2x+1$
⑤ $\begin{cases} x \longrightarrow 1 & (x<0) \\ x \longrightarrow 3 & (x\geq 0) \end{cases}$

182

집합 $X=\{x|x$는 정수$\}$에 대하여
함수 $f : X \longrightarrow X$를
$f(x)=(x$를 3으로 나누었을 때의 나머지$)$
로 정의할 때, 함수 f의 치역을 구하여라.

183

공집합이 아닌 집합 X를 정의역으로 하는 두 함수 $f(x)=x^3+2$, $g(x)=2x^2+x$에 대하여 $f=g$가 되도록 하는 집합 X의 개수를 구하여라.

184

두 집합

$X=\{x|-1\leq x\leq 3\}$, $Y=\{y|-2\leq y\leq 6\}$

에 대하여 X에서 Y로의 함수 $f(x)=ax+b$가 일대일대응일 때, 상수 a, b의 곱 ab의 값을 구하여라. (단, $a<0$)

185

공집합이 아닌 집합 X를 정의역으로 하는 함수 $f(x)=x^2-2$가 항등함수가 되도록 하는 집합 X의 개수를 구하여라.

186

집합 $X=\{x|x$는 자연수$\}$에 대하여 X에서 X로의 함수 f는 상수함수이다. $f(4)=8$일 때, $f(1)+f(2)+f(3)+\cdots+f(39)$의 값을 구하여라.

2 합성함수와 역함수

01 합성함수의 정의

합성함수란 화살표 따라가기. 두 함수의 화살표를 순서대로 따라가면 합성함수가 된다.

합성함수

두 함수 $f: X \longrightarrow Y$, $g: Y \longrightarrow Z$에 대하여 집합 X의 각 원소 x에 집합 Z의 원소 $g(f(x))$를 대응시키는 새로운 함수를 f와 g의 **합성함수**라 하고

$$g \circ f: X \longrightarrow Z$$

로 나타낸다. 이때 정의역 X의 임의의 원소 x에 대하여

$$(g \circ f)(x) = g(f(x))$$

가 성립한다.

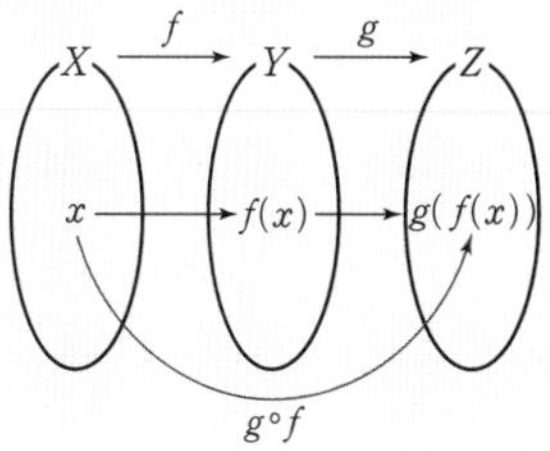

$g \circ f$는 'g circle f' 또는 'g 합성 f'라 읽는다. 두 함수를 합성할 때에는 순서에 주의한다. $g \circ f$의 함숫값을 구하려면 f에서 출발해야 한다. 따라서 함수 $g \circ f$의 정의역은 함수 f의 정의역과 같고, 함수 $g \circ f$의 공역은 함수 g의 공역과 같다.

| 설명 | 화살표를 따라가면

$1 \rightarrow 5 \rightarrow 9$이므로

$(g \circ f)(1) = g(f(1)) = g(5) = 9$

$2 \rightarrow 4 \rightarrow 7$이므로

$(g \circ f)(2) = g(f(2)) = g(4) = 7$

$3 \rightarrow 6 \rightarrow 8$이므로

$(g \circ f)(3) = g(f(3)) = g(6) = 8$

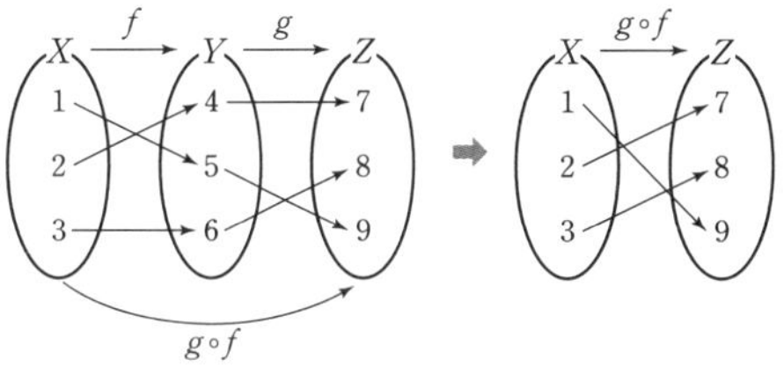

| 개념확인 | 두 함수 $f: X \longrightarrow Y$, $g: Y \longrightarrow X$가 그림과 같을 때, 다음을 구하여라.

(1) $(g \circ f)(4)$

(2) $(f \circ g)(4)$

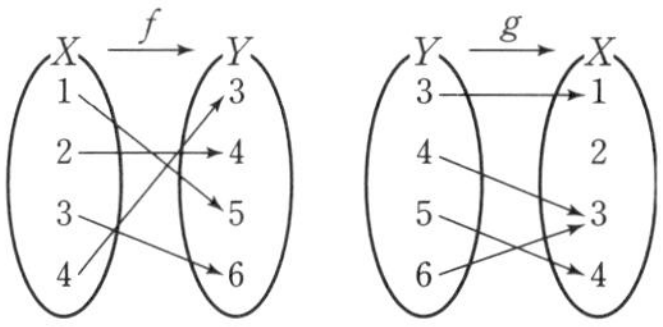

> **풀이** 화살표를 졸졸 따라가며 구한다.
>
> (1) $(g \circ f)(4)$는 4에서 출발하여 f를 따라간 후 g를 따라간다.
>
> $(g \circ f)(4) = g(f(4)) = g(3) = \mathbf{1}$
>
> (2) $(f \circ g)(4)$는 4에서 출발하여 g를 따라간 후 f를 따라간다.
>
> $(g \circ f)(4) = f(g(4)) = f(3) = \mathbf{6}$

187 두 함수 $f(x)=2x+1$, $g(x)=3x-1$에 대하여 다음을 구하여라.

(1) $(g\circ f)(1)$ (2) $(f\circ g)(1)$ (3) $(f\circ f)(2)$ (4) $(g\circ g)(2)$

풍산자티 합성함수 $g\circ f$의 함숫값을 구하려면 f의 함숫값을 g에 대입한다. 즉 $g\circ f$에서 $\circ$을 ( )로 바꾸어 $g(f(x))$로 나타낸 뒤 $g(x)$의 x 대신 $f(x)$를 대입하면 된다.

> 풀이
(1) $(g\circ f)(1)=g(f(1))=g(3)=\mathbf{8}$
(2) $(f\circ g)(1)=f(g(1))=f(2)=\mathbf{5}$
(3) $(f\circ f)(2)=f(f(2))=f(5)=\mathbf{11}$
(4) $(g\circ g)(2)=g(g(2))=g(5)=\mathbf{14}$

정답과 풀이 **19**쪽

유제 **188** 두 함수 $f(x)=2x-1$, $g(x)=x+1$에 대하여 다음을 구하여라.

(1) $(g\circ f)(0)$ (2) $(f\circ g)(0)$
(3) $(f\circ f)(1)$ (4) $(g\circ g)(1)$

189 두 함수 $f(x)=2x-3$, $g(x)=3x-2$에 대하여 다음을 만족시키는 함수 $h(x)$를 구하여라.

(1) $(g\circ h)(x)=f(x)$ (2) $(h\circ g)(x)=f(x)$

풍산자티 (1) $g(x)=3x-2$이므로 $g(h(x))=3h(x)-2$
(2) $g(x)=3x-2$이므로 $h(g(x))=h(3x-2)$ ➡ $h(\square)=\triangle$의 꼴이 된다!

> 풀이
(1) $(g\circ h)(x)=g(h(x))=3h(x)-2$이므로
주어진 식은 $3h(x)-2=2x-3$ $\therefore$ $\boldsymbol{h(x)=\frac{2}{3}x-\frac{1}{3}}$
(2) $(h\circ g)(x)=h(g(x))=h(3x-2)$이므로 주어진 식은
$h(3x-2)=2x-3$ …… ㉠
$3x-2=t$로 놓으면 $3x=t+2$ $\therefore$ $x=\frac{t+2}{3}$ …… ㉡
㉡을 ㉠에 대입하면
$h(t)=2\cdot\frac{t+2}{3}-3=\frac{2}{3}t-\frac{5}{3}$ $\therefore$ $\boldsymbol{h(x)=\frac{2}{3}x-\frac{5}{3}}$

정답과 풀이 **19**쪽

유제 **190** 두 함수 $f(x)=3x+1$, $g(x)=x+2$에 대하여 다음을 만족시키는 함수 $h(x)$를 구하여라.

(1) $(g\circ h)(x)=f(x)$ (2) $(h\circ g)(x)=f(x)$

191 **함수 $f(x)$가 $f\left(\frac{x}{x+1}\right)=x^2-x$를 만족시킬 때, $f(2)$의 값을 구하여라.**

풍산자비 괄호 안의 값이 2가 되어야 하므로 일단 $\frac{x}{x+1}=2$를 만족시키는 x의 값을 구하고 본다.

> 풀이 $\frac{x}{x+1}=2$로 놓으면

$x=2x+2 \quad \therefore x=-2$

$x=-2$를 주어진 식의 좌변과 우변의 x 자리에 대입하면

$f(2)=(-2)^2-(-2)=\mathbf{6}$

정답과 풀이 **19쪽**

유제 **192** **함수 $f(x)$가 $f(2x+4)=4x+2$를 만족시킬 때, $f(-2)$의 값을 구하여라.**

193 **함수 $f(x)=x+3$에 대하여**

$$f^1=f,\ f^2=f\circ f,\ f^3=f\circ f^2,\ \cdots,\ f^{n+1}=f\circ f^n \text{ (단, } n\text{은 자연수)}$$

으로 정의할 때, $f^{100}(2)$의 값을 구하여라.

풍산자비 f^{100}은 f를 100번 합성한 $f\circ f\circ\cdots\circ f$와 같다. 정말로 100번 합성할까? 아니다!
f^1, f^2, f^3 등 처음 서너 개의 합성함수를 구해 보면 반드시 규칙성이 보인다.

> 풀이 $f^1(x)=x+3$

$f^2(x)=(f\circ f)(x)=f(f(x))=f(x+3)=(x+3)+3=x+3\cdot 2$

$f^3(x)=(f\circ f^2)(x)=f(f^2(x))=f(x+6)=(x+3\cdot 2)+3=x+3\cdot 3$

$f^4(x)=(f\circ f^3)(x)=f(f^3(x))=f(x+9)=(x+3\cdot 3)+3=x+3\cdot 4$

$\vdots$

이제 규칙성이 보인다. 상수항이 3의 배수이다.

따라서 $f^n(x)=x+3n$이므로 $f^{100}(2)=2+3\times 100=\mathbf{302}$

정답과 풀이 **19쪽**

유제 **194** **함수 $f(x)=x+1$에 대하여**

$$f^1=f,\ f^2=f\circ f,\ f^3=f\circ f^2,\ \cdots,\ f^{n+1}=f\circ f^n \ (n\text{은 자연수})$$

으로 정의할 때, $f^{1000}(1)$의 값을 구하여라.

195 **함수 $f : X \longrightarrow X$가 [그림 1]과 같이 정의되고 함수 $y=g(x)$의 그래프가 [그림 2]와 같을 때, $(f\circ f\circ f)(1)+(g\circ g\circ g)(1)$의 값을 구하여라.**

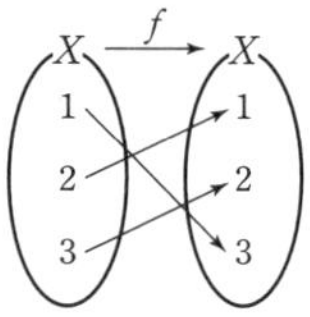

[그림 1]

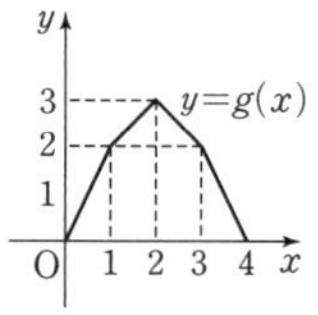

[그림 2]

풍산자日 함수를 여러 번 합성할 때에도 졸졸졸 화살표를 따라가면 된다.

> 풀이 $(f\circ f\circ f)(1)=f(f(f(1)))=f(f(3))=f(2)=1$
$(g\circ g\circ g)(1)=g(g(g(1)))=g(g(2))=g(3)=2$
$\therefore (f\circ f\circ f)(1)+(g\circ g\circ g)(1)=1+2=\mathbf{3}$

정답과 풀이 **19**쪽

유제 **196** **함수 $f : X \longrightarrow X$가 [그림 1]과 같이 정의되고 함수 $y=g(x)$의 그래프가 [그림 2]와 같을 때, $(f\circ g\circ f)(1)+(g\circ f\circ g)(1)$의 값을 구하여라.**

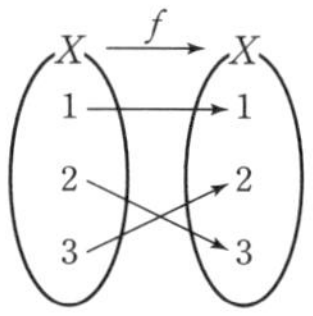

[그림 1]

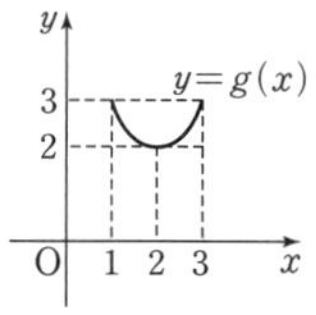

[그림 2]

197 **함수 $y=f(x)$의 그래프가 그림과 같을 때, 다음 물음에 답하여라. (단, 모든 점선은 x축 또는 y축에 평행하다.)**

(1) $(f\circ f\circ f\circ f)(a)$의 값을 구하여라.

(2) 방정식 $(f\circ f)(x)=d$의 실근을 구하여라.

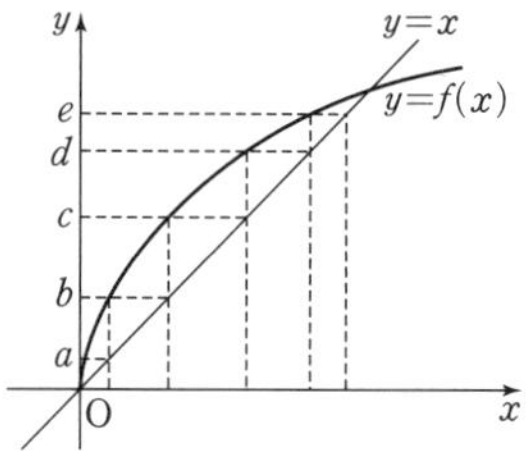

풍산자日 $y=x$의 그래프가 주어진 문제에서 $y=x$ 위의 점은 x좌표와 y좌표가 같다.

> 풀이 일단 x축 위의 점의 좌표를 쭉 써 놓고 본다.

(1) $(f\circ f\circ f\circ f)(a)=f(f(f(f(a))))=f(f(f(b)))$
$=f(f(c))=f(d)=\boldsymbol{e}$

(2) $f(f(x))=d$는 높이가 d일 때를 의미하므로
$f(x)=c$
$f(x)=c$는 높이가 c일 때를 의미하므로 $x=\boldsymbol{b}$

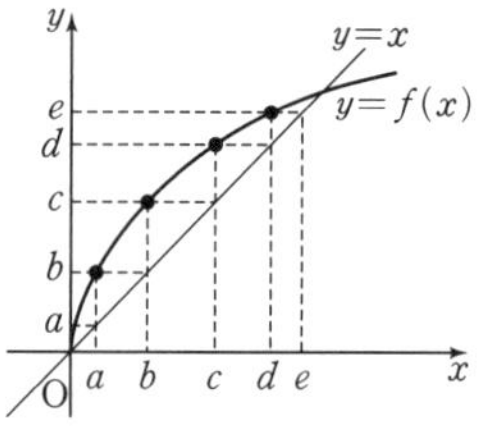

정답과 풀이 **19**쪽

유제 **198** **함수 $y=f(x)$의 그래프가 그림과 같을 때, 다음 물음에 답하여라. (단, 모든 점선은 x축 또는 y축에 평행하다.)**

(1) $(f\circ f\circ f\circ f)(e)$의 값을 구하여라.

(2) 방정식 $(f\circ f)(x)=b$의 실근을 구하여라.

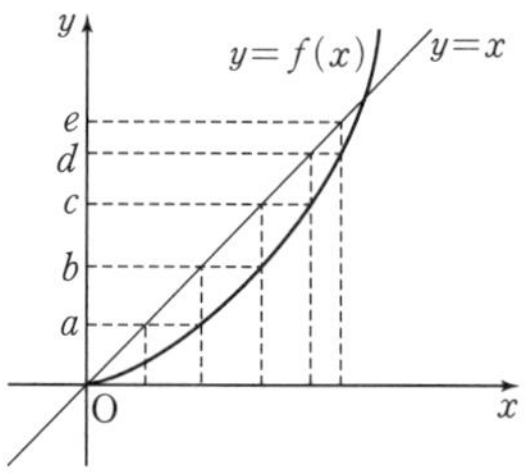

199 **함수 $y=f(x)$의 그래프가 그림과 같을 때, 함수 $y=(f\circ f)(x)$의 그래프를 그려라.**

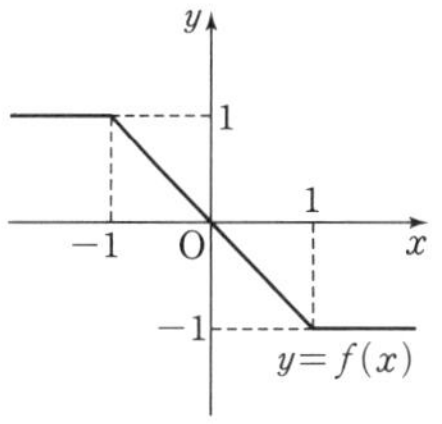

풍산자비 그래프가 꺾인 점을 기준으로 구간을 나누어 구한다.

> 풀이 그래프가 $x=-1$과 $x=1$에서 꺾였으므로 두 점을 기준으로 구간을 나누어 함수식을 구한다.

$$f(x)=\begin{cases} 1 & (x\le -1) \\ -x & (-1<x\le 1) \\ -1 & (x>1) \end{cases}$$

(i) $x\le -1$일 때,

$(f\circ f)(x)=f(f(x))=f(1)=-1$

(ii) $-1<x\le 1$일 때,

$(f\circ f)(x)=f(f(x))=f(-x)=-(-x)=x$

(iii) $x>1$일 때,

$(f\circ f)(x)=f(f(x))=f(-1)=1$

이상에서 $(f\circ f)(x)=\begin{cases} -1 & (x\le -1) \\ x & (-1<x\le 1) \\ 1 & (x>1) \end{cases}$

따라서 함수 $y=(f\circ f)(x)$의 그래프를 그리면 다음과 같다.

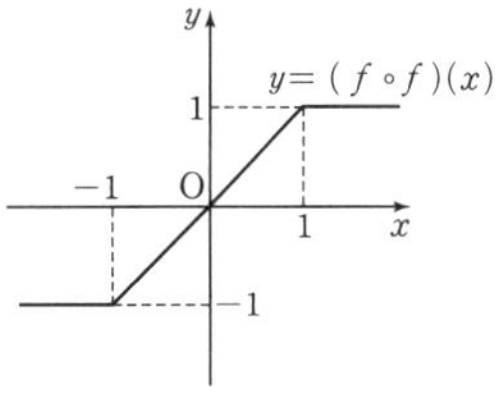

정답과 풀이 19쪽

유제 **200** **함수 $y=f(x)$의 그래프가 그림과 같을 때, 함수 $y=(f\circ f)(x)$의 그래프를 그려라.**

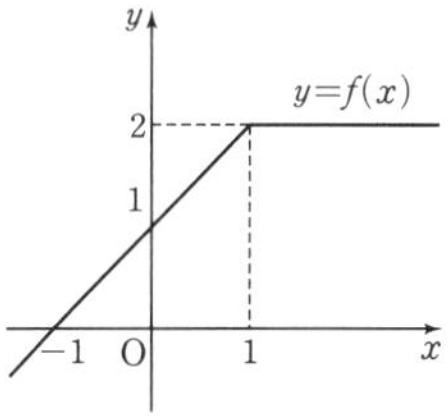

한걸음 더

02 꺾인 그래프의 합성함수의 그래프

식을 구해서 합성함수의 그래프를 그리는 방법은 정확하지만 번거롭다. 꺾이는 점을 기준으로 생각해 보면 그래프의 식을 구하지 않고도 그래프를 그릴 수 있다.

| 꺾인 그래프의 합성함수의 그래프 (2) |

201 두 함수 $y=f(x)$와 $y=g(x)$의 그래프가 그림과 같을 때, $y=(f\circ g)(x)$의 그래프를 그려라.

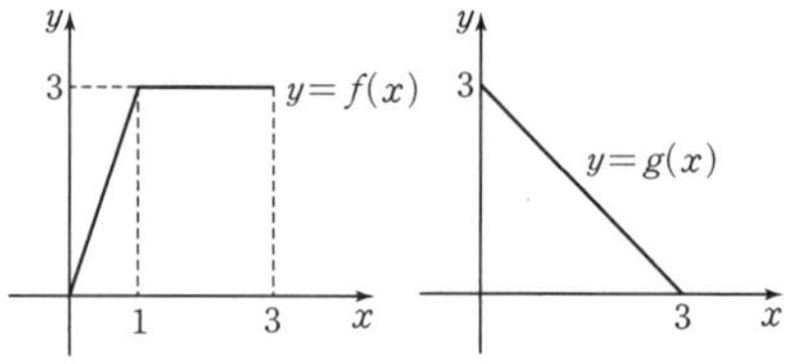

풍산자**ㅌ** $y=(f\circ g)(x)=f(g(x))$에서 $g(x)$가 $f(x)$의 새로운 정의역이 된다. 함수 $f(x)$의 그래프는 $x=1$을 기준으로 형태가 달라짐에 유의하며 합성함수의 그래프를 그린다.

> 풀이 $y=f(g(x))$에서 $z=g(x)$로 놓으면 $y=f(z)$, $z=g(x)$

[1단계] [그림 2]에서 끝점과 꺾인 점 z의 값을 구한다.
$z=0,\ 1,\ 3$

[2단계] [그림 1]에서 z의 값에 대응하는 x의 값을 구한다.
$z=0$일 때 $x=3$
$z=1$일 때 $x=2$
$z=3$일 때 $x=0$

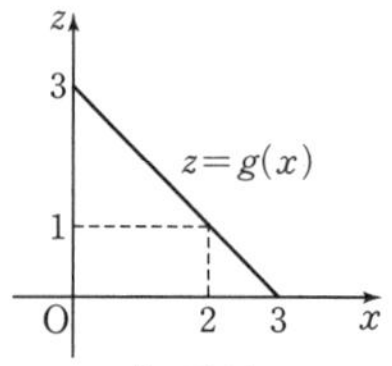

[그림 1]

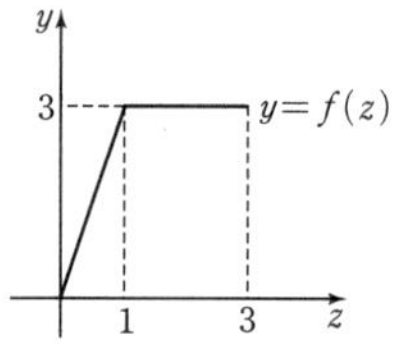

[그림 2]

[3단계] x의 값을 경계로 꺾임표를 만든다.

$y=f(g(x))$	3	3	0
$z=g(x)$	3	1	0
x	0	2	3

[4단계] 꺾임표를 보고 그래프를 그린다.

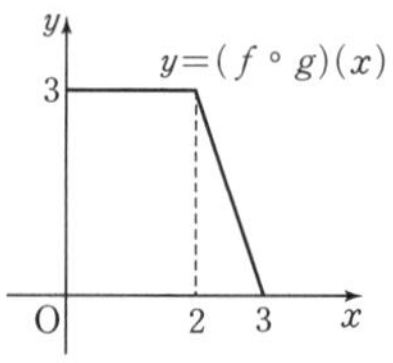

정답과 풀이 **20**쪽

유제 **202** 두 함수 $y=f(x)$와 $y=g(x)$의 그래프가 그림과 같을 때, $y=(g\circ f)(x)$의 그래프를 그려라.

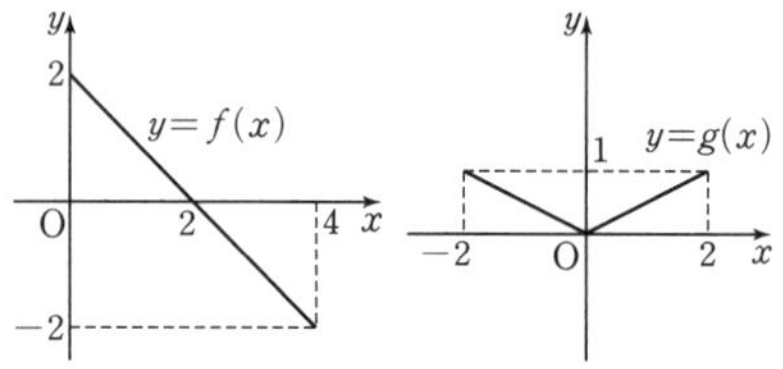

203 함수 $y=f(x)$의 그래프가 그림과 같을 때, 함수 $y=(f\circ f)(x)$의 그래프를 그려라.

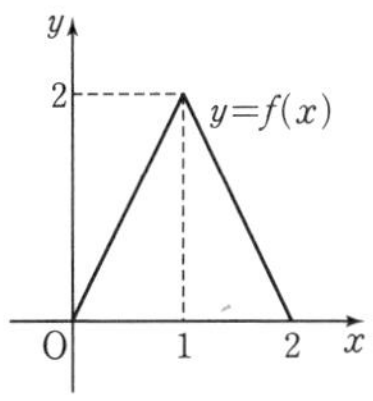

풍산자日 끝점과 꺾인 점을 기준으로 표를 만들어 생각한다.

> 풀이 $y=f(f(x))$에서 $f(x)$를 z로 놓으면 $y=f(z)$, $z=f(x)$

[1단계] [그림 2]에서 끝점과 꺾인 점의 z의 값을 구한다.

$z=0,\ 1,\ 2$

[2단계] [그림 1]에서 z의 값에 대응하는 x의 값을 구한다.

$z=0$일 때 $x=0,\ 2$

$z=1$일 때 $x=\frac{1}{2},\ \frac{3}{2}$

$z=2$일 때 $x=1$

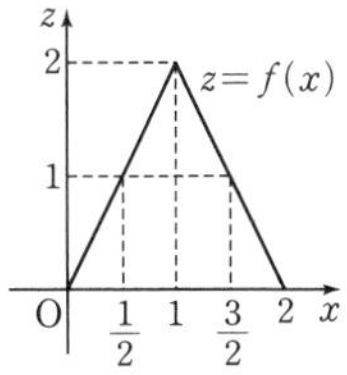

[그림 1]

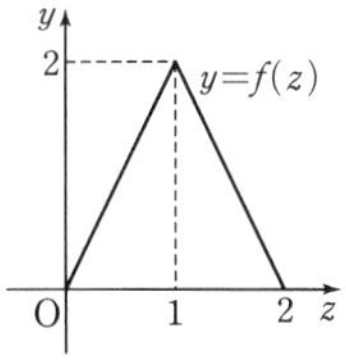

[그림 2]

[3단계] x의 값을 경계로 꺾임표를 만든다.

$y=f(f(x))$	0	2	0	2	0
$z=f(x)$	0	1	2	1	0
x	0	$\frac{1}{2}$	1	$\frac{3}{2}$	2

[4단계] 꺾임표를 보고 그래프를 그린다.

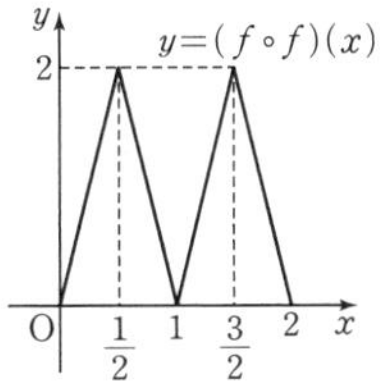

정답과 풀이 20쪽

유제 **204** 함수 $y=f(x)$의 그래프가 그림과 같을 때, 함수 $y=(f\circ f)(x)$의 그래프를 그려라.

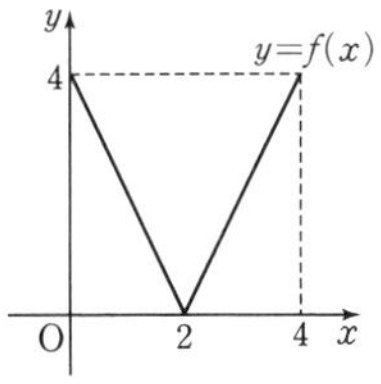

03 합성함수의 성질

실수의 사칙연산에서는 교환법칙과 결합법칙이 모두 성립한다.
집합의 연산에서도 교환법칙과 결합법칙이 모두 성립한다.
합성함수에서는 교환법칙이 성립하지 않는다.

합성함수의 성질

(1) 교환법칙은 성립하지 않는다.

$$\boldsymbol{g \circ f \neq f \circ g}$$

(2) 결합법칙은 성립한다.

$$h \circ (g \circ f) = (h \circ g) \circ f$$

(3) I가 항등함수일 때

$$f \circ I = I \circ f = f$$

| 증명 | (1) 교환법칙이 성립하지 않는 예

다음 그림의 두 함수 f, g의 $g \circ f$와 $f \circ g$는 정의역과 공역은 물론 함숫값도 전혀 다른 함수가 된다.

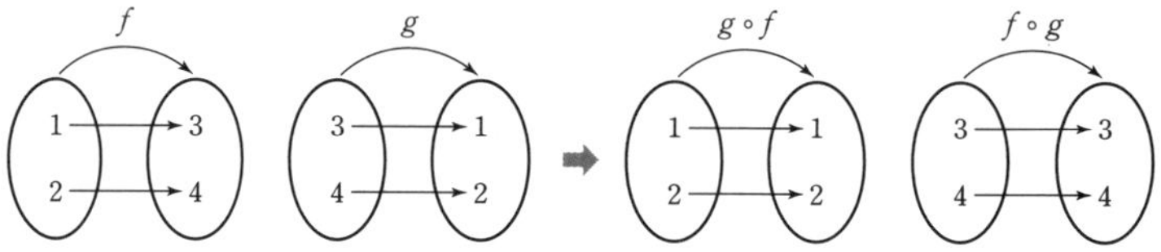

(2) 결합법칙의 증명

$(h \circ (g \circ f))(x) = h((g \circ f)(x)) = h(g(f(x)))$

$((h \circ g) \circ f)(x) = (h \circ g)(f(x)) = h(g(f(x)))$

$\therefore (h \circ (g \circ f))(x) = ((h \circ g) \circ f)(x)$

$\therefore h \circ (g \circ f) = (h \circ g) \circ f$

(3) 항등함수와의 합성

I가 항등함수일 때, $I(x) = x$이므로

$(f \circ I)(x) = f(I(x)) = f(x)$

$(I \circ f)(x) = I(f(x)) = f(x)$

$\therefore (f \circ I)(x) = (I \circ f)(x)$

$\therefore f \circ I = I \circ f = f$

| 개념확인 | 두 함수 $f(x) = 3x - 2$, $g(x) = -2x + 1$에 대하여 다음을 구하여라.

(1) $(g \circ f)(x)$ (2) $(f \circ g)(x)$

> 풀이 (1) $(g \circ f)(x) = g(f(x)) = g(3x-2)$

$= -2(3x-2) + 1 = \boldsymbol{-6x+5}$

(2) $(f \circ g)(x) = f(g(x)) = f(-2x+1)$

$= 3(-2x+1) - 2 = \boldsymbol{-6x+1}$

➡ $(g \circ f)(x) \neq (f \circ g)(x)$이므로 교환법칙이 성립하지 않음을 확인할 수 있다.

205 두 함수 $f(x)=2x+a$, $g(x)=-x+1$에 대하여 $g \circ f = f \circ g$가 성립할 때, 상수 a의 값을 구하여라.

풍산자曰 $g \circ f = f \circ g$가 성립한다? $(g \circ f)(x) = (f \circ g)(x)$가 성립한다는 소리.

> 풀이 $(g \circ f)(x) = g(f(x)) = g(2x+a) = -(2x+a)+1 = -2x-a+1$
$(f \circ g)(x) = f(g(x)) = f(-x+1) = 2(-x+1)+a = -2x+2+a$
이때 $g \circ f = f \circ g$이므로 $-2x-a+1 = -2x+2+a$
$-a+1 = 2+a$, $-2a=1$ $\quad \therefore a = -\frac{1}{2}$

정답과 풀이 20쪽

유제 **206** 두 함수 $f(x)=2x+3$, $g(x)=3x+a$에 대하여 $g \circ f = f \circ g$가 성립할 때, 상수 a의 값을 구하여라.

207 세 함수 $f(x)=2x$, $g(x)=x^2$, $h(x)=3x-1$에 대하여 다음을 구하여라.

(1) $(h \circ (g \circ f))(x)$ (2) $((h \circ g) \circ f)(x)$

풍산자曰 (1) 먼저 $(g \circ f)(x)$를 계산한 후, 이 식을 $h(x)$에 대입한다.
(2) 먼저 $(h \circ g)(x)$를 계산한 후, 이 식에 $f(x)$를 대입한다.

> 풀이 (1) $(g \circ f)(x) = g(f(x)) = g(2x) = (2x)^2 = 4x^2$이므로
$(h \circ (g \circ f))(x) = h((g \circ f)(x)) = h(4x^2) = 3 \cdot 4x^2 - 1 = \mathbf{12x^2-1}$
(2) $(h \circ g)(x) = h(g(x)) = h(x^2) = 3 \cdot x^2 - 1 = 3x^2-1$이므로
$((h \circ g) \circ f)(x) = (h \circ g)(f(x)) = (h \circ g)(2x) = 3(2x)^2 - 1 = \mathbf{12x^2-1}$

정답과 풀이 20쪽

유제 **208** 세 함수 $f(x)=x+1$, $g(x)=2x+1$, $h(x)=3x+1$에 대하여 다음을 구하여라.

(1) $(h \circ (g \circ f))(x)$ (2) $((h \circ g) \circ f)(x)$

풍산자 비법

$g(\bigstar)$은 $g(x)$의 x 대신에 ★을 넣으라는 것.
합성함수 $g(f(x))$는 $g(x)$의 x를 대신해서 $f(x)$를 넣으라는 것.
$f(x)$는 식일 수도 있고, 숫자나 값일 수도 있다.

04 역함수의 정의

역함수란 화살표 뒤집기.

역함수

함수 $f : X \longrightarrow Y$가 일대일대응이면 역함수 $f^{-1} : Y \longrightarrow X$가 존재한다.

$\boldsymbol{y=f(x) \iff x=f^{-1}(y)}$ 중요!

함수 f의 화살표 방향을 바꾸면 f^{-1}가 된다. 이때 f^{-1}는 'f의 역함수' 또는 'f inverse'라 읽는다.

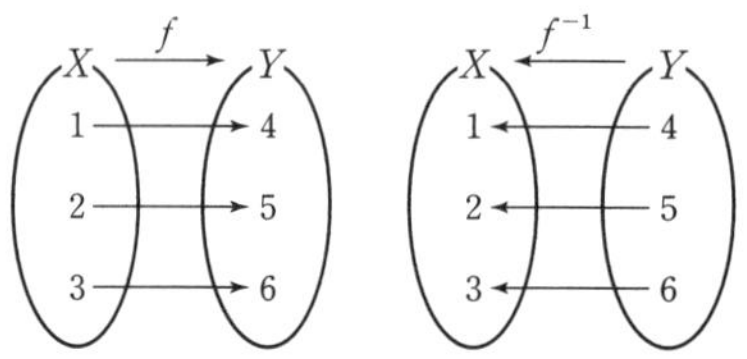

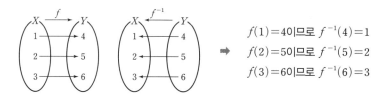

➡ $f(1)=4$이므로 $f^{-1}(4)=1$
$f(2)=5$이므로 $f^{-1}(5)=2$
$f(3)=6$이므로 $f^{-1}(6)=3$

x와 y를 바꾸는 것이 역함수의 핵심이다. 역함수의 함숫값을 구할 때 정의를 이용한 관계를 반드시 기억하자.

$f^{-1}(a)=b \iff f(b)=a$

하지만 모든 함수의 역함수가 존재하는 것은 아니다. 화살표 방향을 바꾼 대응이 함수가 아닐 수도 있기 때문이다. 역함수가 존재하려면 일대일대응이어야 한다.

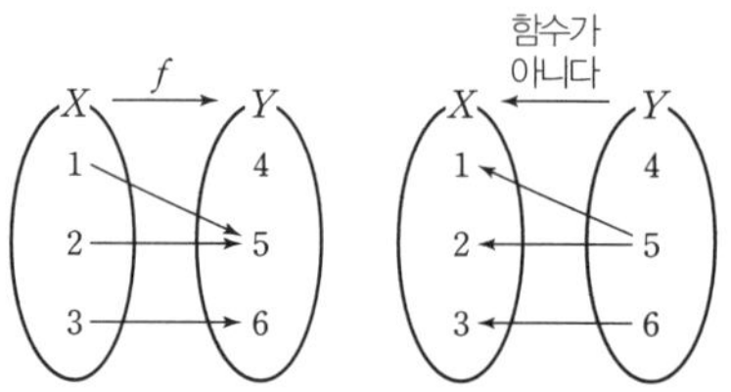

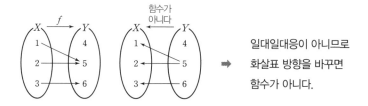

➡ 일대일대응이 아니므로
화살표 방향을 바꾸면
함수가 아니다.

함수 $y=f(x)$가 주어질 때 역함수를 구하려면 다음과 같이 생각한다.

역함수를 구하는 방법

[1단계] $y=f(x)$가 일대일대응인지 확인한다.

[2단계] $y=f(x)$에서 x와 y를 바꾸어 $x=f(y)$의 꼴로 나타낸다.

[3단계] $x=f(y)$를 y에 대하여 정리하여 $y=\square$의 꼴로 고친다.

[4단계] 정의역은 치역으로, 치역은 정의역으로 바꾼다.

209 보기의 함수 f 중 역함수 f^{-1}가 존재하는 것만을 있는 대로 골라라.

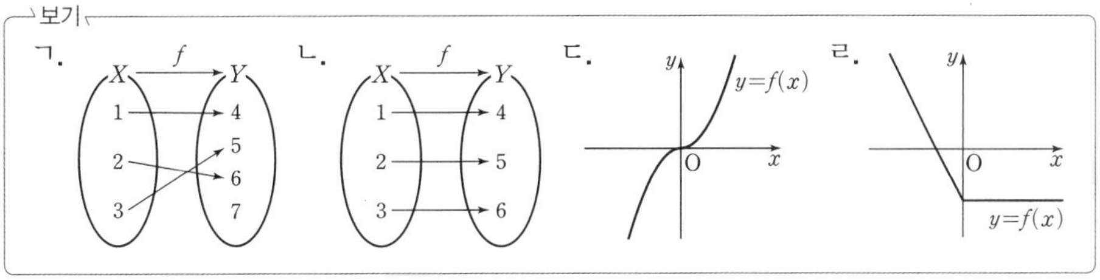

풍산자日 역함수가 존재하려면 일대일대응이어야 한다.

> 풀이 일대일대응은 일대일함수이면서 Y의 원소 중에 외톨이가 없어야 한다.
그래프에서는 x축에 평행한 직선을 그었을 때 교점이 하나여야 한다. 즉, 계속 증가하는 함수이거나 계속 감소하는 함수여야 한다.
따라서 역함수가 존재하는 함수는 ㄴ, ㄷ이다.

정답과 풀이 21쪽

유제 **210** 보기의 함수 f 중 역함수 f^{-1}가 존재하는 것만을 있는 대로 골라라.

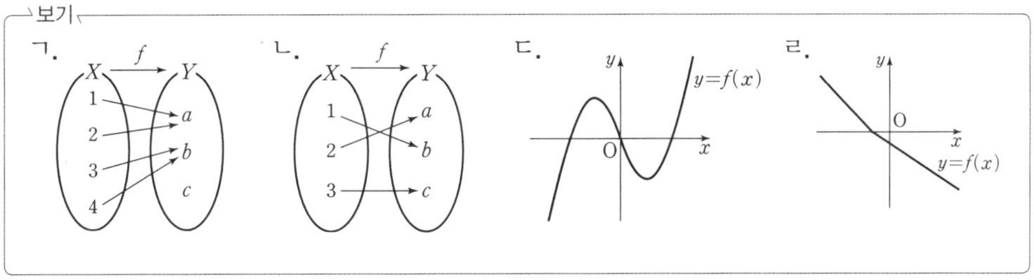

211 함수 $y=3x+2$의 역함수를 구하여라.

풍산자日 역함수를 구하려면 x와 y를 바꾸어 $y=\square$의 꼴로 정리한다.

> 풀이 $y=3x+2$의 x와 y를 바꾸면 $x=3y+2$
$y=\square$의 꼴로 정리하면 $\boldsymbol{y=\frac{1}{3}x-\frac{2}{3}}$

정답과 풀이 21쪽

유제 **212** 함수 $y=x+3$의 역함수를 구하여라.

213 함수 $f(x)=2x+1$에 대하여 다음 등식을 만족시키는 상수 a, b의 값을 구하여라.

(1) $f^{-1}(5)=a$　　(2) $f^{-1}(b)=5$

풍산자 역함수를 구하지 않아도 정의를 이용하면 함숫값을 구할 수 있다.
$f^{-1}(a)=b$라는 조건을 보면 일단 $f(b)=a$로 고쳐 놓고 본다.

> 풀이 (1) $f^{-1}(5)=a$에서 $f(a)=5$이므로
$2a+1=5$　$\therefore a=\mathbf{2}$
(2) $f^{-1}(b)=5$에서 $f(5)=b$이므로
$b=2\cdot5+1=\mathbf{11}$

정답과 풀이 21쪽

유제 **214** 함수 $f(x)=3x-2$에 대하여 다음 등식을 만족시키는 상수 a, b의 값을 구하여라.

(1) $f^{-1}(7)=a$　　(2) $f^{-1}(b)=2$

215 함수 $f(x)=ax+b$에 대하여 $f^{-1}(-1)=1$, $f^{-1}(3)=2$일 때, $f^{-1}(1)$의 값을 구하여라. (단, a, b는 상수이다.)

풍산자 $f^{-1}(a)=b$를 $f(b)=a$로 고친다.

> 풀이 [1단계] $f^{-1}(-1)=1$에서 $f(1)=-1$이므로 $a+b=-1$　⋯⋯ ㉠
$f^{-1}(3)=2$에서 $f(2)=3$이므로 $2a+b=3$　⋯⋯ ㉡
㉠, ㉡을 연립하여 풀면 $a=4$, $b=-5$
$\therefore f(x)=4x-5$
[2단계] $f^{-1}(1)=k$로 놓으면 $f(k)=1$이므로 $4k-5=1$　$\therefore k=\frac{3}{2}$
$\therefore f^{-1}(1)=\mathbf{\frac{3}{2}}$

정답과 풀이 21쪽

유제 **216** 함수 $f(x)=ax+b$에 대하여 $f^{-1}(3)=0$, $f^{-1}(2)=1$일 때, $f^{-1}(5)$의 값을 구하여라.
(단, a, b는 상수이다.)

05 역함수의 성질과 그래프

항등함수를 배웠고, 함수의 합성을 배웠고, 역함수를 배웠다.

역함수의 성질과 그래프

(1) 함수 f와 그 역함수 f^{-1}

함수 $f: X \longrightarrow Y$가 일대일대응이고 I가 항등함수일 때,

① $\boldsymbol{(f^{-1})^{-1}=f}$

② $\boldsymbol{f^{-1}\circ f=I}$ ➡ $\boldsymbol{f^{-1}(f(x))=x,\ x\in X}$

③ $f\circ f^{-1}=I$ ➡ $f(f^{-1}(y))=y,\ y\in Y$

④ $f\circ I=f,\ I\circ f=f$

(2) 두 함수의 합성함수가 항등함수일 때

두 함수 $f: X \longrightarrow Y$, $g: Y \longrightarrow X$가 일대일대응이고 I가 항등함수일 때,

$g\circ f=I,\ f\circ g=I$이면 $g=f^{-1}$

(3) 합성함수의 역함수

두 함수 $f: X \longrightarrow Y$, $g: Y \longrightarrow Z$가 일대일대응일 때,

$(g\circ f)^{-1}=f^{-1}\circ g^{-1}$

(4) 역함수의 그래프

함수와 그 역함수의 그래프는 직선 $y=x$에 대하여 대칭이다. 중요!

(3)에서 함수의 순서가 거꾸로 뒤집어짐에 유의한다. 그림의 화살표 방향을 따라가며 순서를 이해하면 쉽다.

같은 방법으로 세 개 이상의 함수를 합성한 함수의 역함수도 생각해 볼 수 있다.

$(h\circ g\circ f)^{-1}=f^{-1}\circ g^{-1}\circ h^{-1}$

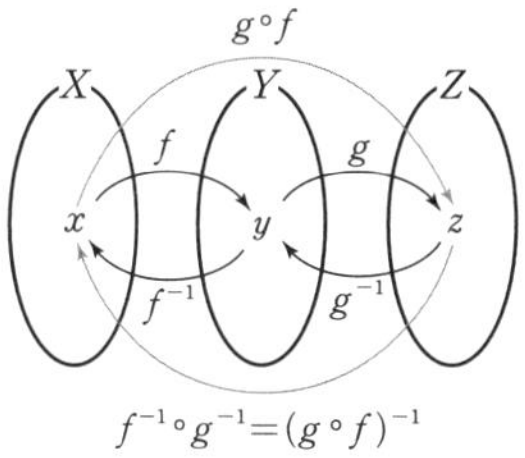

(3)을 증명해 보자. 이 증명을 이해하면 (1), (2), (3)을 모두 이해한 것이다.

| 증명 | (3) $\boldsymbol{(g\circ f)^{-1}=f^{-1}\circ g^{-1}}$**의 증명**

$(g\circ f)\circ(f^{-1}\circ g^{-1})=g\circ(f\circ f^{-1})\circ g^{-1}$ ⬅ 합성함수의 결합법칙

$=g\circ I\circ g^{-1}$ ⬅ (1)−③

$=g\circ g^{-1}$ ⬅ (1)−④

$=I$ ⬅ (1)−③

따라서 $f^{-1}\circ g^{-1}$는 $g\circ f$의 역함수이다. ⬅ (2)

즉, $(g\circ f)^{-1}=f^{-1}\circ g^{-1}$

| 설명 | **역함수의 그래프의 성질**

점 (a, b)가 함수 $y=f(x)$의 그래프 위의 점이면 $b=f(a)$가 성립한다.

$b=f(a) \iff a=f^{-1}(b)$가 성립하므로 점 (b, a)는 역함수 $y=f^{-1}(x)$의 그래프 위의 점이다.

점 (a, b)와 점 (b, a)는 직선 $y=x$에 대하여 대칭이므로 함수 $y=f(x)$의 그래프와 그 역함수 $y=f^{-1}(x)$의 그래프는 직선 $y=x$에 대하여 대칭이다.

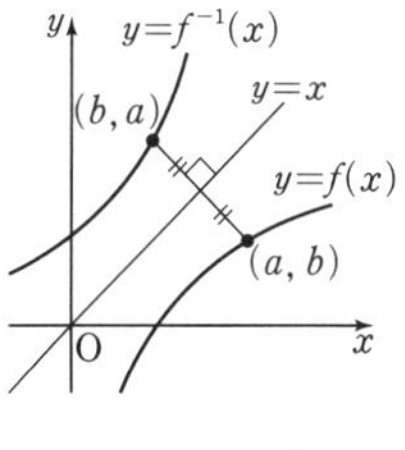

217 두 함수 $f(x)=x+1$, $g(x)=2x+8$에 대하여 $(f\circ(g\circ f)^{-1}\circ f)(1)$의 값을 구하여라.

풍산자日 일단 역함수의 성질을 이용하여 주어진 식을 간단히 하고 본다. 결국 역함수의 함숫값을 구하는 문제로 변신하게 된다.

> 풀이 [1단계] $(g\circ f)^{-1}=f^{-1}\circ g^{-1}$이므로

$$(f\circ(g\circ f)^{-1}\circ f)(1) =(f\circ f^{-1}\circ g^{-1}\circ f)(1)$$
$$=(I\circ g^{-1}\circ f)(1) \quad \Leftarrow f\circ f^{-1}=I$$
$$=(g^{-1}\circ f)(1) \quad \Leftarrow I\circ g^{-1}=g^{-1}$$
$$=g^{-1}(f(1))$$
$$=g^{-1}(2) \quad \Leftarrow f(1)=1+1=2$$

[2단계] $g^{-1}(2)=k$로 놓으면 $g(k)=2$이므로 $2k+8=2$ $\quad\therefore k=-3$

$\therefore (f\circ(g\circ f)^{-1}\circ f)(1)=g^{-1}(2)=-3$

정답과 풀이 21쪽

유제 **218** 두 함수 $f(x)=2x-1$, $g(x)=3x-6$에 대하여 $(f\circ(g\circ f)^{-1}\circ f)(2)$의 값을 구하여라.

219 그림은 함수 $y=f(x)$의 그래프와 직선 $y=x$를 나타낸 것이다. 이때 $(f\circ f)^{-1}(c)$의 값을 구하여라.

(단, 모든 점선은 x축 또는 y축에 평행하다.)

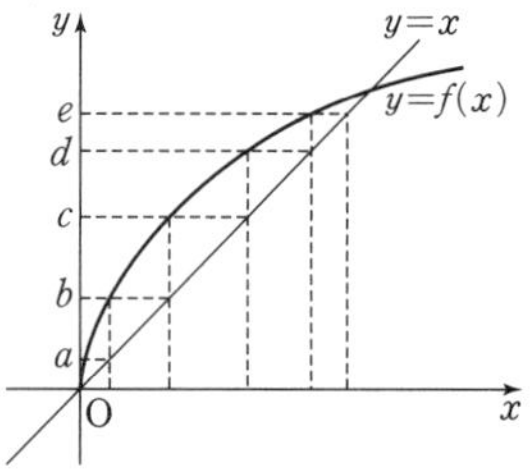

풍산자日 함수와 그 역함수의 그래프는 직선 $y=x$에 대하여 대칭이다.

> 풀이 직선 $y=x$ 위의 점의 x좌표와 y좌표는 서로 같으므로 주어진 그림에 x좌표를 나타내면 그림과 같다.

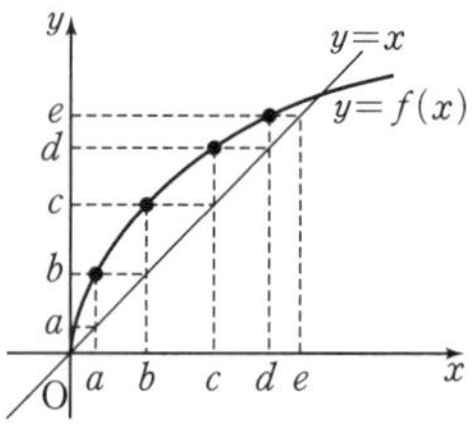

[1단계] $(f\circ f)^{-1}(c)=(f^{-1}\circ f^{-1})(c)=f^{-1}(f^{-1}(c))$

[2단계] $f^{-1}(c)=k$로 놓으면 $f(k)=c$에서 $k=b$이므로

$f^{-1}(c)=b$

[3단계] $f^{-1}(b)=l$로 놓으면 $f(l)=b$에서 $l=a$이므로

$f^{-1}(b)=a$

$\therefore (f^{-1}\circ f^{-1})(c)=f^{-1}(f^{-1}(c))=f^{-1}(b)=\boldsymbol{a}$

정답과 풀이 21쪽

유제 **220** 그림은 함수 $y=f(x)$의 그래프와 직선 $y=x$를 나타낸 것이다. 이때 $(f^{-1}\circ f^{-1})(c)$의 값을 구하여라.

(단, 모든 점선은 x축 또는 y축에 평행하다.)

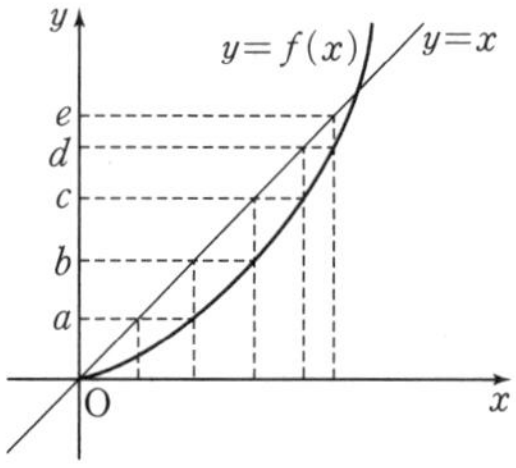

221 **함수 $f(x)=2x+a$와 그 역함수의 그래프의 교점의 x좌표가 4일 때, 상수 a의 값을 구하여라.**

풍산자日 함수와 그 역함수의 그래프는 직선 $y=x$에 대하여 대칭이다. $f(x)$의 그래프와 그 역함수의 그래프의 교점은 직선 $y=x$ 위에 있다.

› 풀이 함수 $y=f(x)$와 그 역함수의 그래프의 교점의 좌표는 함수 $y=f(x)$의 그래프와 직선 $y=x$의 교점의 좌표와 같다.
$f(x)=x$에서 $2x+a=x$, $x=-a=4$ $\quad\therefore$ $a=-4$

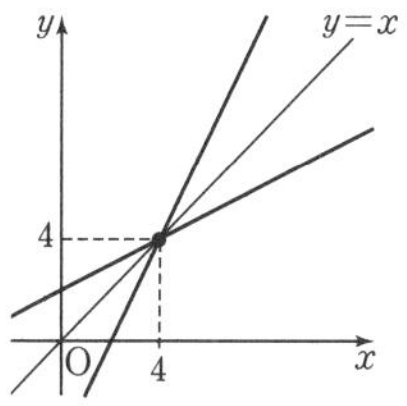

› 참고 함수 $y=f(x)$의 그래프와 역함수 $y=f^{-1}(x)$의 그래프의 교점을 구하는 문제는 함수 $f(x)$의 그래프와 직선 $y=x$와의 교점을 구하는 것이 일반적이다.
허나, 교점이 직선 $y=x$ 밖에서도 발생할 수 있다.
가장 쉬운 예는 함수의 그래프와 그 역함수의 그래프가 일치하는 함수 $y=-x$이다.

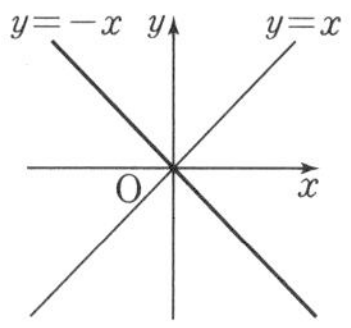

함수 $y=-x$의 그래프와 그 역함수의 그래프의 교점은 직선 $y=-x$ 위의 모든 점이다.
함수와 그 역함수가 일치하지 않을 때에도 직선 $y=x$ 밖에서 교점이 발생할 수 있다.
가장 쉬운 예는 함수 $y=(x-1)^2$ $(x\le1)$이다.
그림에서 보듯 점 $(1,\ 0)$과 점 $(0,\ 1)$은 교점이지만 직선 $y=x$ 위의 점이 아니다.
이런 현상은 x의 값이 증가할 때 $f(x)$의 값은 감소하는 함수에서만 가능하다. x의 값이 증가할 때 $f(x)$의 값도 증가하는 함수는 함수와 그 역함수의 그래프의 교점이 항상 직선 $y=x$ 위에 있다.
따라서 역함수와의 교점을 구하라는 문제는 대부분 증가하는 함수로 제시된다.

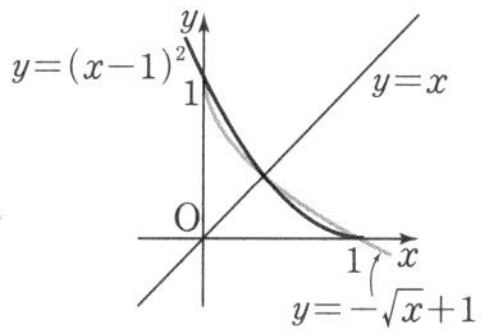

정답과 풀이 **21**쪽

유제 **222** **함수 $f(x)=\frac{1}{2}x-\frac{3}{2}$과 그 역함수의 그래프의 교점의 좌표가 $(a,\ b)$일 때, $a+b$의 값을 구하여라.**

풍산자 비법

- 역함수의 정의는 $y=f(x) \iff x=f^{-1}(y)$이다. 역함수의 계산에서 정의를 이용하는 것이 가장 중요하다.
- 함수의 그래프와 그 역함수의 그래프는 직선 $y=x$에 대하여 대칭이다.

06 함수방정식

$f(2x)=2f(x)$와 같이 좌변과 우변 모두에 $f(x)$가 있는 식을 **함수방정식**이라 한다.
함수방정식 해법의 기본은 대입. 적당한 수를 대입한다.
보통은 주어진 수 또는 구하라는 수를 대입하고 관계를 살핀다.

| 함수방정식 |

223 **양의 실수의 집합에서 정의된 함수 f가 $f(xy)=f(x)+f(y)-2$를 만족시키고, $f(2)=3$ 일 때, $f\left(\frac{1}{2}\right)$의 값을 구하여라.**

풍산자日 함수방정식 문제는 세 가지 방법으로 접근한다.
(1) 1 또는 0을 대입하여 $f(1)$ 또는 $f(0)$의 값을 구한다.
(2) 문제에 주어진 수를 대입한다.
(3) 문제에서 구하라는 수를 대입한다.

> 풀이

[1단계] 주어진 함수방정식에 $x=1$, $y=1$을 대입하여 $f(1)$을 구한다.
$f(xy)=f(x)+f(y)-2$에 $x=1$, $y=1$을 대입하면
$f(1)=f(1)+f(1)-2$
$\therefore f(1)=2$

[2단계] $f(1)$, $f(2)$의 값과 관계식을 이용하여 $f\left(\frac{1}{2}\right)$을 구한다.
$f(xy)=f(x)+f(y)-2$에 $x=2$, $y=\frac{1}{2}$을 대입하면
$f(1)=f(2)+f\left(\frac{1}{2}\right)-2$
$2=3+f\left(\frac{1}{2}\right)-2$
$\therefore f\left(\frac{1}{2}\right)=\mathbf{1}$

정답과 풀이 **21**쪽

유제 **224** **정수의 집합에서 정의된 함수 f가 $f(x+y)=f(x)+f(y)+xy$를 만족시키고, $f(1)=3$일 때, $f(4)$의 값을 구하여라.**

필수 확인 문제

＊더 많은 유형은 **풍산자필수유형 수학(하)** 043쪽

정답과 풀이 22쪽

225

실수 전체의 집합에서 $f(x)=-3x+6$으로 정의된 함수 f에 대하여 $(f\circ(f\circ f))(x)=15$를 만족시키는 x의 값을 구하여라.

226

자연수 전체의 집합 N에서 N으로의 함수 f를

$$f(x)=\begin{cases}\dfrac{x}{2} & (x\text{는 짝수})\\ x+1 & (x\text{는 홀수})\end{cases}$$

로 정의할 때, $(f\circ f\circ f)(12)$의 값을 구하여라.

227

두 함수 f, g를 그림과 같이 정의할 때, $(f\circ g^{-1})(5)+(f\circ g)^{-1}(5)$의 값을 구하여라.

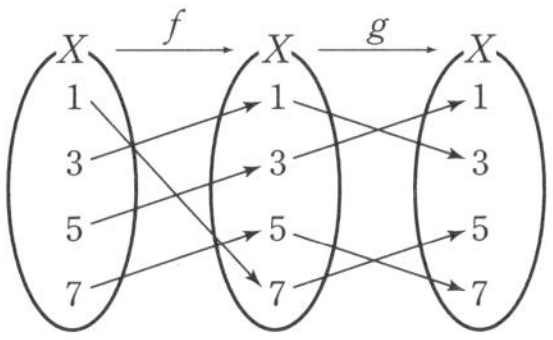

228

함수 $f(x)=ax^3+b$의 역함수 $f^{-1}(x)$가 $f^{-1}(5)=2$를 만족시킬 때, $8a+b$의 값을 구하여라. (단, a, b는 상수이다.)

229

함수 $f(x)=(x-1)^2-1\ (x\geq1)$의 그래프와 그 역함수의 그래프의 교점의 좌표를 구하여라.

230

그림은 역함수가 존재하는 두 함수 $y=f(x)$, $y=g(x)$의 그래프와 직선 $y=x$를 나타낸 것이다.

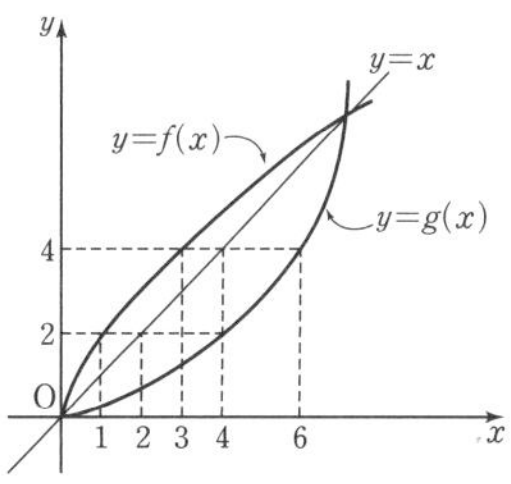

$g(4)+f^{-1}(2)+(f^{-1}\circ g)^{-1}(3)$의 값을 구하여라.

(단, 모든 점선은 x축 또는 y축에 평행하다.)

3 특수 그래프

01 절댓값 기호가 있는 식의 그래프 (1)_구간을 나눈다.

절댓값 기호와 관련된 문제는 매우 다양하지만 크게 절댓값 기호가 있는 방정식, 부등식 문제와 절댓값 기호가 있는 식의 그래프 문제로 구분할 수 있다.

절댓값 기호가 있는 방정식, 부등식 문제는 방정식과 부등식 단원에서 이미 배웠고, 여기에서는 절댓값 기호가 있는 식의 그래프 문제를 공부한다.

절댓값 기호가 있는 식의 그래프는 다른 그래프에서는 볼 수 없는 매우 재미있는 특징이 있다. 바로 꺾인 점이 있다는 것. 꺾인 점은 절댓값 기호 안을 0으로 하는 수에서 발생한다.

문제의 유형은 달라져도 모든 절댓값 문제를 대하는 기본자세는 항상 같다.

大원칙 절댓값 기호 안을 0으로 하는 수를 기준으로 **구간을 나누어** 절댓값 기호를 없앤다.

$$|a|=\begin{cases} a & (a\ge 0) \\ -a & (a<0) \end{cases}$$

| 절댓값 기호가 있는 식의 그래프 (1) |

231 함수 $y=x+|x-2|$의 그래프를 그려라.

풍산자蜜 절댓값 기호 안을 0으로 하는 수를 기준으로 구간을 나누어 절댓값 기호를 없앤 식을 보고 그래프를 그린다.

> 풀이 절댓값 기호 안을 0으로 하는 $x=2$를 기준으로 구간을 나누어 생각한다.

[1단계] 절댓값 기호를 없앤다.

(i) $x\ge 2$일 때, $y=x+(x-2)=2x-2$

(ii) $x<2$일 때, $y=x-(x-2)=2$

[2단계] 없앤 식을 보고 그래프를 그린다.

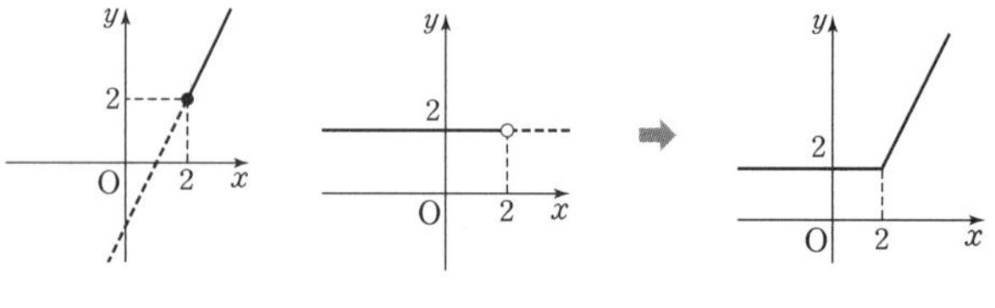

정답과 풀이 22쪽

유제 **232** 함수 $y=x-|x-3|$의 그래프를 그려라.

233 **함수 $y=|x-1|-|x-3|$의 그래프를 그려라.**

풍산자비 절댓값 기호가 두 개 이상이면 구간을 나눌 때 주의한다.

> 풀이 절댓값 기호 안을 0으로 하는 $x=1$과 $x=3$을 기준으로 구간을 나누어 생각한다.

[1단계] 절댓값 기호를 없앤다.

(i) $x<1$일 때, $y=-(x-1)+(x-3)=-2$

(ii) $1\leq x<3$일 때, $y=(x-1)+(x-3)=2x-4$

(iii) $x\geq 3$일 때, $y=(x-1)-(x-3)=2$

[2단계] 없앤 식을 보고 그래프를 그린다.

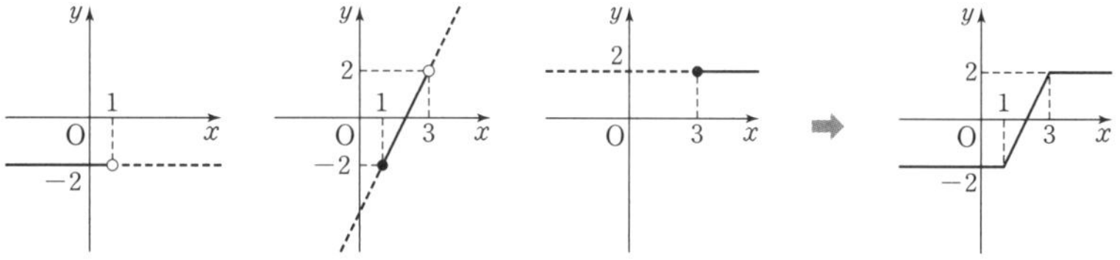

정답과 풀이 22쪽

유제 **234** **함수 $y=|x|-|x+1|$의 그래프를 그려라.**

235 **$-1\leq x\leq 3$에서 함수 $y=|x-2|-1$의 최댓값을 M, 최솟값을 m이라 할 때, $M+m$의 값을 구하여라.**

풍산자비 $y=|x-m|+n$ ➡ 점 (m, n)에서 꺾이는 ∨자형의 그래프

> 풀이 함수 $y=|x-2|-1$의 그래프는 점 $(2, -1)$에서 꺾이는 ∨자형의 그래프이고 $-1\leq x\leq 3$일 때, 그림과 같다.

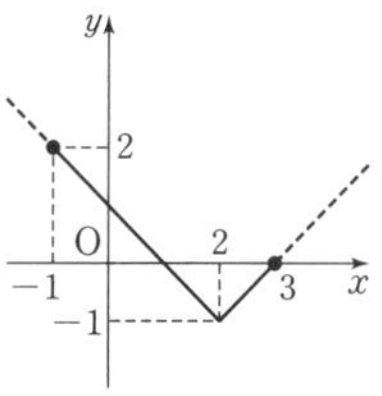

$x=-1$일 때, 최댓값 2를 가지므로 $M=2$

$x=2$일 때, 최솟값 -1을 가지므로 $m=-1$

$\therefore M+m=\mathbf{1}$

정답과 풀이 23쪽

유제 **236** **$0\leq x\leq 5$에서 함수 $y=|x-1|-3$의 최댓값을 M, 최솟값을 m이라 할 때, $M+m$의 값을 구하여라.**

02 절댓값 기호가 있는 식의 그래프 (2)_대칭을 이용한다.

구간을 나누는 성가신 작업을 피할 수 있는 고마운 유형이 있다.
이 4가지 유형이 절댓값 그래프 세상의 4대 천왕이다.

(1) $y=|f(x)|$ ⬅ **우변 전체에 절댓값이 씌워져 있을 때**

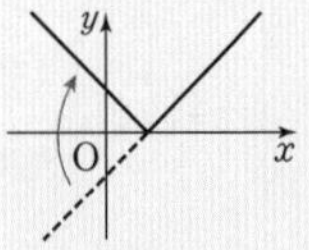

① $|f(x)|$는 $f(x)$를 양수로 만드는 것.
② $y=|f(x)|$는 $y=f(x)$의 그래프의 x축의 아랫부분(음수 부분)을 x축의 위로 접어 올린다.

(2) $y=f(|x|)$ ⬅ **모든 x마다 절댓값이 씌워져 있을 때**

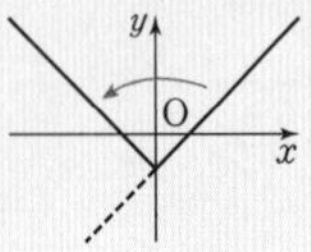

① $y=f(|x|)$는 x 대신 $-x$를 대입해도 식의 변화가 없다.
즉, y축에 대하여 대칭인 그래프이다.
② $y=f(|x|)$는 y축 좌우의 모양이 같다.
③ y축을 기준으로 그래프의 오른쪽 부분만 살려 y축에 대하여 대칭이동한다.

(3) $|y|=f(x)$ ⬅ **좌변의 y에 절댓값이 씌워져 있을 때**

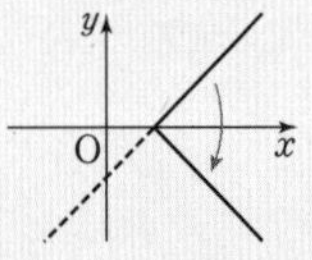

① $|y|=f(x)$는 y 대신 $-y$를 대입해도 식의 변화가 없다.
즉, x축에 대하여 대칭인 그래프이다.
② $|y|=f(x)$는 x축 위아래의 모양이 같다.
③ x축을 기준으로 그래프의 위쪽 부분만 살려 x축에 대하여 대칭이동한다.

(4) $|y|=f(|x|)$ ⬅ **모든 x와 y에 절댓값이 씌워져 있을 때**

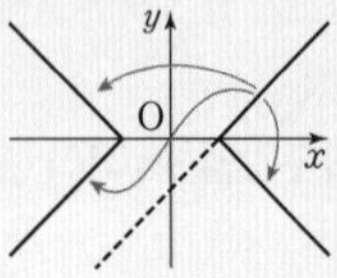

① $|y|=f(|x|)$는 x 대신 $-x$를 대입해도, y 대신 $-y$를 대입해도 식의 변화가 없다.
즉, x축과 y축에 대하여 대칭인 그래프이다.
② $|y|=f(|x|)$는 상하좌우의 모양이 같다.
③ 그래프에서 제1사분면 부분만 살려 x축, y축, 원점에 대하여 모두 대칭이동한다.

| 설명 | (1) $y=|f(x)|$
➡ $f(x)$가 양수이면 그대로 점 $(x, f(x))$를 찍는다.
➡ $f(x)$가 음수이면 $f(x)$의 값을 양수로 바꿔서 점 $(x, -f(x))$를 찍는다.

(2) $y=f(|x|)$
➡ x가 양수이면 그대로 점 $(x, f(x))$를 찍는다.
➡ x가 음수이면 x의 값을 양수로 바꿔서 점 $(x, f(-x))$를 찍는다.
예를 들어 $x=3$일 때, $y=f(3)$ ➡ 점 $(3, f(3))$을 찍는다.
$x=-3$일 때, $y=f(-(-3))=f(3)$ ➡ 점 $(-3, f(3))$을 찍는다.

(3) $|y|=f(x)$
$|y|\geq 0$이므로 $f(x)$가 음수이면 등식이 성립되지 않는다.
따라서 $f(x)$가 음수인 부분은 점을 찍을 수 없다.
$f(x)$가 양수이면 $|y|=f(x)$이므로 $y=\pm f(x)$이다.
따라서 점 $(x, f(x))$와 점 $(x, -f(x))$를 찍는다.

(4) $|y|=f(|x|)$ ➡ (2)와 (3)을 동시에 적용한다.

| 절댓값이 있는 식의 그래프의 4대 천왕 |

237 다음 식의 그래프를 그려라.

(1) $y=|x-1|$ (2) $y=|x|-1$ (3) $|y|=x-1$ (4) $|y|=|x|-1$

풍산자비 절댓값이 있는 식의 그래프의 4대 천왕은 구간을 나누지 않고도 그래프를 쉽게 그릴 수 있다. 절댓값 기호가 없을 때의 식의 그래프를 그려 접어 올리거나 대칭이동하면 끝.

> 풀이 (1) $y=x-1$의 그래프의 x축의 아랫부분을 위쪽으로 접어 올린다.
(2) $y=x-1$의 그래프의 y축의 오른쪽 부분을 왼쪽으로 대칭이동한다.
(3) $y=x-1$의 그래프의 x축의 윗부분을 아래쪽으로 대칭이동한다.
(4) $y=x-1$의 그래프의 제1사분면 부분을 x축, y축, 원점에 대하여 각각 대칭이동한다.

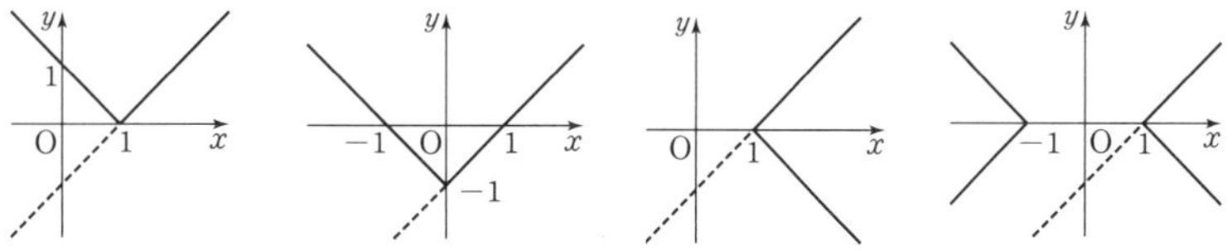

정답과 풀이 **23**쪽

유제 **238** 다음 식의 그래프를 그려라.

(1) $y=|x+1|$ (2) $y=|x|+2$ (3) $|y|=x+3$ (4) $|x|-|y|=4$

| $\frac{|x|}{a}+\frac{|y|}{b}=1$ 꼴의 그래프 |

239 $\frac{|x|}{2}+\frac{|y|}{4}=1$의 그래프가 나타내는 도형의 넓이를 구하여라.

풍산자비 주어진 식이 $|x|$와 $|y|$로 이루어져 있으므로 좌표축의 상하좌우로 대칭인 그래프가 된다.

> 풀이 $\frac{x}{2}+\frac{y}{4}=1$, 즉 $y=-2x+4$의 그래프의 제1사분면 부분을 x축, y축, 원점에 대하여 각각 대칭이동하면 오른쪽 그림과 같은 마름모가 된다.

$\therefore$ (구하는 도형의 넓이)$=4\left(\frac{1}{2}\cdot2\cdot4\right)=\mathbf{16}$

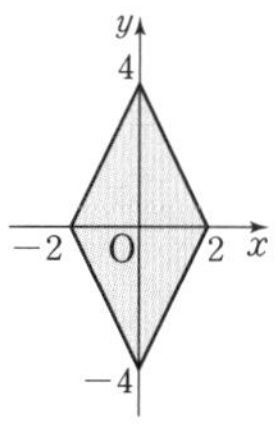

정답과 풀이 **23**쪽

유제 **240** $|x|+|y|=2$의 그래프가 나타내는 도형의 넓이를 구하여라.

03 절댓값 기호가 있는 식의 그래프 (3)_꺾인 점을 이용한다.

절댓값 기호가 있는 식의 그래프는 절댓값 기호 안을 0으로 만드는 x에서 꺾인다. 따라서 그 x에서의 함숫값을 구하면 여러 가지 그래프의 개형을 손쉽게 떠올릴 수 있다.

절댓값이 $(+)$로 연결되어 있는 경우에는 ∪자형의 그래프를 그리면서 절댓값 기호 안을 0으로 하는 수에서 조금씩 꺾어 주면 된다.

$y=a\|x-m\|+n$	$y=\|x-a\|+\|x-b\|+\cdots+\|x-k\|$ (단, $a<b<\cdots<k$)
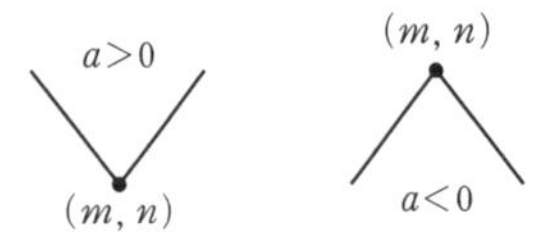	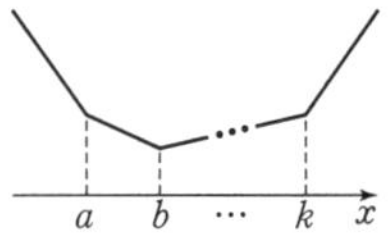
점 (m, n)에서 꺾이며, $a>0$일 때 ∨자형, $a<0$일 때 ∧자형의 그래프	$x=a, b, \cdots, k$에서 꺾이는 ∪자형의 그래프

| 꺾인 점을 이용한 그래프 그리기 (1) |

241 함수 $y=|x+3|-2$의 그래프를 그려라.

풍산자日 이 문제는 구간을 나누는 방법과 나누지 않는 방법을 모두 익혀 두도록 하자.

> 풀이 절댓값 기호 안을 0으로 하는 $x=-3$을 기준으로 구간을 나누어 생각한다.

(i) $x\geq-3$일 때, $y=(x+3)-2=x+1$

(ii) $x<-3$일 때, $y=-(x+3)-2=-x-5$

따라서 구하는 식의 그래프는 그림과 같다.

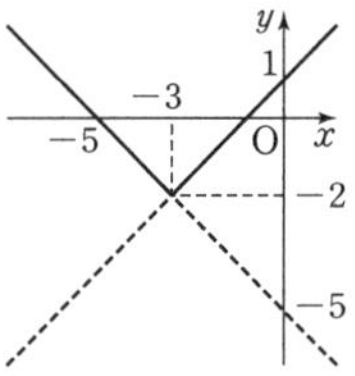

> 다른 풀이 절댓값 기호 안을 0으로 하는 $x=-3$에서 꺾인다.

따라서 $x=-3$일 때 $y=-2$이므로 점 $(-3, -2)$에서 꺾이는 ∨자형의 그래프이다.

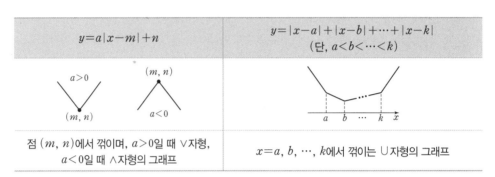

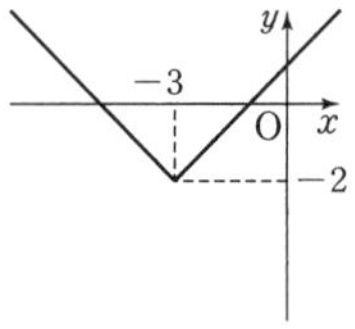

정답과 풀이 **23**쪽

유제 **242** 함수 $y=|x-2|+5$의 그래프를 그려라.

243 **함수 $y=|x+2|+|x-1|$의 그래프를 그려라.**

풍산자日 이 문제는 구간을 나누는 방법과 나누지 않는 방법을 모두 익혀 두는 것이 좋다.

> 풀이 절댓값 기호 안을 0으로 하는 $x=-2$와 $x=1$을 기준으로 구간을 나누어 생각한다.
(i) $x<-2$일 때, $y=-(x+2)-(x-1)=-2x-1$
(ii) $-2\le x<1$일 때, $y=(x+2)-(x-1)=3$
(iii) $x\ge 1$일 때, $y=(x+2)+(x-1)=2x+1$
따라서 구하는 식의 그래프는 그림과 같다.

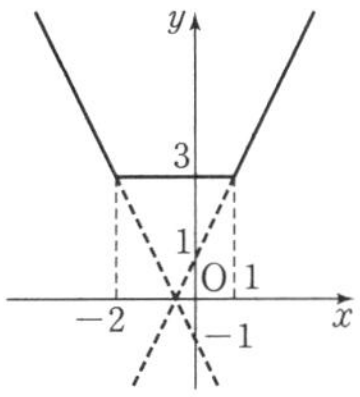

> 다른 풀이 절댓값 기호 안을 0으로 하는 $x=-2$와 $x=1$에서 꺾인다.
따라서 $x=-2$일 때 $y=3$, $x=1$일 때 $y=3$이므로
두 점 $(-2, 3)$, $(1, 3)$에서 꺾이는 ∪자형의 그래프이다.

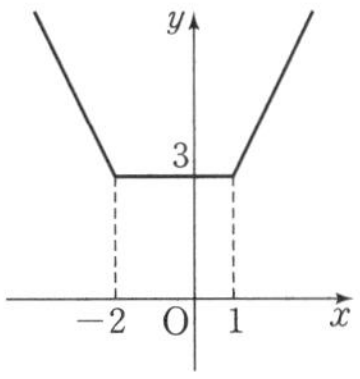

정답과 풀이 23쪽

유제 **244** **함수 $y=|x+1|+|x-5|$의 그래프를 그려라.**

| ∪자형 그래프의 최댓값과 최솟값 |

245 **함수 $y=|x-1|+|x-3|+|x-5|$는 $x=a$일 때, 최솟값 b를 가진다. 이때 a, b의 값을 구하여라.**

풍산자日 $y=|x-a|+|x-b|+|x-c|$ (단, $a<b<c$)
➡ $x=a$, b, c에서 꺾이는 ∪자형의 그래프임을 기억한다.

> 풀이 주어진 함수의 그래프는 $x=1$, 3, 5에서 꺾이는 ∪자형의 그래프이다.
$x=1$일 때, $y=6$ ➡ 점 $(1, 6)$에서 꺾인다.
$x=3$일 때, $y=4$ ➡ 점 $(3, 4)$에서 꺾인다.
$x=5$일 때, $y=6$ ➡ 점 $(5, 6)$에서 꺾인다.
따라서 주어진 함수의 그래프는 오른쪽 그림과 같으므로
$x=3$일 때, 최솟값 4를 가진다.
$\therefore$ $\boldsymbol{a=3}$, $\boldsymbol{b=4}$

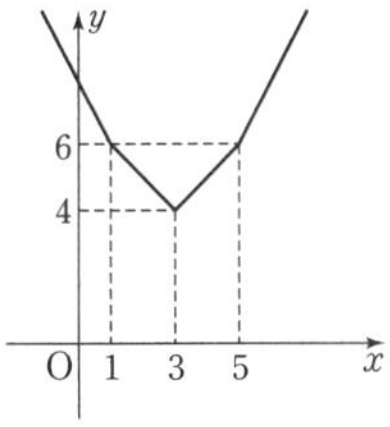

정답과 풀이 24쪽

유제 **246** **함수 $y=|x-1|+|x+2|+|x-3|$은 $x=a$일 때, 최솟값 b를 가진다. 이때 a, b의 값을 구하여라.**

04 가우스 기호가 있는 식의 그래프

수학(상)의 여러 가지 부등식에서 가우스 기호를 배웠다.
가우스 기호가 있는 식의 그래프도 절댓값 기호와 마찬가지로 구간을 나누어 그린다.

가우스 기호
$[x]=n$이면 $n\le x<n+1$ (단, n은 정수)

| 가우스 기호가 있는 식의 그래프 |

247 $n\le x<n+1$을 만족시키는 정수 n에 대하여 $[x]=n$으로 정의할 때, 다음 함수의 그래프를 그려라.

(1) $y=[x]$　　　　(2) $y=x-[x]$

풍산자T 가우스 기호 안의 값이 정수가 되는 수를 기준으로 구간을 나누어 생각한다.

> 풀이 (1) $-1\le x<0$일 때, $[x]=-1$이므로 $y=-1$
$0\le x<1$일 때, $[x]=0$이므로 $y=0$
$1\le x<2$일 때, $[x]=1$이므로 $y=1$
$2\le x<3$일 때, $[x]=2$이므로 $y=2$
따라서 함수 $y=[x]$의 그래프는 그림과 같다.

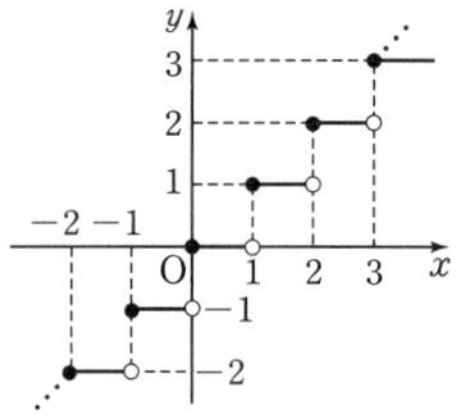

(2) $-1\le x<0$일 때, $[x]=-1$이므로 $y=x+1$
$0\le x<1$일 때, $[x]=0$이므로 $y=x$
$1\le x<2$일 때, $[x]=1$이므로 $y=x-1$
$2\le x<3$일 때, $[x]=2$이므로 $y=x-2$
따라서 함수 $y=x-[x]$의 그래프는 그림과 같다.

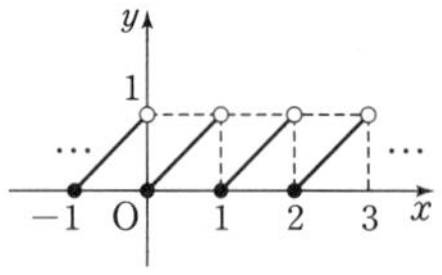

> 다른 풀이 특별한 두 가지 꼴의 그래프는 y의 값이 정수인 지점마다 그래프를 잘라 내리는 방법으로 그릴 수 있다.

(1) $y=[f(x)]$의 꼴의 그래프
[1단계] 가우스 기호를 없애고 $y=f(x)$의 그래프를 그린다.
[2단계] y의 값이 정수인 지점마다 그래프를 잘라 정수로 내린다.

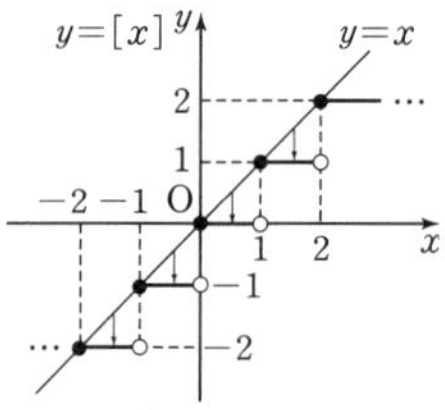

(2) $y=f(x)-[f(x)]$의 꼴의 그래프
[1단계] 가우스 기호를 없애고 $y=f(x)$의 그래프를 그린다.
[2단계] y의 값이 정수인 지점마다 그래프를 잘라 모양을 유지하면서 시작점을 x축에 붙인다.

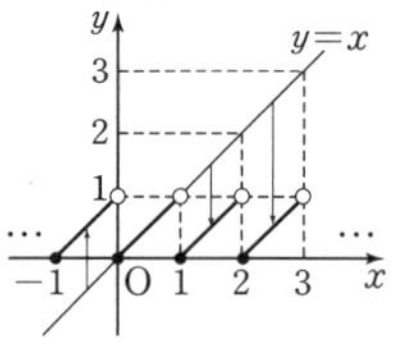

정답과 풀이 24쪽

유제 **248** $n\le x<n+1$을 만족시키는 정수 n에 대하여 $[x]=n$으로 정의할 때, 다음 함수의 그래프를 그려라.

(1) $y=[x^2]$　　　　(2) $y=x^2-[x^2]$

05 짝함수와 홀함수

대칭성을 갖는 함수 중에 대표적인 유형이 두 가지 있다.

구분	식의 성질	그래프	중요 함수
짝함수	$f(-x)=f(x)$	y축 대칭	짝수차항만 있는 다항함수 $y=3$, $y=x^2+2$, $\cdots$
홀함수	$f(-x)=-f(x)$	원점 대칭	홀수차항만 있는 다항함수 $y=x$, $y=x^3-2x$, $\cdots$

(1) $f(-x)=f(x)$는 $-x$와 x에서의 y의 값이 같음을 의미한다. 이것은 짝함수의 그래프가 y축에 대하여 대칭임을 의미한다.

(2) $f(-x)=-f(x)$는 $-x$와 x에서의 y의 값이 부호만 다름을 의미한다. 이것은 홀함수의 그래프가 원점에 대하여 대칭임을 의미한다.

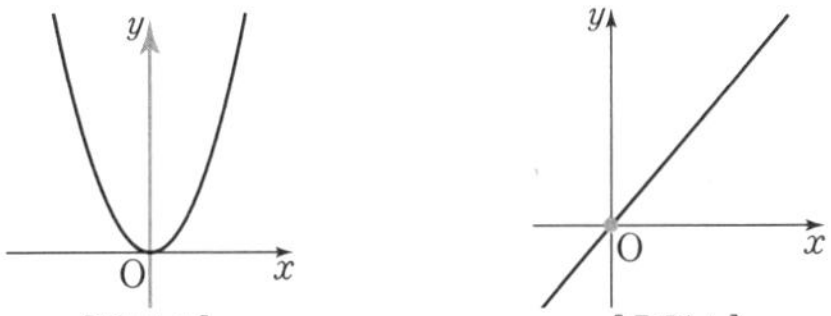

[짝함수] [홀함수]

모든 함수가 짝함수, 홀함수 중 하나인 것은 아니지만 그래프의 대칭성은 함수마다의 특징이므로 함수 전반에 걸쳐 두루 언급된다.

특별히 짝함수와 홀함수의 아름다운 대칭성 때문에 나중에 배울 적분 단원에서 무척 요긴하게 쓰인다.

| 설명 | 어떤 함수가 짝함수인지 홀함수인지 알아보려면 $y=f(x)$에 x 대신 $-x$를 대입해 보면 된다. 우변이 다시 $f(x)$로 정리되면 짝함수이고 $-f(x)$로 정리되면 홀함수이다. 둘 중 어느 것으로도 정리되지 않으면 짝함수도 아니고 홀함수도 아니다.

| 개념확인 | 함수 $f(x)$는 짝함수, 함수 $g(x)$는 홀함수일 때, 다음 함수가 짝함수인지 홀함수인지 판별하여라.

(1) $f(x)g(x)$ (2) $f(x)+g(x)$ (3) $(f\circ g)(x)$

> 풀이 주어진 조건에 의하여 $f(-x)=f(x)$, $g(-x)=-g(x)$

(1) $f(-x)g(-x)=f(x)\times\{-g(x)\}=-f(x)g(x)$

따라서 주어진 함수는 **홀함수**이다.

(2) $f(-x)+g(-x)=f(x)-g(x)$

$f(-x)+g(-x)\neq f(x)+g(x)$이고, $f(-x)+g(-x)\neq-\{f(x)+g(x)\}$이므로 주어진 함수는 **짝함수도 홀함수도 아니다.**

(3) $(f\circ g)(-x)=f(g(-x))=f(-g(x))$

$=f(g(x))=(f\circ g)(x)$

따라서 주어진 함수는 **짝함수**이다.

06 주기함수와 대칭함수

함수에 대한 조건식이 주어지는 문제가 있다.

앞에서 배운 함수방정식처럼 값을 대입하여 구하는 경우도 있지만, 그래프의 개형을 파악하면 쉽게 풀릴 때도 있다.

[1] 주기함수

같은 모양의 그래프가 반복되는 함수를 **주기함수**라 한다.

> **주기함수**
>
> 함수 $f(x)$의 정의역에 속하는 모든 x에 대하여
>
> $f(x+p)=f(x)$
>
> 를 만족시키는 0이 아닌 상수 p가 존재할 때, 함수 $f(x)$를 **주기함수**라 하고, 이 상수 p 중에서 가장 작은 양수를 함수 $f(x)$의 **주기**라 한다.

| 설명 | 주기가 p인 주기함수는 p의 배수마다 같은 모양의 그래프가 반복된다. 반복되는 최소의 폭이 바로 주기인 것이다.

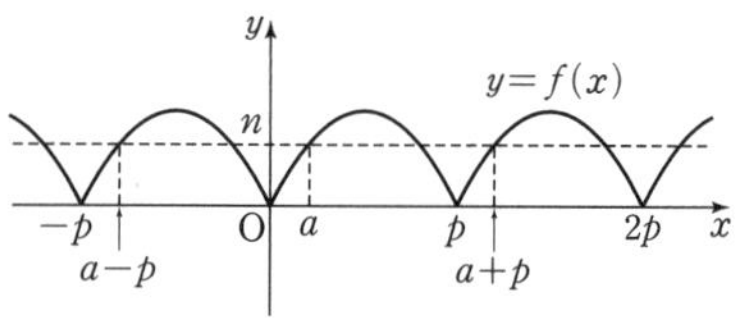

주기함수를 더하거나 빼면 어떻게 될까?

$f(x)$의 주기가 4이면 4의 배수마다 같은 모양의 그래프가 반복된다.

$g(x)$의 주기가 6이면 6의 배수마다 같은 모양의 그래프가 반복된다.

따라서 $f(x)\pm g(x)$는 4와 6의 최소공배수인 12의 배수마다 같은 모양의 그래프가 반복된다.

[2] 대칭함수

축에 대해 대칭인 함수는 **선대칭함수**, 점에 대해 대칭인 함수는 **점대칭함수**이다.

대표적인 대칭함수로 짝함수와 홀함수를 배웠다.

짝함수는 선대칭함수이고, 홀함수는 점대칭함수이다.

다항함수 중에 대표적인 선대칭함수는 이차함수이고, 점대칭함수는 일차함수이다.

구분	식의 성질	그래프
선대칭함수	$f(a-x)=f(a+x)$ 또는 $f(x)=f(2a-x)$	직선 $x=a$에 대하여 대칭
점대칭함수	$f(a-x)=-f(a+x)$ 또는 $f(x)=-f(2a-x)$	점 $(a, 0)$에 대하여 대칭

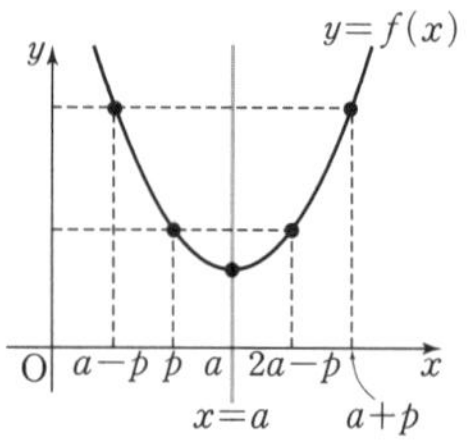

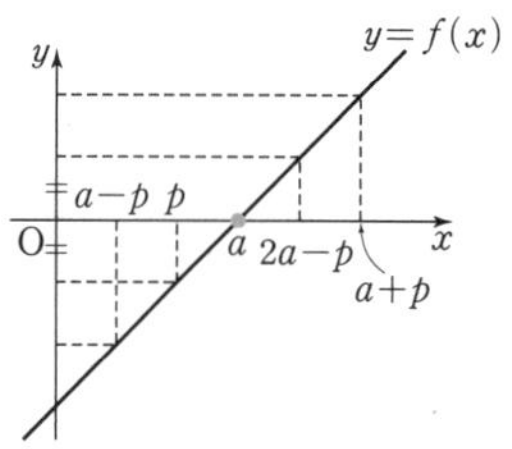

249 **함수 $f(x)$가 다음 세 조건을 만족시킬 때, $f(5.5)$의 값을 구하여라.**

(가) 모든 실수 x에 대하여 $f(x)=f(2-x)$
(나) 모든 실수 x에 대하여 $f(x+2)=f(x)$
(다) $0\leq x\leq 1$에서의 그래프는 그림과 같다.

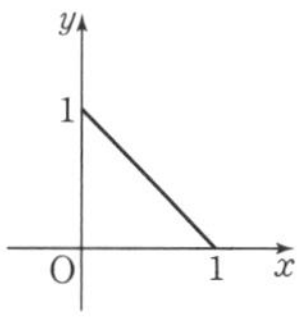

풍산자日 조건으로 주어진 함수의 주기성과 대칭성을 이용한다.

> 풀이 (가)에서 함수 $f(x)$의 그래프는 직선 $x=1$에 대하여 대칭이다.
주어진 그래프를 직선 $x=1$에 대하여 대칭시키면 폭이 2인 그래프를 얻을 수 있다.
(나)에서 함수 $f(x)$는 폭이 2인 그래프가 반복된다는 소리.
따라서 함수 $f(x)$의 그래프는 다음과 같다.

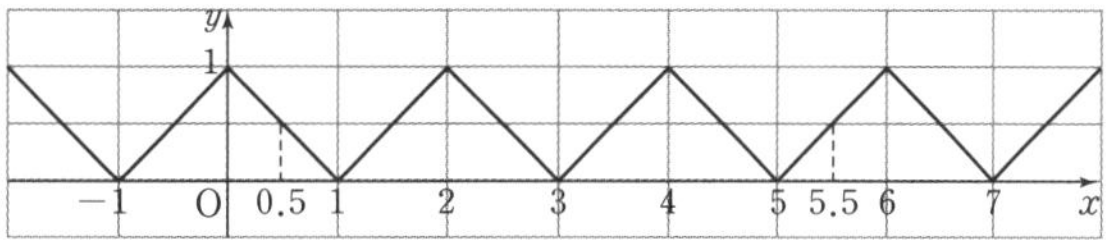

이 그래프에서 $f(5.5)=f(0.5)=0.5$

> 다른 풀이 (나)에서 $f(5.5)=f(3.5)=f(1.5)$이고, (가)에서 $f(1.5)=f(0.5)$
(다)에서 $f(x)=-x+1\,(0\leq x\leq 1)$이므로 $f(0.5)=-0.5+1=0.5$
$\therefore f(5.5)=0.5$

정답과 풀이 **24**쪽

유제 **250** **함수 $f(x)$가 다음 세 조건을 만족시킬 때, $f(7)$의 값을 구하여라.**

(가) 모든 실수 x에 대하여 $f(-x)=-f(x)$
(나) 모든 실수 x에 대하여 $f(x+4)=f(x)$
(다) $0\leq x\leq 2$에서의 그래프는 그림과 같다.

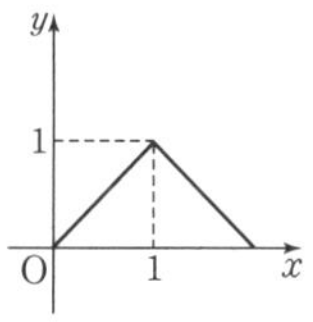

풍산자 비법

- 절댓값 기호 또는 가우스 기호가 있는 식의 그래프는 구간을 나누어 기호를 없앤 식을 보고 그래프를 그린다.
- 짝함수: $f(-x)=f(x)$ ➔ 그래프가 y축에 대하여 대칭이다.
  홀함수: $f(-x)=-f(x)$ ➔ 그래프가 원점에 대하여 대칭이다.
- 주기함수는 같은 모양이 반복되는 함수이고, 대칭함수는 그래프가 대칭인 함수이다.

필수 확인 문제

* 더 많은 유형은 **풍산자필수유형 수학(하)** 048쪽

정답과 풀이 25쪽

251

집합 $\{x \mid -4 \le x \le 4\}$에서 정의된 함수 $f(x)$가 다음 세 조건을 만족한다.

(가) $f(x)=x \ (0 \le x \le 2)$
(나) 모든 실수 x에 대하여 $f(x)=f(-x)$
(다) 모든 실수 x에 대하여 $f(x)=f(x+4)$

이때 함수 $f(x)$와 x축으로 둘러싸인 넓이를 구하여라.

252

함수 $f(x)=[x]+[-x]$의 치역의 원소를 모두 구하여라.

(단, $[x]$는 x보다 크지 않은 최대 정수이다.)

253

함수 $f(x)=x-[x]$와 $g(x)=\frac{1}{8}x+\frac{1}{2}$이 만나는 점의 개수를 구하여라.

(단, $[x]$는 x보다 크지 않은 최대 정수이다.)

254

함수 $f(x)$, $g(x)$가 다음 두 조건을 만족한다.

(가) 모든 실수 x에 대하여 $f(x)=-f(-x)$
(나) 모든 실수 x에 대하여 $g(x)=g(-x)$

이때 다음 보기 중 옳은 것만을 있는 대로 골라라.

보기

ㄱ. 모든 양수 t에 대하여 $f(x)$와 $x=t$, x축으로 둘러싸인 넓이를 A, $f(x)$와 $x=-t$, x축으로 둘러싸인 넓이를 B라 할 때, $A-B=0$이다.

ㄴ. 함수 $h(x)=f(x)g(x)$라 할 때, 모든 실수 x에 대하여 $h(x)=-h(-x)$이다.

ㄷ. $p(x)=|f(x)|$일 때, 모든 실수 x에 대하여 $p(x)=p(-x)$이다.

255

$f(x)=|x+1|+|x-3|+|x+5|-5$의 그래프와 $g(x)=k$의 그래프가 한 점에서 만나도록 하는 k의 값을 구하여라.

중단원 마무리

▶ 여러 가지 함수

일대일함수	함수 $f: X \longrightarrow Y$에서 $x_1, x_2 \in X$에 대하여 $x_1 \neq x_2$이면 $f(x_1) \neq f(x_2)$
일대일대응	함수 $f: X \longrightarrow Y$에서 ① $x_1, x_2 \in X$에 대하여 $x_1 \neq x_2$이면 $f(x_1) \neq f(x_2)$ ② (치역)=(공역)
항등함수	함수 $f: X \longrightarrow X$에서 $f(x)=x$ $(x \in X)$
상수함수	함수 $f: X \longrightarrow Y$에서 $f(x)=c$ (c는 상수, $c \in Y$)

▶ 합성함수와 역함수

합성함수	① $(g \circ f)(x)=g(f(x))$ ② $g \circ f \neq f \circ g$ ⬅ 교환법칙은 성립하지 않는다. ③ $h \circ (g \circ f)=(h \circ g) \circ f$ ⬅ 결합법칙은 성립한다.
역함수	① $y=f(x) \Longleftrightarrow x=f^{-1}(y)$ ② f가 일대일대응일 때만 f^{-1}가 존재한다. ③ $y=f(x)$의 그래프와 $y=f^{-1}(x)$의 그래프는 직선 $y=x$에 대하여 대칭이다.

▶ 특수 그래프

절댓값 기호가 있는 식의 그래프	① $y=\|f(x)\|$: 우변 전체에 절댓값이 씌워져 있을 때 ➡ $y=f(x)$의 x축의 아랫부분(음수 부분)을 x축 위로 접어 올린다. ② $y=f(\|x\|)$: 모든 x마다 절댓값이 씌워져 있을 때 ➡ y축을 기준으로 그래프의 오른쪽 부분만 살려 y축에 대하여 대칭이동한다. ③ $\|y\|=f(x)$: 좌변의 y에 절댓값이 씌워져 있을 때 ➡ x축을 기준으로 그래프의 위쪽 부분만 살려 x축에 대하여 대칭이동한다. ④ $\|y\|=f(\|x\|)$: 모든 x와 y에 절댓값이 씌워져 있을 때 ➡ 그래프에서 제1사분면 부분만 살려 x축, y축, 원점에 대하여 모두 대칭이동한다.
짝함수	① $f(-x)=f(x)$ ② 그래프가 y축에 대하여 대칭이다.
홀함수	① $f(x)=-f(-x)$ ② 그래프가 원점에 대하여 대칭이다.
주기함수	① $f(x+p)=f(x)$ ② p를 주기로 그래프가 반복된다.
대칭함수	① $f(a-x)=f(a+x)$ 또는 $f(x)=f(2a-x)$ ⬅ 직선 $x=a$에 대하여 대칭이다. ② $f(a-x)=-f(a+x)$ 또는 $f(x)=-f(2a-x)$ ⬅ 점 $(a, 0)$에 대하여 대칭이다.

실전 연습문제

STEP 1

256

실수 전체의 집합에서 정의된 함수

$$f(x)=\begin{cases} 2x-1 & (x\geq 2) \\ x^2 & (x<2) \end{cases}$$

에 대하여 $f(3)+f(-1)$의 값을 구하여라.

257

두 집합 $X=\{1, 2, 3\}$, $Y=\{a, b, c, d\}$에 대하여 X에서 Y로의 함수의 개수를 m, 상수함수의 개수를 n이라 할 때, $m-n$의 값을 구하여라.

258

집합 $X=\{-1, 0, 1, 2, 3\}$에서 집합 X로의 함수 $f(x)=-x+a$가 일대일대응이 되도록 하는 상수 a의 값을 구하여라.

259

집합 $X=\{1, 2, 3\}$에 대하여 X에서 X로의 세 함수 f, g, h가 다음 세 조건을 만족시킬 때, $f(3)\times h(3)$의 값을 구하여라.

> (가) f는 일대일대응, g는 항등함수, h는 상수함수이다.
> (나) $f(1)=g(1)=h(1)$
> (다) $f(2)=h(3)+1$

260

두 함수 $f(x)$, $g(x)$에 대하여 $(g\circ f)(x)=3x+2$, $f^{-1}(2)=1$일 때, $g(2)$의 값은?

① 5 ② 6 ③ 7 ④ 8 ⑤ 9

261

정의역과 공역이 각각 $\{x|-2\leq x\leq 2\}$, $\{y|a\leq y\leq b\}$인 함수 $f(x)=2x-1$의 역함수가 존재할 때, $a+b$의 값을 구하여라.

262

집합 $X=\{x|x\geq 0$인 실수$\}$에서 정의된 두 함수

$f(x)=x^2+x+3$, $g(x)=2x-3$

에 대하여 $(f\circ(g\circ f)^{-1}\circ f)(1)$의 값을 구하여라.

263

두 함수 $f(x)=x-1$, $g(x)=ax^2+bx+c$에 대하여 $(f^{-1}\circ g\circ f)(x)=2x^2-x+5$일 때, 상수 a, b, c에 대하여 $a+b+c$의 값은?

① 7 ② 8 ③ 9 ④ 10 ⑤ 11

264

그림은 함수 $y=f(x)$의 그래프와 직선 $y=x$를 나타낸 것이다.
이때 $(f\circ f)^{-1}(2)$의 값은? (단, 모든 점선은 x축 또는 y축에 평행하다.)

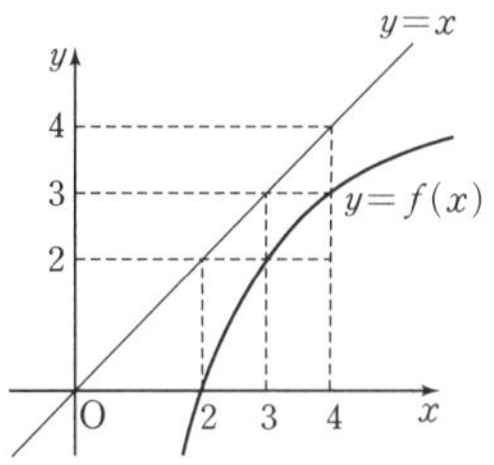

① 0 ② 1 ③ 2
④ 3 ⑤ 4

265

역함수를 갖는 함수 f가 모든 실수 x에 대하여 $f(3x+2)=x-1$을 만족시킬 때, $f^{-1}(3)$의 값은?

① 13 ② 14 ③ 15 ④ 16 ⑤ 17

266

다음 중 실수 x에 대하여 $(f\circ f)(x)=x$를 만족시키는 함수 $f(x)$의 그래프는?

①
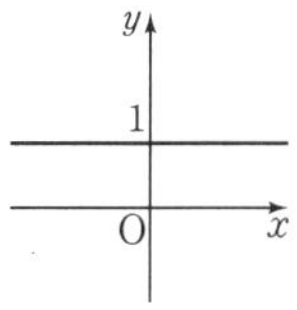

②
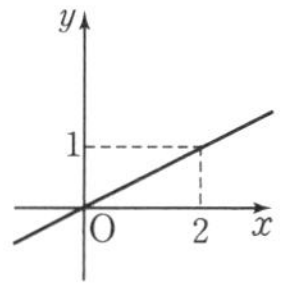

③
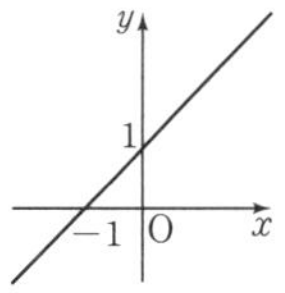

④
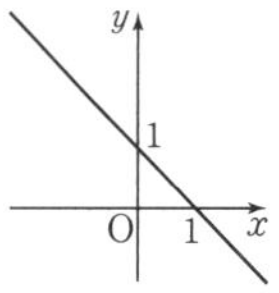

⑤
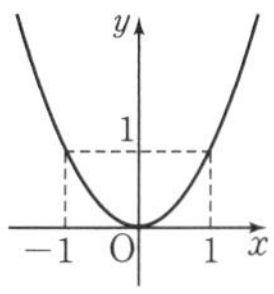

STEP 2

267

집합 $A=\{x|-2\le x\le 2\}$에 대하여
함수 $f: A \longrightarrow A$, $f(x)=kx+1$이 정의되도록 하는 상수 k의 값의 범위가 $a\le k\le b$일 때, $a+b$의 값은?

① -2　② -1　③ 0　④ 1　⑤ 2

268

그림은 함수 $y=f(x)$의 그래프와 직선 $y=x$를 나타낸 것이다. 이때
$(f\circ f)(d)-(f\circ f)^{-1}(a)$
의 값은? (단, 모든 점선은 x축 또는 y축에 평행하다.)

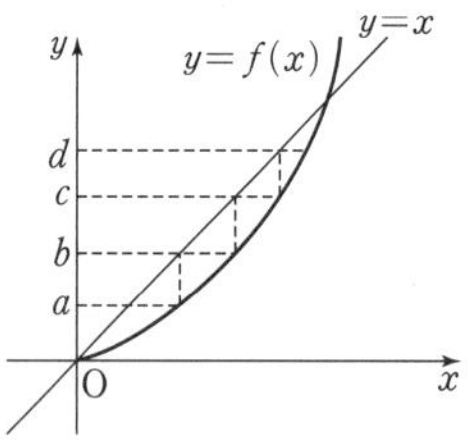

① 0　② $a-d$　③ $b-c$
④ $c-b$　⑤ $d-a$

269

그림과 같이 점 $(1, 0)$을 지나는 함수 $y=f(x)$의 그래프와 $y=x$의 그래프가 두 점 $(-1, -1)$, $(4, 4)$에서 만나고 그 외의 점에서 만나지 않는다.

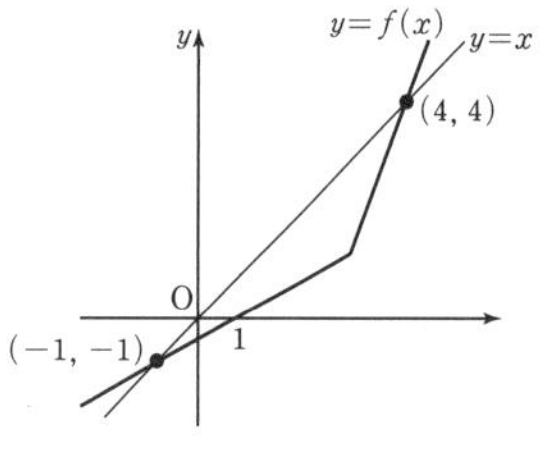

$\{f(x)\}^2=f(x)f^{-1}(x)$를 만족시키는 모든 실수 x의 값의 합을 구하여라.

270

음이 아닌 정수 전체의 집합에서 정의된 함수 f가 음이 아닌 정수 n과 $0\le k\le 9$인 정수 k에 대하여 다음 조건을 만족시킨다.

(가) $f(0)=0$
(나) $f(10n+k)=f(n)+k$

$f(100)+(f\circ f)(999)$의 값을 구하여라.

271

집합 $X=\{1, 2, 3, 4\}$의 부분집합 A에 대하여 함수 $f: X \longrightarrow X$를

$$f(x)=\begin{cases} 1 & (x\in A) \\ 2 & (x\notin A) \end{cases}$$

라 할 때, 다음 조건을 만족시키는 집합 A의 모든 원소의 합의 최댓값을 구하여라.

(가) $f(1)+f(2)+f(3)+f(4)=6$
(나) 어떤 $x\in X$에 대하여 $f(x)=x$이다.

2 유리식과 유리함수

Ⅱ단원에서는 다항식과 다항함수에 대해 배웠다.
지금부터는 분모에 x가 있는
유리식과 유리함수에 대해 배운다.

1 유리식

$$\frac{2}{x+1}$$

2 유리함수

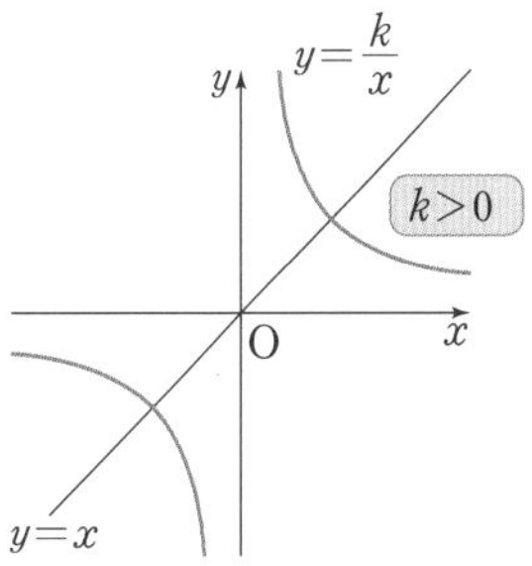

1 유리식

01 유리식

수의 세계에 유리수가 있다면 식의 세계에는 유리식이 있다.

유리식이란 $\dfrac{(\text{다항식})}{(\text{다항식})}$의 꼴로 나타내어지는 식.

유리수를 정수와 분수로 구분할 수 있는 것처럼 유리식도 다항식과 분수식으로 구분할 수 있다. 또 분모와 분자에 0이 아닌 같은 다항식을 곱하거나 나누어도 그 값이 변하지 않는다.

(1) **유리식의 정의**

다항식 A, $B(B\neq0)$에 대하여 $\dfrac{A}{B}$의 꼴로 나타내어지는 식을 **유리식**이라 한다. 특히 분모에 x가 없는 식은 **다항식**, 분모에 x가 있는 식은 **분수식**이라 한다.

유리식	
다항식	**분수식**
x, $\dfrac{x+1}{3}$, $\cdots$	$\dfrac{2}{x+1}$, $\dfrac{x+2}{x^2}$, $\cdots$

(2) **유리식의 성질**

다항식 A, B, $C(B\neq0,\ C\neq0)$에 대하여

① $\dfrac{A}{B}=\dfrac{A\times C}{B\times C}$ ② $\dfrac{A}{B}=\dfrac{A\div C}{B\div C}$

분수 계산의 핵심은 소인수분해와 약분, 통분. 분수식 계산의 핵심도 인수분해와 약분, 통분. 유리식의 분자와 분모를 공통의 인수로 나누는 것이 약분이고, 유리식의 분자와 분모에 0이 아닌 같은 수를 곱하여 두 유리식의 분모를 같게 하는 것이 통분이다.

유리식의 연산

① 덧셈

$$\frac{A}{B}+\frac{C}{D}=\frac{AD+BC}{BD} \quad (\text{단, } BD\neq0)$$

② 뺄셈

$$\frac{A}{B}-\frac{C}{D}=\frac{AD-BC}{BD} \quad (\text{단, } BD\neq0)$$

③ 곱셈과 나눗셈

$$\frac{B}{A}\div\frac{C}{D}=\frac{B}{A}\times\frac{D}{C}=\frac{BD}{AC} \quad (\text{단, } ACD\neq0)$$

272 다음 식을 간단히 하여라.

$$\frac{x^2-x}{x^2+x}\times\frac{x^2+3x+2}{x^2-4x+3}\div\frac{x+2}{x-3}$$

풍산자 인수분해한 후 약분한다.

> 풀이 $(\text{주어진 식})=\frac{x(x-1)}{x(x+1)}\times\frac{(x+1)(x+2)}{(x-1)(x-3)}\times\frac{x-3}{x+2}=\mathbf{1}$

정답과 풀이 **28**쪽

유제 **273** 다음 식을 간단히 하여라.

$$\frac{x^2+x}{x+2}\times\frac{x^2+x-2}{x^2-x-2}\div\frac{x-1}{x-2}$$

274 다음 식을 간단히 하여라.

$$\frac{a^2}{(a-b)(a-c)}+\frac{b^2}{(b-c)(b-a)}+\frac{c^2}{(c-a)(c-b)}$$

풍산자 분모에 부호만 다른 인수들이 보인다. 부호를 같게 바꾼 후 어떻게 통분할지 본다.

> 풀이 [1단계] 분모를 $(a-b)(a-c)(b-c)$로 통분한다.

$$(\text{주어진 식})=\frac{a^2(b-c)-b^2(a-c)+c^2(a-b)}{(a-b)(a-c)(b-c)}$$

[2단계] 분자를 한 문자로 정리하여 인수분해한다.

$$\begin{aligned}(\text{분자})&=a^2b-a^2c-b^2a+b^2c+c^2a-c^2b\\&=(b-c)a^2-(b^2-c^2)a+bc(b-c)\\&=(b-c)\{a^2-(b+c)a+bc\}\\&=(b-c)(a-b)(a-c)\end{aligned}$$

$$\therefore (\text{주어진 식})=\frac{(b-c)(a-b)(a-c)}{(a-b)(a-c)(b-c)}=\mathbf{1}$$

정답과 풀이 **28**쪽

유제 **275** 다음 식을 간단히 하여라.

$$\frac{a}{(a-b)(a-c)}+\frac{b}{(b-c)(b-a)}+\frac{c}{(c-a)(c-b)}$$

02 유리식의 계산

복잡한 유리식의 계산을 간단하게 할 수 있는 몇 가지 유형이 있다.

네 다항식 A, B, C, D $(ABCD \neq 0)$에 대하여

[유형1] 분자의 차수가 분모의 차수보다 크거나 같을 때

➡ 분자에서 분모를 묶어 내어 분자의 차수를 낮춘다.

[유형2] 항이 네 개 이상일 때 ➡ 한꺼번에 통분하지 않고 둘씩 묶어 통분한다.

[유형3] 분모가 두 인수의 곱일 때 ➡ **부분분수**로 분해한다. 즉, 분수를 둘로 쪼갠다. 중요!

$$\frac{1}{AB}=\frac{1}{B-A}\left(\frac{1}{A}-\frac{1}{B}\right),\ \frac{1}{ABC}=\frac{1}{C-A}\left(\frac{1}{AB}-\frac{1}{BC}\right)$$

[유형4] 분수 안에 또 분수가 있을 때

➡ $\dfrac{\frac{C}{D}}{\frac{B}{A}}=\dfrac{AC}{BD}$: 가까운 것끼리 곱해서 분모로, 먼 것끼리 곱해서 분자로 정리한다.

➡ $\dfrac{1}{\bigstar}$은 ★의 역수: $\dfrac{1}{\frac{A}{B}}=\dfrac{B}{A}$

| 분모의 차수 낮추기 |

276 다음 식을 간단히 하여라.

$$\frac{x-2}{x-3}+\frac{x-4}{x-5}-\frac{x}{x-1}-\frac{x-6}{x-7}$$

풍산자팁 분자의 차수와 분모의 차수가 같을 때는 분자에서 분모를 묶어 내어 분자의 차수를 낮춘다.

> 풀이 분자를 상수로 만든 후 (+)와 (−) 둘씩 조를 짜 통분한다.

$$\begin{aligned}(\text{주어진 식})&=\frac{(x-3)+1}{x-3}+\frac{(x-5)+1}{x-5}-\frac{(x-1)+1}{x-1}-\frac{(x-7)+1}{x-7}\\&=\left(1+\frac{1}{x-3}\right)+\left(1+\frac{1}{x-5}\right)-\left(1+\frac{1}{x-1}\right)-\left(1+\frac{1}{x-7}\right)\\&=\left(\frac{1}{x-3}-\frac{1}{x-1}\right)+\left(\frac{1}{x-5}-\frac{1}{x-7}\right)\\&=\frac{2}{(x-3)(x-1)}+\frac{-2}{(x-5)(x-7)}\\&=\frac{2(x-5)(x-7)-2(x-3)(x-1)}{(x-3)(x-1)(x-5)(x-7)}\\&=\boldsymbol{\frac{-16x+64}{(x-1)(x-3)(x-5)(x-7)}}\end{aligned}$$

정답과 풀이 **28**쪽

유제 **277** 다음 식을 간단히 하여라.

$$\frac{x+2}{x}-\frac{x+3}{x+1}-\frac{x-5}{x-3}+\frac{x-6}{x-4}$$

278 다음 식을 간단히 하여라.

$$\frac{1}{x(x+1)}+\frac{2}{(x+1)(x+3)}+\frac{3}{(x+3)(x+6)}+\frac{4}{(x+6)(x+10)}$$

풍산자비 부분분수로 분해하면 연쇄적으로 소거된다. ➡ $\frac{C}{AB}=\frac{C}{B-A}\left(\frac{1}{A}-\frac{1}{B}\right)$

> 풀이 (주어진 식)$=\left(\frac{1}{x}-\frac{1}{x+1}\right)+\left(\frac{1}{x+1}-\frac{1}{x+3}\right)+\left(\frac{1}{x+3}-\frac{1}{x+6}\right)+\left(\frac{1}{x+6}-\frac{1}{x+10}\right)$

$=\frac{1}{x}-\frac{1}{x+10}=\mathbf{\frac{10}{x(x+10)}}$

정답과 풀이 **28**쪽

유제 **279** 다음 식을 간단히 하여라.

$$\frac{1}{x(x+1)}+\frac{9}{(x+1)(x+10)}+\frac{90}{(x+10)(x+100)}+\frac{900}{(x+100)(x+1000)}$$

280 다음 식을 간단히 하여라.

$$\frac{\frac{1}{1-x}+\frac{1}{1+x}}{\frac{1}{1-x}-\frac{1}{1+x}}$$

풍산자비 [방법1] 분자, 분모를 각각 통분하여 가까운 것끼리, 먼 것끼리 곱해서 정리한다.

[방법2] $\dfrac{\frac{1}{A}+\frac{1}{B}}{\frac{1}{C}+\frac{1}{D}}$의 분자, 분모에 $ABCD$를 곱해 $\frac{BCD+ACD}{ABD+ABC}$로 정리한다.

> 풀이 (주어진 식)$=\dfrac{\frac{2}{1-x^2}}{\frac{2x}{1-x^2}}=\frac{2(1-x^2)}{2x(1-x^2)}=\mathbf{\frac{1}{x}}$

> 다른 풀이 분모, 분자에 $(1-x)(1+x)$를 각각 곱한다.

(주어진 식)$=\frac{(1+x)+(1-x)}{(1+x)-(1-x)}=\frac{2}{2x}=\frac{1}{x}$

정답과 풀이 **28**쪽

유제 **281** 다음 식을 간단히 하여라.

$$\frac{1+\frac{1}{x}}{1-\frac{1}{x^2}}$$

03 비례식의 연산

0이 아닌 두 수의 비를 나타내는 방법으로 비례식을 배웠다.
중학교 때까지 $x : y = a : b$라는 비례식을 만나면 보통 (외항의 곱)=(내항의 곱)을 떠올려 $bx = ay$로 고쳐서 문제를 풀었지만 지금부터는 비를 k로 놓고 정리한다.

비례식의 연산

(1) $x : y = a : b \iff \dfrac{x}{a} = \dfrac{y}{b} = k$ (단, $k \neq 0$) $\iff x = ak,\ y = bk$

(2) $x : y : z = a : b : c \iff \dfrac{x}{a} = \dfrac{y}{b} = \dfrac{z}{c} = k$ (단, $k \neq 0$) $\iff x = ak,\ y = bk,\ z = ck$

| 비례식을 이용한 식의 값 구하기 |

282 $x : y : z = 1 : 3 : 5$일 때, 다음 식의 값을 구하여라.

(1) $\dfrac{y+z}{x+y}$ (2) $\dfrac{x^2+y^2+z^2}{xy+yz+zx}$

풍산자目 비를 k로 놓고 정리한다.

› 풀이 $\dfrac{x}{1} = \dfrac{y}{3} = \dfrac{z}{5} = k\ (k \neq 0)$로 놓으면

$x = k,\ y = 3k,\ z = 5k$

(1) (주어진 식) $= \dfrac{3k+5k}{k+3k} = \dfrac{8k}{4k} = \mathbf{2}$

(2) (주어진 식) $= \dfrac{k^2+(3k)^2+(5k)^2}{k\cdot 3k+3k\cdot 5k+5k\cdot k} = \dfrac{k^2+9k^2+25k^2}{3k^2+15k^2+5k^2} = \dfrac{35k^2}{23k^2} = \mathbf{\dfrac{35}{23}}$

정답과 풀이 **28**쪽

유제 **283** $x : y : z = 2 : 3 : 4$일 때, 다음 식의 값을 구하여라.

(1) $\dfrac{x+y+z}{2x+3y+4z}$ (2) $\dfrac{x^2-y^2+z^2}{xy+yz-zx}$

풍산자 비법

- 유리식 계산의 핵심은 인수분해와 약분 그리고 통분. 주어진 유리식을 간단히 만들 수 있도록 충분히 연습해야 한다.
- $\dfrac{x}{a} = \dfrac{y}{b} = \dfrac{z}{c}$의 꼴은 비를 k로 놓고 정리한다.

한걸음 더

04 가비의 리

$\frac{x}{a}=\frac{y}{b}=\frac{z}{c}$의 꼴로 주어진 식에서는 다음과 같이 모양이 좋은 공식이 있다.

알고 있으면 유용하게 쓰인다.

생각이 나지 않을 때는 k로 놓고 정리한다.

가비의 리

$\frac{x}{a}=\frac{y}{b}=\frac{z}{c}=\frac{x+y+z}{a+b+c}=\frac{lx+my+nz}{la+mb+nc}$ (단, $a+b+c\neq0$, $la+mb+nc\neq0$)

| 관계식을 이용한 식의 값 구하기 |

284 $\frac{b+c}{a}=\frac{c+a}{b}=\frac{a+b}{c}$의 값을 모두 구하여라. (단, $abc\neq0$)

풍산자日 조건식이 $\frac{x}{a}=\frac{y}{b}=\frac{z}{c}$의 꼴일 때는 k로 놓고 풀 수도 있고, 가비의 리를 이용할 수도 있다. k로 놓고 푸는 게 일반적이다.

> 풀이 k로 놓고 푼다.

$\frac{b+c}{a}=\frac{c+a}{b}=\frac{a+b}{c}=k$로 놓으면

$b+c=ak$, $c+a=bk$, $a+b=ck$

세 식의 양변을 더하면 $2(a+b+c)=(a+b+c)k$

이항하여 정리하면 $(a+b+c)(k-2)=0$

$\therefore a+b+c=0$ 또는 $k=2$

$a+b+c=0$일 때 $a+b=-c$이므로

$k=\frac{a+b}{c}=\frac{-c}{c}=-1$

따라서 구하는 분수식의 값은 **2 또는 −1**이다.

> 다른 풀이 가비의 리를 이용한다.

$\frac{b+c}{a}=\frac{c+a}{b}=\frac{a+b}{c}=\frac{(b+c)+(c+a)+(a+b)}{a+b+c}=\frac{2(a+b+c)}{a+b+c}$

(i) $a+b+c=0$일 때, $a+b=-c$이므로

$\frac{a+b}{c}=\frac{-c}{c}=-1$

(ii) $a+b+c\neq0$일 때, $\frac{2(a+b+c)}{a+b+c}=2$

(i), (ii)에서 구하는 분수식의 값은 2 또는 −1이다.

정답과 풀이 **28**쪽

유제 **285** $\frac{3b+2c}{a}=\frac{2c+a}{3b}=\frac{a+3b}{2c}$의 값을 모두 구하여라. (단, $abc\neq0$)

2 유리함수

01 유리함수

유리함수	
다항함수	분수함수
$y=x$, $y=\frac{2}{3}x$	$y=\frac{1}{x}$, $y=\frac{3}{2x}$
정의역은 모든 실수	정의역은 (분모)$\neq$0인 실수

함수 $y=f(x)$에서 $f(x)$가 x에 대한 유리식일 때, 이 함수를 **유리함수**라 한다.

유리함수는 정의역과 점근선에 주의한다.

정의역은 분모를 0으로 하는 x의 값을 제외한 실수 전체의 집합이다. 함수의 그래프가 어떤 직선에 한없이 가까워질 때, 이 직선을 **점근선**이라 한다. 유리함수에는 두 개의 점근선이 존재한다.

함수 $y=\frac{k}{x}(k\neq 0)$의 그래프

(1) $k>0$이면 제1사분면과 제3사분면에 있고,
$k<0$이면 제2사분면과 제4사분면에 있다.

(2) 정의역과 치역은 0을 제외한 실수 전체의 집합이다.

(3) $|k|$의 값이 커질수록 그래프는 원점에서 멀어진다.

(4) 점근선은 x축과 y축이다.

(5) 원점에 대하여 대칭이다.

(6) 직선 $y=\pm x$에 대하여 대칭이다.

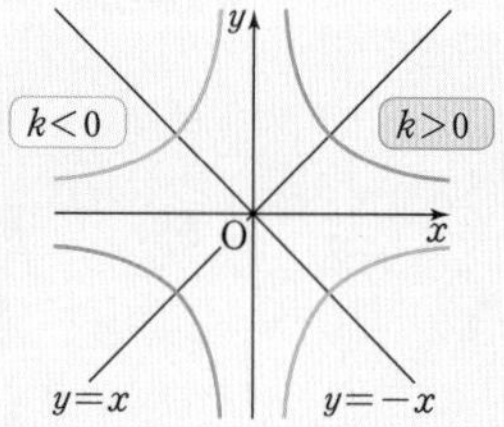

| 설명 | 함수의 $y=\frac{k}{x}$의 그래프를 k의 값에 따라 그리면 다음과 같다.

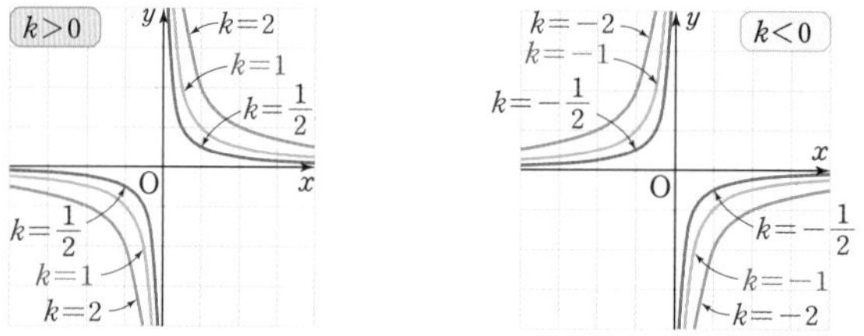

위의 그림과 같이 $|k|$의 값이 커질수록 그래프는 원점에서 멀어진다.

또 그래프가 좌우 또는 상하로 뻗어가는 모양을 보면 x축, y축에 한없이 가까워짐을 알 수 있다.

이와 같이 한없이 가까워지는 직선을 그 곡선의 점근선이라 한다.

따라서 함수 $y=\frac{k}{x}$의 그래프의 점근선은 x축과 y축이다.

함수 $y=\frac{k}{x}$ $(k\neq0)$의 그래프를 x축의 방향으로 p만큼, y축의 방향으로 q만큼 평행이동한 그래프를 나타내는 식은 $y=\frac{k}{x-p}+q$ $(k\neq0)$이다. 이 그래프의 특징은 다음과 같다.

함수 $y=\frac{k}{x-p}+q$ $(k\neq0)$의 그래프

(1) 함수 $y=\frac{k}{x}$의 그래프를 x축의 방향으로 p만큼, y축의 방향으로 q만큼 평행이동한 것이다.

(2) 정의역은 $\{x|x\neq p$인 실수$\}$, 치역은 $\{y|y\neq q$인 실수$\}$이다.

(3) $|k|$의 값이 커질수록 그래프는 점 (p, q)에서 멀어진다.

(4) 점근선은 두 직선 $x=p$, $y=q$이다.

(5) 점 (p, q)에 대하여 대칭이다.

(6) 점 (p, q)를 지나고 기울기가 ±1인 두 직선에 대하여 대칭이다.

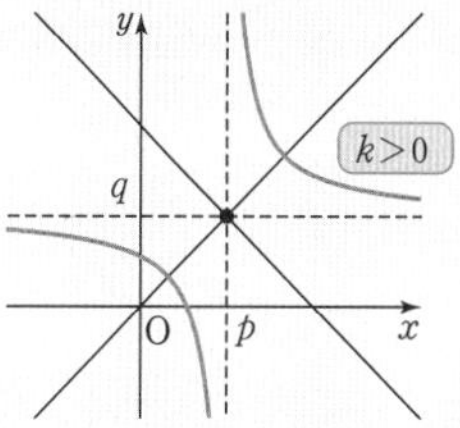

| 유리함수의 그래프 (1) |

286 다음 함수의 그래프를 그리고 점근선의 방정식, 정의역, 치역을 구하여라.

(1) $y=-\frac{2}{x}$

(2) $y=\frac{5}{x-1}+3$

풍산자曰 유리함수 $y=\frac{k}{x-p}+q$의 그래프는

(1) $y=\frac{k}{x}$의 그래프를 x축의 방향으로 p만큼, y축의 방향으로 q만큼 평행이동한 것이다.

(2) 점근선의 방정식: $x=p$, $y=q$

(3) 정의역: $\{x|x\neq p$인 실수$\}$, 치역: $\{y|y\neq q$인 실수$\}$

> 풀이 (1) $y=-\frac{2}{x}$의 그래프는 그림과 같다.

점근선의 방정식: $x=0$, $y=0$

정의역: $\{x|x\neq0$인 실수$\}$, 치역: $\{y|y\neq0$인 실수$\}$

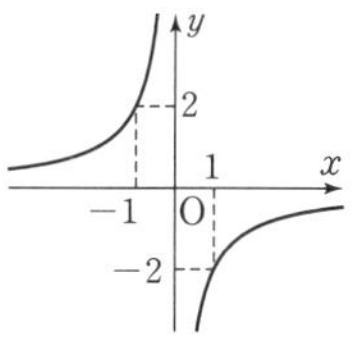

(2) $y=\frac{5}{x-1}+3$의 그래프는 $y=\frac{5}{x}$의 그래프를 x축의 방향으로 1만큼, y축의 방향으로 3만큼 평행이동한 것이다.

따라서 그래프는 그림과 같다.

점근선의 방정식: $x=1$, $y=3$

정의역: $\{x|x\neq1$인 실수$\}$, 치역: $\{y|y\neq3$인 실수$\}$

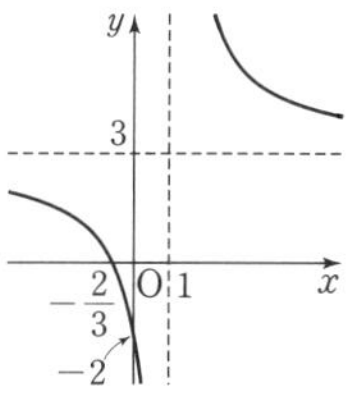

정답과 풀이 **29**쪽

유제 **287** 다음 함수의 그래프를 그리고 점근선의 방정식, 정의역, 치역을 구하여라.

(1) $y=\frac{4}{x}$

(2) $y=-\frac{1}{x+2}-1$

02 유리함수의 일반형

함수 $y=\dfrac{ax+b}{cx+d}$ $(c\neq0,\ ad-bc\neq0)$의 그래프를 그리려면 식을 변형해야 한다.

$\dfrac{ax+b}{cx+d}=(ax+b)\div(cx+d)=(\text{몫})+\dfrac{(\text{나머지})}{cx+d}$의 꼴로 고친다.

점근선은 식을 변형하지 않고도 알 수 있다.

함수 $y=\dfrac{ax+b}{cx+d}$ $(c\neq0,\ ad-bc\neq0)$의 그래프

(1) 그래프: $y=\dfrac{k}{x-p}+q$ $(k\neq0)$의 꼴로 변형한다.

(2) 점근선의 방정식: $x=-\dfrac{d}{c}$ ⬅ 분모를 0으로 하는 x의 값

$y=\dfrac{a}{c}$ ⬅ 일차항 x의 계수의 비

$y=\dfrac{\boxed{a}x+b}{\boxed{c}x+d}$

288 함수 $y=\dfrac{2x+1}{x+1}$의 그래프를 그리고 점근선의 방정식, 정의역, 치역을 구하여라.

풍산자日 유리함수의 그래프를 그리려면 $y=\dfrac{k}{x-p}+q$의 꼴로 변형하면 된다.

> **풀이** $y=\dfrac{2x+1}{x+1}=\dfrac{2(x+1)-1}{x+1}=-\dfrac{1}{x+1}+2$

이 함수의 그래프는 $y=-\dfrac{1}{x}$의 그래프를 x축의 방향으로 -1만큼, y축의 방향으로 2만큼 평행이동한 것이다. 따라서 그래프는 그림과 같다.

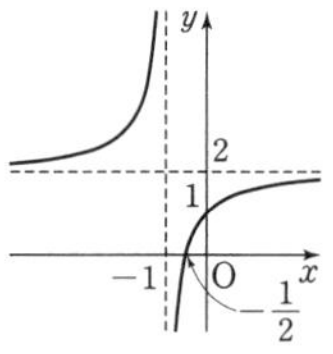

점근선의 방정식: $x=-1$, $y=2$

정의역: $\{x\,|\,x\neq-1$인 실수$\}$, 치역: $\{y\,|\,y\neq2$인 실수$\}$

정답과 풀이 **29**쪽

유제 **289** 함수 $y=\dfrac{x+1}{x-1}$의 그래프를 그리고 점근선의 방정식, 정의역, 치역을 구하여라.

290 함수 $y=\frac{2-2x}{x+3}$의 그래프는 함수 $y=\frac{a}{x}$의 그래프를 x축의 방향으로 b만큼, y축의 방향으로 c만큼 평행이동한 것이다. 이때 상수 a, b, c의 값을 구하여라.

풍산자日 $y=\frac{k}{x-p}+q$의 꼴로 변형한다.

> 풀이 $y=\frac{2-2x}{x+3}=\frac{-2(x+3)+8}{x+3}=\frac{8}{x+3}-2$

이 함수의 그래프는 $y=\frac{8}{x}$의 그래프를 x축의 방향으로 -3만큼, y축의 방향으로 -2만큼 평행이동한 것이다.

$\therefore$ $\boldsymbol{a=8,\ b=-3,\ c=-2}$

정답과 풀이 **29**쪽

유제 **291** 함수 $y=\frac{2x}{x-2}$의 그래프는 함수 $y=\frac{a}{x}$의 그래프를 x축의 방향으로 b만큼, y축의 방향으로 c만큼 평행이동한 것이다. 이때 상수 a, b, c의 값을 구하여라.

292 다음 보기의 함수의 그래프 중 평행이동하여 서로 겹칠 수 있는 것만을 있는 대로 골라라.

보기

ㄱ. $y=\frac{2x-3}{x-2}$ ㄴ. $y=\frac{3x+5}{x+1}$ ㄷ. $y=\frac{2x}{x-1}$

풍산자日 $y=\frac{k}{x-p}+q$의 꼴로 변형하였을 때 k의 값이 같아야 그래프를 서로 겹칠 수 있다.

> 풀이 ㄱ. $y=\frac{2x-3}{x-2}=\frac{2(x-2)+1}{x-2}=\frac{1}{x-2}+2$

ㄴ. $y=\frac{3x+5}{x+1}=\frac{3(x+1)+2}{x+1}=\frac{2}{x+1}+3$

ㄷ. $y=\frac{2x}{x-1}=\frac{2(x-1)+2}{x-1}=\frac{2}{x-1}+2$

따라서 그래프가 서로 겹칠 수 있는 것은 ㄴ과 ㄷ이다.

정답과 풀이 **29**쪽

유제 **293** 다음 보기의 함수의 그래프 중 평행이동하여 서로 겹칠 수 있는 것만을 있는 대로 골라라.

보기

ㄱ. $y=\frac{x-4}{x-3}$ ㄴ. $y=\frac{3x-5}{x-2}$ ㄷ. $y=\frac{2x-3}{x-1}$

294 함수 $y=\frac{1-2x}{x-2}$의 그래프가 점 $(a,\ b)$에 대하여 대칭일 때, $a+b$의 값을 구하여라.

풍산자日 함수 $y=\frac{k}{x-p}+q$의 그래프는 점 $(p,\ q)$에 대하여 대칭이다.

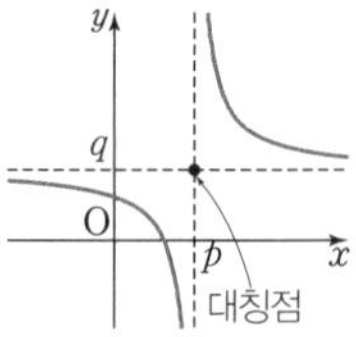

> 풀이 $y=\frac{1-2x}{x-2}=\frac{-2(x-2)-3}{x-2}=-\frac{3}{x-2}-2$

따라서 주어진 함수의 그래프는 두 점근선 $x=2$, $y=-2$의 교점 $(2,\ -2)$에 대하여 대칭이다.

$a=2$, $b=-2$ $\quad\therefore a+b=\mathbf{0}$

정답과 풀이 **29**쪽

유제 **295** 함수 $y=\frac{4x}{x-1}$의 그래프가 점 $(a,\ b)$에 대하여 대칭일 때, $a+b$의 값을 구하여라.

296 함수 $y=\frac{x-1}{x+2}$의 그래프가 두 직선 $y=x+a$, $y=-x+b$에 대하여 대칭일 때, 상수 a, b의 값을 구하여라.

풍산자日 함수 $y=\frac{k}{x-p}+q$의 그래프는 점 $(p,\ q)$를 지나고 기울기가 ±1인 두 직선에 대하여 대칭이다.

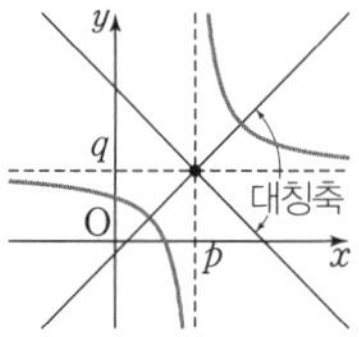

> 풀이 $y=\frac{x-1}{x+2}=\frac{(x+2)-3}{x+2}=-\frac{3}{x+2}+1$

따라서 주어진 함수의 그래프는 점 $(-2,\ 1)$을 지나고 기울기가 ±1인 두 직선에 대하여 대칭이므로 $x=-2$, $y=1$을 주어진 두 직선의 방정식에 대입하면

$1=-2+a$, $1=2+b$ $\quad\therefore \mathbf{a=3,\ b=-1}$

정답과 풀이 **29**쪽

유제 **297** 함수 $y=\frac{2x-4}{x-3}$의 그래프가 두 직선 $y=x+a$, $y=-x+b$에 대하여 대칭일 때, 상수 a, b의 값을 구하여라.

298 **그림과 같이 함수 $y=\dfrac{ax+b}{x+c}$의 그래프가 점 $(0,\ 4)$를 지나고, 점근선의 방정식이 $x=-4$, $y=2$일 때, 상수 a, b, c의 값을 구하여라.**

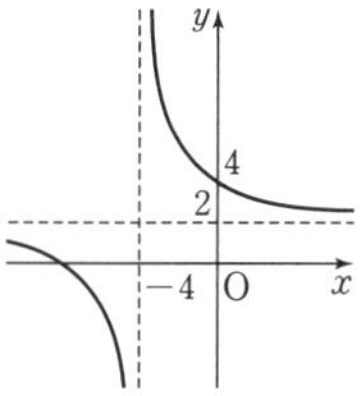

풍산자日 점근선의 방정식이 $x=p$, $y=q$이면 유리함수를 $y=\dfrac{k}{x-p}+q$의 꼴로 놓는다.

> 풀이 [1단계] 점근선의 방정식이 $x=-4$, $y=2$이므로 주어진 함수를

$y=\dfrac{k}{x+4}+2$ …… ㉠

로 놓는다.

[2단계] ㉠의 그래프가 점 $(0,\ 4)$를 지나므로

$4=\dfrac{k}{0+4}+2$ $\quad\therefore k=8$

[3단계] $k=8$을 ㉠에 대입하면

$y=\dfrac{8}{x+4}+2=\dfrac{2x+16}{x+4}$ $\quad\therefore$ $\boldsymbol{a=2,\ b=16,\ c=4}$

> 다른 풀이 [1단계] 공식을 이용하면 함수 $y=\dfrac{ax+b}{x+c}$의 그래프의 점근선의 방정식은

$x=-c$, $y=a$

이것이 $x=-4$, $y=2$와 같아야 하므로 $-c=-4$, $a=2$ $\quad\therefore a=2,\ c=4$

[2단계] $y=\dfrac{ax+b}{x+c}$의 그래프가 점 $(0,\ 4)$를 지나므로

$\dfrac{b}{c}=4$ $\quad\therefore b=4c=4\cdot4=16$

정답과 풀이 **29**쪽

유제 **299** **그림과 같이 함수 $y=\dfrac{ax+b}{x-c}$의 그래프가 점 $(1,\ 0)$을 지나고, 점근선의 방정식이 $x=-1$, $y=2$일 때, 상수 a, b, c의 값을 구하여라.**

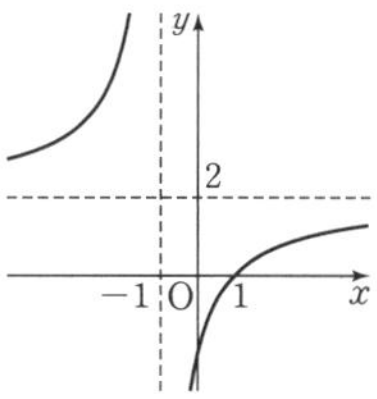

풍산자 비법

유리함수 $y=\dfrac{ax+b}{cx+d}$에서는 분모를 0으로 하는 값을 제외한 실수 전체의 집합이 정의역이다. 정의역에 따라 치역과 점근선이 결정된다. 절편까지 챙기면 화룡점정.

03 유리함수의 최대, 최소

제한된 정의역에서 치역을 구하는 문제와 유리함수의 최대, 최소 문제는 본질적으로 같은 문제. 다음과 같이 생각한다.

최댓값, 최솟값을 구하는 방법

[1단계] 그래프를 그린다.

[2단계] 그래프를 주어진 범위만큼 살려 놓는다.

[3단계] 살려 놓은 부분을 보고 최댓값, 최솟값을 구한다.

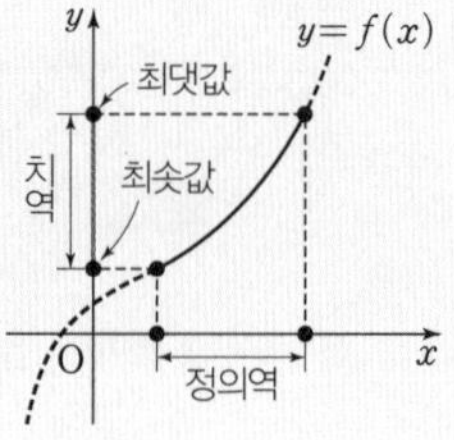

| 유리함수의 정의역과 치역 |

300 함수 $y=\dfrac{5x-3}{x-1}$의 정의역이 $\{x\,|\,0\le x<1$ 또는 $1<x\le3\}$일 때, 치역을 구하여라.

풍산자日 정의역이란 x의 값의 범위, 치역이란 y의 값의 범위. 일단 그래프를 그린다.
정의역, 치역 문제 ➡ 그래프를 그려 생각한다!

> 풀이

$y=\dfrac{5x-3}{x-1}=\dfrac{5(x-1)+2}{x-1}=\dfrac{2}{x-1}+5$

그래프를 그린 후 $0\le x<1$ 또는 $1<x\le3$인 부분만 살려 놓으면 그림과 같다.

$x=0$일 때 $y=3$, $x=3$일 때 $y=6$이므로

치역은 $\{\boldsymbol{y}\,|\,\boldsymbol{y\le3}$ 또는 $\boldsymbol{y\ge6}\}$

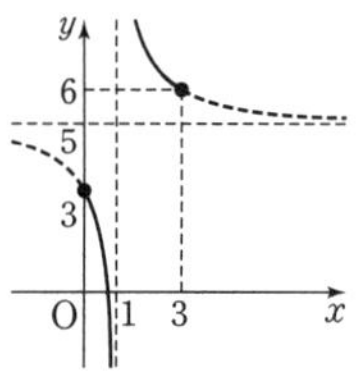

정답과 풀이 **30**쪽

유제 **301** 함수 $y=\dfrac{x+1}{x-1}$의 정의역이 $\{x\,|\,0\le x<1$ 또는 $1<x\le2\}$일 때, 치역을 구하여라.

302 $-1\leq x\leq 2$에서 함수 $y=\dfrac{2x+3}{x+2}$의 최댓값과 최솟값을 구하여라.

풍산자日 최대, 최소란 그래프의 최고 높이와 최저 높이. 일단 그래프를 그린다.
최대, 최소 문제 ➡ 그래프를 그려 생각한다!

> 풀이 $y=\dfrac{2x+3}{x+2}=\dfrac{2(x+2)-1}{x+2}=-\dfrac{1}{x+2}+2$

그래프를 그린 후 $-1\leq x\leq 2$인 부분만 살려 놓으면 오른쪽 그림과 같다.

따라서 주어진 함수는 $x=2$일 때 최댓값 $\mathbf{\frac{7}{4}}$, $x=-1$일 때 최솟값 **1**을 갖는다.

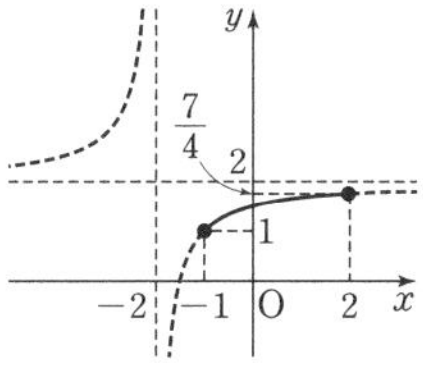

정답과 풀이 30쪽

유제 **303** $2\leq x\leq 4$에서 함수 $y=\dfrac{-2x+3}{x-1}$의 최댓값과 최솟값을 구하여라.

304 정의역이 $\{x\,|\,-2\leq x\leq a\}$인 함수 $y=\dfrac{3x+b}{x-1}$의 최댓값이 2이고 최솟값이 0일 때, 상수 a, b의 값을 구하여라. (단, $b>-3$)

풍산자日 $y=\dfrac{k}{x-p}+q$의 꼴로 고쳐서 그래프를 그려 본다.

> 풀이 [1단계] $y=\dfrac{3x+b}{x-1}=\dfrac{3(x-1)+3+b}{x-1}=\dfrac{3+b}{x-1}+3$

[2단계] $3+b>0$이므로 함수 $y=\dfrac{3x+b}{x-1}$는 $x=-2$일 때 최댓값 2, $x=a$일 때 최솟값 0을 갖는다.

[3단계] $y=\dfrac{3x+b}{x-1}$에 $x=-2$를 대입하면

$\dfrac{-6+b}{-3}=2$ $\quad\therefore$ $\mathbf{b=0}$

$y=\dfrac{3x}{x-1}$에 $x=a$을 대입하면

$\dfrac{3a}{a-1}=0$에서 $3a=0$ $\quad\therefore$ $\mathbf{a=0}$

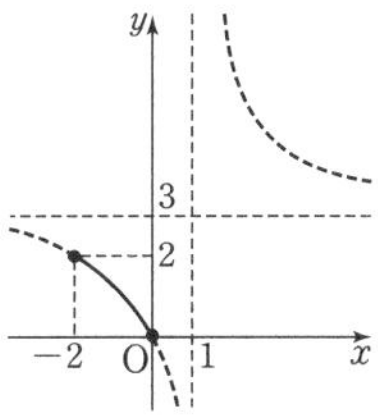

정답과 풀이 30쪽

유제 **305** 정의역이 $\{x\,|\,a\leq x\leq 5\}$인 함수 $y=\dfrac{x+b}{x-3}$의 최댓값이 0이고 최솟값이 -1일 때, 상수 a, b의 값을 구하여라. (단, $b<-3$)

04 유리함수의 역함수

역함수를 구하는 방법은 두 가지가 있다.

함수 $y=\dfrac{ax+b}{cx+d}$의 역함수 구하기

(1) 원리를 이용 ➡ x와 y를 바꾼 후 $y=\square$의 꼴로 정리한다.

(2) 공식을 이용 ➡ a, d의 부호와 자리만 바꾼다.

함수 $y=\dfrac{ax+b}{cx+d}$의 역함수는 $\boldsymbol{y=\dfrac{-dx+b}{cx-a}}$

| 유리함수의 역함수 |

306 다음 함수의 역함수를 구하여라.

(1) $y=\dfrac{5-2x}{3x-2}$

(2) $y=\dfrac{ax+b}{cx+d}$ (단, $ad-bc\neq0$)

풍산자日 역함수를 구하려면 x와 y를 바꾼 후 $y=\square$의 꼴로 정리하거나 공식을 이용한다.

> **풀이** (1) $y=\dfrac{5-2x}{3x-2}$의 x와 y를 서로 바꾸면 $x=\dfrac{5-2y}{3y-2}$

$3xy-2x=5-2y$, $(3x+2)y=2x+5$ $\quad\therefore \boldsymbol{y=\dfrac{2x+5}{3x+2}}$

(2) $y=\dfrac{ax+b}{cx+d}$의 x와 y를 서로 바꾸면 $x=\dfrac{ay+b}{cy+d}$

$cxy+dx=ay+b$, $(cx-a)y=-dx+b$ $\quad\therefore \boldsymbol{y=\dfrac{-dx+b}{cx-a}}$

> **다른 풀이** 공식을 이용하여 부호와 자리를 바꾼다.

(1) $y=\dfrac{5-2x}{3x-2}=\dfrac{-2x+5}{3x-2}$이므로 -2와 -2의 부호와 자리를 바꾸면 $y=\dfrac{2x+5}{3x+2}$

(2) $y=\dfrac{ax+b}{cx+d}$에서 a와 d의 부호와 자리를 바꾸면 $y=\dfrac{-dx+b}{cx-a}$

정답과 풀이 **30**쪽

유제 **307** 다음 함수의 역함수를 구하여라.

(1) $y=\dfrac{4x-3}{-x+2}$

(2) $y=\dfrac{ax+b}{-x+c}$ (단, $ac+b\neq0$)

풍산자 비법

- 유리함수의 그래프를 그려 최대, 최소를 구한다.
- 유리함수의 역함수를 구할 때는 공식을 이용하는 게 쉽다.

05 유리함수의 그래프와 직선의 위치 관계

| 유리함수의 그래프와 직선 (1) |

308 함수 $y=\dfrac{x-6}{x-2}$의 그래프와 직선 $y=x+a$가 한 점에서 만날 때, 상수 a의 값을 구하여라.

풍산자日 직선의 기울기가 결정되어 있으면 판별식을 이용한다.

> 풀이 함수 $y=\dfrac{x-6}{x-2}$의 그래프와 직선 $y=x+a$가 한 점에서 만나므로

$\dfrac{x-6}{x-2}=x+a$에서 $x-6=(x-2)(x+a)$ $\quad\therefore x^2+(a-3)x-2a+6=0$

이 방정식의 판별식을 D라 하면

$D=(a-3)^2-4(-2a+6)=0$

$a^2+2a-15=0,\ (a+5)(a-3)=0$ $\quad\therefore$ $\boldsymbol{a=-5}$ **또는** $\boldsymbol{a=3}$

정답과 풀이 **30**쪽

유제 **309** 함수 $y=\dfrac{-3x+7}{x-2}$의 그래프와 직선 $y=-x+a$가 만나지 않을 때, 상수 a의 범위를 구하여라.

| 유리함수의 그래프와 직선 (2) |

310 정의역이 $\{x\,|\,2\le x\le 4\}$인 함수 $y=\dfrac{3x}{x-1}$의 그래프와 직선 $y=ax-a$가 만날 때, 상수 a의 값의 범위를 구하여라.

풍산자日 정점을 지나고 직선의 기울기가 변하면 함수의 그래프를 그려 생각한다.

> 풀이 $y=\dfrac{3x}{x-1}=\dfrac{3(x-1)+3}{x-1}=\dfrac{3}{x-1}+3$

그래프를 그린 후 $2\le x\le 4$의 부분만 살려 놓으면 그림과 같고, 직선 $y=ax-a=a(x-1)$은 a의 값에 관계없이 항상 점 $(1,\ 0)$을 지난다.

따라서 함수 $y=\dfrac{3x}{x-1}$의 그래프와 직선 $y=ax-a$가 만나는 것은 직선 $y=ax-a$가 두 점 $\mathrm{A}(4,\ 4)$, $\mathrm{B}(2,\ 6)$ 사이를 지날 때이다.

직선의 방정식 $y=ax-a$에 점 $\mathrm{A}(4,\ 4)$와 점 $\mathrm{B}(2,\ 6)$의 좌표를 대입하여 a의 범위를 구하면 $\boldsymbol{\dfrac{4}{3}\le a\le 6}$

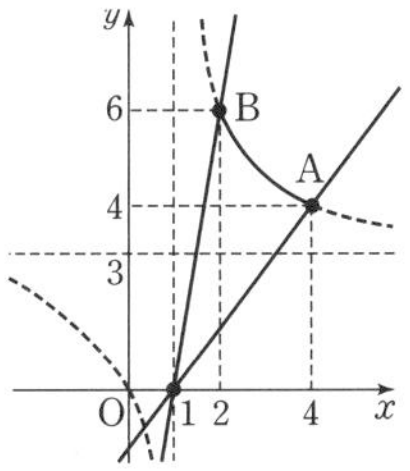

정답과 풀이 **31**쪽

유제 **311** 정의역이 $\left\{x\,\middle|\,\dfrac{1}{2}\le x\le 1\right\}$인 함수 $y=\dfrac{2x+1}{x}$의 그래프와 직선 $y=ax$가 만날 때, 상수 a의 값의 범위를 구하여라.

필수 확인 문제

* 더 많은 유형은 **풍산자필수유형 수학(하)** 053쪽

정답과 풀이 31쪽

312

다음 식을 간단히 하여라.

$$\frac{3x-1}{x-1}-\frac{3x+2}{x+1}$$

313

함수 $y=\frac{2x+4}{2x+1}$의 그래프는 함수 $y=\frac{a}{x}$의 그래프를 x축의 방향으로 b만큼, y축의 방향으로 c만큼 평행이동한 것이다. 이때 상수 a, b, c의 합 $a+b+c$의 값을 구하여라.

314

함수 $y=\frac{bx+c}{ax+1}$의 그래프가 점 $(0, 5)$를 지나고 점근선의 방정식이 $x=-1$, $y=3$일 때, 상수 a, b, c의 합 $a+b+c$의 값을 구하여라.

315

정의역이 $\{x|0\le x\le 2\}$인 함수 $y=\frac{2x-5}{x-3}$의 최댓값을 M, 최솟값을 m이라 할 때, $M-m$의 값을 구하여라.

316

함수 $f(x)=\frac{2x+1}{x-1}$에 대하여 $(f^{-1}\circ f\circ f^{-1})(5)$의 값을 구하여라.

317

함수 $f(x)=\frac{4x-1}{2x+3}$의 역함수가 $f^{-1}(x)=\frac{ax+b}{2x+c}$일 때, 상수 a, b, c의 합 $a+b+c$의 값을 구하여라.

중단원 마무리

▶ 유리식

유리식의 성질	다항식 $A, B, C\ (B\neq0, C\neq0)$에 대하여 ① $\frac{A}{B}=\frac{A\times C}{B\times C}$ ② $\frac{A}{B}=\frac{A\div C}{B\div C}$
유리식의 계산	네 다항식 $A, B, C, D\ (ABCD\neq0)$에 대하여 ① 분모가 두 인수의 곱일 때: $\frac{1}{AB}=\frac{1}{B-A}\left(\frac{1}{A}-\frac{1}{B}\right)$ ② 분수 안에 또 분수가 있을 때: $\dfrac{\frac{C}{D}}{\frac{B}{A}}=\frac{AC}{BD}$
비례식의 연산	$x:y:z=a:b:c \Longleftrightarrow \frac{x}{a}=\frac{y}{b}=\frac{z}{c}=k \Longleftrightarrow x=ak, y=bk, z=ck$

▶ 유리함수

유리함수	함수 $y=f(x)$에서 $f(x)$가 x에 대한 유리식인 함수
유리함수 $y=\frac{k}{x-p}+q$ 의 그래프	① 함수 $y=\frac{k}{x}\ (k\neq0)$의 그래프를 x축의 방향으로 p만큼, y축의 방향으로 q만큼 평행이동한다. ② $\vert k\vert$의 값이 커질수록 그래프는 점 (p, q)에서 멀어진다. ③ 점 (p, q)에 대하여 대칭이다. ④ 점근선의 방정식: $x=p, y=q$
유리함수 $y=\frac{ax+b}{cx+d}$ 의 그래프	① $y=\frac{k}{x-p}+q\ (k\neq0)$의 꼴로 변형한다. ② 점근선의 방정식: $x=-\frac{d}{c}, y=\frac{a}{c}$ ③ 역함수: $y=\frac{-dx+b}{cx-a}$ ⬅ a, d의 부호와 자리만 바꾼다.

▶ 유리함수의 최대, 최소

최대, 최소	[1단계] 그래프를 그린다. [2단계] 그래프를 주어진 범위만큼 살려 놓는다. [3단계] 살려 놓은 부분을 보고 최댓값, 최솟값을 구한다.

실전 연습문제

STEP 1

318

$\dfrac{x-\dfrac{x+2}{x}}{x+1}$를 간단히 하면?

① $\dfrac{x-2}{x}$ ② $\dfrac{x-2}{x+1}$

③ $\dfrac{x+1}{x}$ ④ $\dfrac{x-1}{x+1}$

⑤ $\dfrac{x+2}{x}$

319

$\dfrac{1}{x(x+1)}+\dfrac{2}{(x+1)(x+3)}+\dfrac{2}{(x+3)(x+5)}$
$=\dfrac{a}{x^2+bx}$가 분모를 0으로 만들지 않는 모든 실수 x에 대하여 항상 성립할 때, 상수 a, b의 합 $a+b$의 값은?

① 6 ② 7 ③ 8 ④ 9 ⑤ 10

320

$\dfrac{x+y}{6}=\dfrac{y+z}{8}=\dfrac{z+x}{10}=\dfrac{3x+2y-z}{a}$일 때, 상수 a의 값은? (단, $xyz\neq0$)

① 2 ② 4 ③ 6 ④ 8 ⑤ 10

321

함수 $y=\dfrac{bx+c}{x+a}$의 그래프가 그림과 같을 때, 상수 a, b, c의 합 $a+b+c$의 값은?

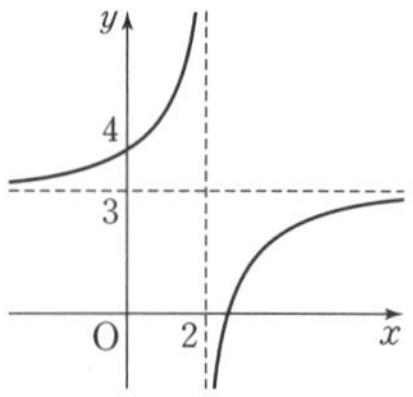

① -5 ② -6

③ -7 ④ -8

⑤ -9

322

두 함수 $f(x)=\dfrac{2x+1}{x-1}$, $g(x)=x+1$에 대하여 $(f^{-1}\circ g\circ f^{-1})(3)$의 값은?

① 1 ② 2 ③ 3 ④ 4 ⑤ 5

323

함수 $y=-\dfrac{2}{x}+2$의 그래프와 직선 $y=2x+k$가 서로 만나지 않도록 하는 정수 k의 개수를 구하여라.

STEP 2

324

유리함수 $y=\dfrac{5}{x-p}+2$의 그래프가 제3사분면을 지나지 않도록 하는 정수 p의 최솟값은?

① 3 ② 4 ③ 5 ④ 6 ⑤ 7

325

두 함수 $y=\dfrac{x+1}{x-2}$, $y=\dfrac{nx+1}{x+m}$의 점근선으로 둘러싸인 도형의 넓이가 8일 때, 자연수 m, n의 순서쌍 (m, n)의 개수는?

① 1 ② 2 ③ 3
④ 4 ⑤ 5

326

두 함수 $f(x)=\dfrac{1+x}{x-1}$, $g(x)=\dfrac{x}{x+1}$에 대하여 $h\circ f=g$를 만족시키는 함수 $h(x)$의 그래프가 x축과 만나는 점의 x좌표는?

① -2 ② -1 ③ 0
④ 1 ⑤ 2

327

수직선 위에 두 점 A(-2), B(4)가 있다. 선분 $\overline{\mathrm{AB}}$를 $1:t$ $(t>0)$으로 내분하는 점 P의 좌표를 $f(t)$라 할 때, 함수 $y=f(t)$의 그래프를 좌표평면 위에 나타낸 것은?

①
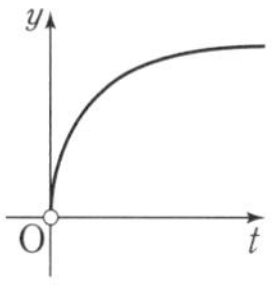

②
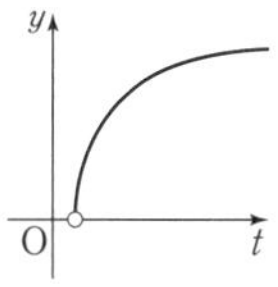

③
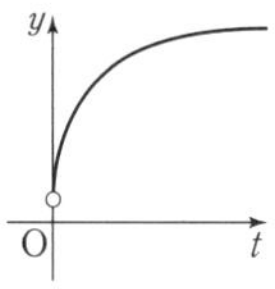

④
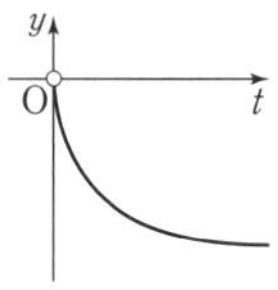

⑤
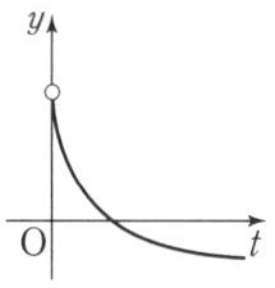

328

그림과 같이 함수 $y=\dfrac{2}{x-1}+2$의 그래프 위의 한 점 P에서 이 함수의 그래프의 두 점근선에 내린 수선의 발을 각각 Q, R라 하고, 두 점근선의 교점을 S라 하자. 사각형 PRSQ의 둘레의 길이의 최솟값을 구하여라. (단, 점 P는 제1사분면 위의 점이다.)

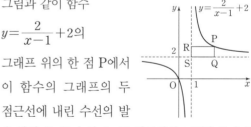

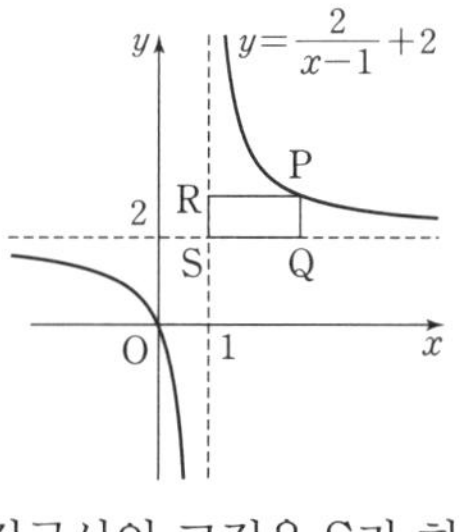

3 무리식과 무리함수

수의 세계에 무리수가 있다면 식의 세계에는 무리식이 있다.
근호 안에 x가 있는 식이 바로 무리식이다.
마찬가지로 근호 안에 x가 있는 함수가 무리함수이다.

1 무리식

$$\sqrt{x-5}$$

2 무리함수

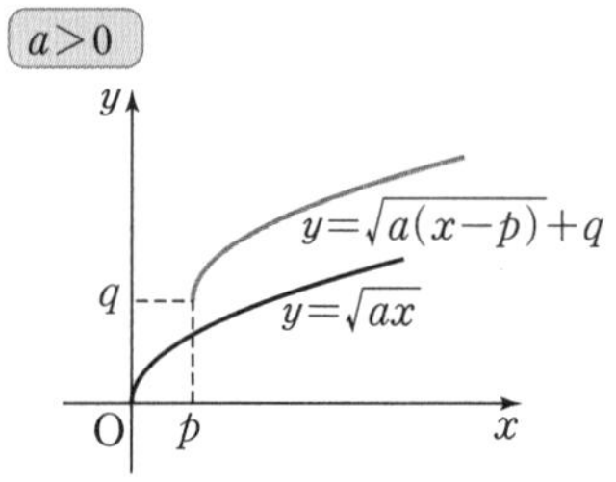

1 무리식

01 제곱근과 무리식

[1] 제곱근

$x^2=a\,(a>0)$를 만족시키는 두 근을 a의 **제곱근**이라 한다.

$\sqrt{a}\ (a>0)$은 $x^2=a$를 만족시키는 x의 값 중 양수만을 말하고 제곱근 a라 부른다.

$(\sqrt{a})^2=a$이고, $\sqrt{a^2}=|a|$이다. $\sqrt{a^2}=a$라고 착각하지 않도록 주의한다.

$\sqrt{a^2}=|a|$의 계산

➡ $a\geq 0$일 때와 $a<0$일 때로 나누어 생각한다.

$$\sqrt{a^2}=|a|=\begin{cases} a\ (a\geq 0\text{일 때}) \\ -a\ (a<0\text{일 때}) \end{cases}$$

| 개념확인 |

$1<a<3$일 때, $\sqrt{9-6a+a^2}+\sqrt{a^2-2a+1}$을 간단히 하여라.

› 풀이 $1<a<3$일 때,

$$\begin{aligned}\sqrt{9-6a+a^2}+\sqrt{a^2-2a+1}&=\sqrt{(a-3)^2}+\sqrt{(a-1)^2}\\&=|a-3|+|a-1|\\&=-(a-3)+a-1\\&=-a+3+a-1=\mathbf{2}\end{aligned}$$

[2] 무리식

근호 안에 문자가 포함되어 있는 식 중에서 유리식으로 나타낼 수 없는 식을 **무리식**이라 한다.

예를 들어 $\sqrt{3x}$, $\sqrt{x^2+1}$, $\dfrac{2}{\sqrt{1-x}}$는 무리식이다.

무리식의 값이 실수가 되려면 두 가지 조건을 만족시켜야 한다.

(1) (근호 안의 식의 값)≥ 0 (2) (분모)$\neq 0$

| 개념확인 |

다음 무리식의 값이 실수가 되도록 하는 x의 값의 범위를 구하여라.

(1) $\sqrt{x-5}$ (2) $\sqrt{3-x}+\dfrac{1}{\sqrt{x+2}}$

› 풀이 (1) $x-5\geq 0$에서 $\boldsymbol{x\geq 5}$

(2) $3-x\geq 0$에서 $x\leq 3$

$x+2\geq 0$에서 $x\geq -2$ $\therefore -2\leq x\leq 3$

이때 분모는 0이 아니므로 $x+2\neq 0$에서 $x\neq -2$

따라서 실수가 되도록 하는 x의 값의 범위는 $\boldsymbol{-2<x\leq 3}$

02 분모의 유리화

여러 가지 이유로 수학에서는 분모에 i나 근호가 있는 것을 무척 싫어한다. 그래서 보통 분모의 i나 근호를 적절히 처리하여 없앤다. 분모의 i를 없애는 것을 분모의 실수화라 하고, 분모의 근호를 없애는 것을 **분모의 유리화**라 한다.

분모의 유리화

(1) $\dfrac{1}{\sqrt{a}}=\dfrac{\sqrt{a}}{\sqrt{a}\sqrt{a}}=\dfrac{\sqrt{a}}{a}$

(2) $\dfrac{1}{\sqrt{a}-\sqrt{b}}=\dfrac{\sqrt{a}+\sqrt{b}}{(\sqrt{a}-\sqrt{b})(\sqrt{a}+\sqrt{b})}=\dfrac{\sqrt{a}+\sqrt{b}}{a-b}$

(3) $\dfrac{1}{\sqrt{a}+\sqrt{b}}=\dfrac{\sqrt{a}-\sqrt{b}}{(\sqrt{a}+\sqrt{b})(\sqrt{a}-\sqrt{b})}=\dfrac{\sqrt{a}-\sqrt{b}}{a-b}$

➡ (2), (3): 곱셈 공식 $(A+B)(A-B)=A^2-B^2$을 이용한다.

| 분모의 유리화 |

329 다음 식을 간단히 하여라.

(1) $\dfrac{2+\sqrt{3}}{2-\sqrt{3}}$

(2) $\dfrac{\sqrt{x}-1}{\sqrt{x}+1}+\dfrac{\sqrt{x}+1}{\sqrt{x}-1}$

풍산자팁 $(A+B)(A-B)=A^2-B^2$을 이용한다.

> 풀이

(1) $\dfrac{2+\sqrt{3}}{2-\sqrt{3}}=\dfrac{(2+\sqrt{3})^2}{(2-\sqrt{3})(2+\sqrt{3})}=\dfrac{4+4\sqrt{3}+3}{4-3}=\mathbf{7+4\sqrt{3}}$

(2) $\dfrac{\sqrt{x}-1}{\sqrt{x}+1}+\dfrac{\sqrt{x}+1}{\sqrt{x}-1}=\dfrac{(\sqrt{x}-1)^2+(\sqrt{x}+1)^2}{(\sqrt{x}+1)(\sqrt{x}-1)}$

$=\dfrac{(x-2\sqrt{x}+1)+(x+2\sqrt{x}+1)}{x-1}$

$=\mathbf{\dfrac{2x+2}{x-1}}$

정답과 풀이 33쪽

유제 **330** 다음 식을 간단히 하여라.

(1) $\dfrac{3+\sqrt{2}}{3-\sqrt{2}}$

(2) $\dfrac{\sqrt{x}}{\sqrt{x-1}+\sqrt{x}}-\dfrac{\sqrt{x}}{\sqrt{x-1}-\sqrt{x}}$

풍산자 비법

실수 범위에서 무리식을 정의하려면 (근호 안의 값)≥ 0이고, (분모)$\neq 0$이어야 한다.

2 무리함수

01 무리함수

함수 $y=f(x)$에서 $f(x)$가 x에 대한 무리식일 때, 이 함수를 **무리함수**라 한다.

예를 들어 $y=\sqrt{x}$, $y=\sqrt{-x+2}$, …는 무리함수이다.

무리식은 근호 안의 식의 값이 0 이상인 구간에서만 정의할 수 있다.

따라서 무리함수는 정의역이 특별히 주어지지 않은 경우 근호 안의 식의 값이 0 이상이 되게 하는 실수 전체의 집합을 정의역으로 한다.

무리함수 $y=\pm\sqrt{\pm x}$의 그래프는 다음과 같다.

함수 $y=\pm\sqrt{\pm x}$의 그래프

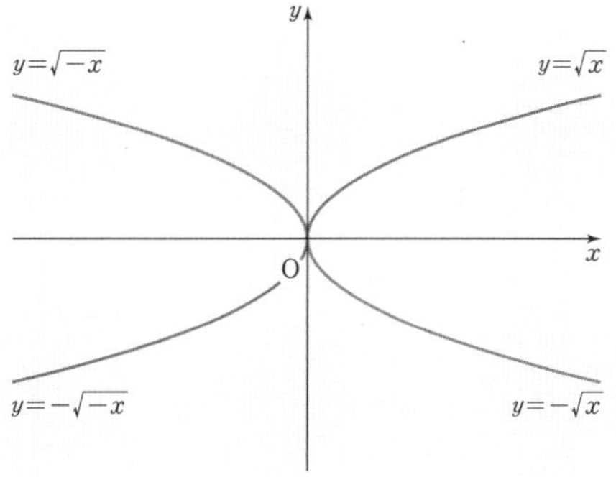

무리함수의 그래프는 출발점을 찾고, 근호 안과 밖의 부호만 보면 그래프를 그릴 수 있다.

근호 안의 값이 0이 되는 점이 출발점이다. 그래프의 4가지 방향 중 위－아래는 근호 밖 부호, 오른쪽－왼쪽은 근호 안 x의 계수의 부호에 따라 결정된다.

근호 밖은 근호 안의 값과 관계없이 $y=\sqrt{\square}$이면 $y\geq0$이므로 위쪽이고, $y=-\sqrt{\square}$이면 $y\leq0$이므로 아래쪽이다. 근호 안의 값은 항상 0 이상이어야 한다. 따라서 $\sqrt{x}$이면 $x\geq0$이므로 오른쪽이고, $\sqrt{-x}$이면 $x\leq0$이므로 왼쪽이다.

> $y=\bigstar\sqrt{\bigcirc x}$
> ★의 부호가 (＋) ➡ 위쪽
> ★의 부호가 (－) ➡ 아래쪽
> ○의 부호가 (＋) ➡ 오른쪽
> ○의 부호가 (－) ➡ 왼쪽

| 설명 | 함수 $y=\sqrt{ax}$의 그래프는 $|a|$의 값에 따라 그래프의 모양이 달라진다.
$|a|$의 값이 커질수록 그래프는 x축에서 멀어진다.

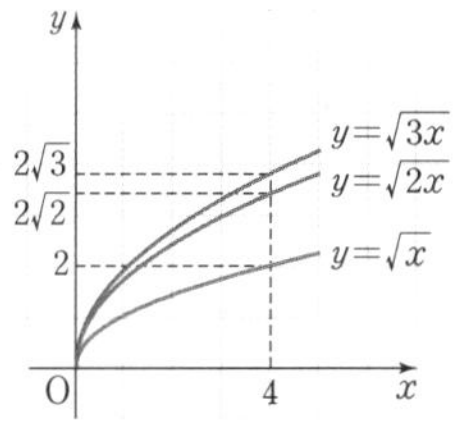

함수 $y=\sqrt{ax}\,(a\neq0)$의 그래프를 x축의 방향으로 p만큼, y축의 방향으로 q만큼 평행이동한 그래프를 나타내는 식은 $y=\sqrt{a(x-p)}+q\ (a\neq0)$이다. 이 함수의 그래프는 $y=\sqrt{ax}$의 그래프와 뻗어가는 방향이 같다. 출발점만 $(p,\ q)$로 옮겨 같은 방법으로 그래프를 그리면 된다.

함수 $y=\sqrt{a(x-p)}+q\,(a\neq0)$의 그래프

(1) 함수 $y=\sqrt{ax}\,(a\neq0)$의 그래프를 x축의 방향으로 p만큼, y축의 방향으로 q만큼 평행이동한 것이다.

(2) $a>0$일 때, 정의역은 $\{x|x\geq p\}$, 치역은 $\{y|y\geq q\}$이다.
$a<0$일 때, 정의역은 $\{x|x\leq p\}$, 치역은 $\{y|y\geq q\}$이다.

$a>0$

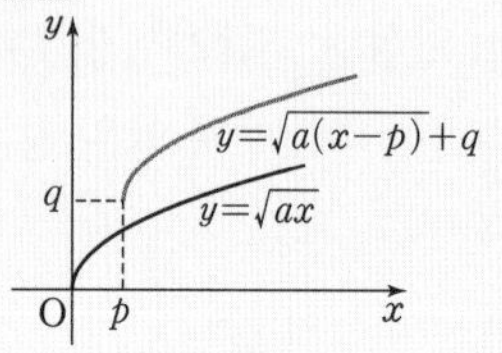

$a<0$

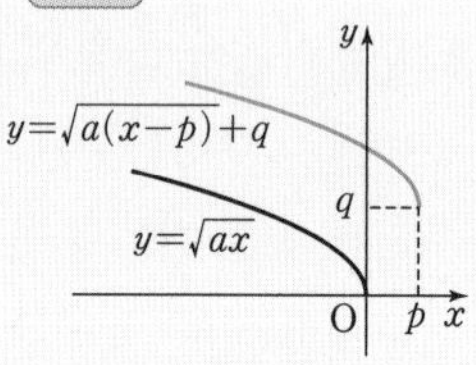

| 무리함수의 그래프 (1) |

331 다음 함수의 그래프를 그리고 정의역과 치역을 구하여라.

(1) $y=\sqrt{2x}$　　(2) $y=\sqrt{-2x}$　　(3) $y=-\sqrt{2x}$　　(4) $y=-\sqrt{-2x}$

풍산자티 근호 밖의 부호와 근호 안 x의 계수의 부호를 따진다.

> 풀이 (1) 근호 밖의 부호: $(+)$
근호 안의 부호: $(+)$ ➡ 위-오른쪽 방향

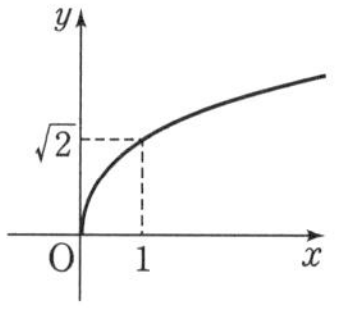

정의역: $\{x|x\geq0\}$
치역: $\{y|y\geq0\}$

(2) 근호 밖의 부호: $(+)$
근호 안의 부호: $(-)$ ➡ 위-왼쪽 방향

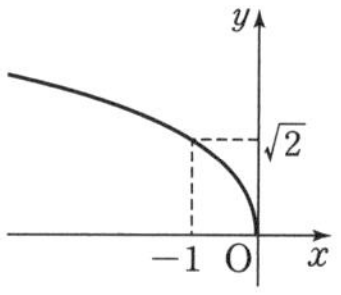

정의역: $\{x|x\leq0\}$
치역: $\{y|y\geq0\}$

(3) 근호 밖의 부호: $(-)$
근호 안의 부호: $(+)$ ➡ 아래-오른쪽 방향

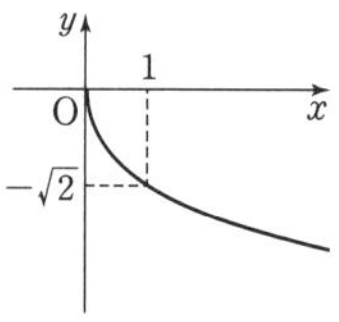

정의역: $\{x|x\geq0\}$
치역: $\{y|y\leq0\}$

(4) 근호 밖의 부호: $(-)$
근호 안의 부호: $(-)$ ➡ 아래-왼쪽 방향

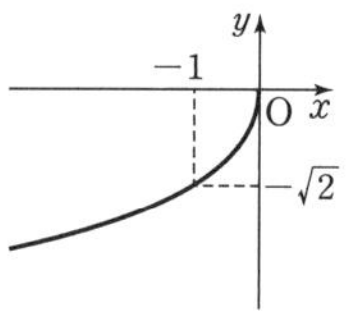

정의역: $\{x|x\leq0\}$
치역: $\{y|y\leq0\}$

정답과 풀이 **33**쪽

유제 332 다음 함수의 그래프를 그리고 정의역과 치역을 구하여라.

(1) $y=\sqrt{3x}$　　(2) $y=\sqrt{-3x}$　　(3) $y=-\sqrt{3x}$　　(4) $y=-\sqrt{-3x}$

02 무리함수의 일반형

$y=\sqrt{ax+b}+c$는 근호 안을 x의 계수로 묶어 $y=\sqrt{a(x-p)}+q$의 꼴로 변형한다.

함수 $y=\sqrt{ax+b}+c$의 그래프

$y=\sqrt{ax+b}+c$는 $y=\sqrt{a\left(x+\frac{b}{a}\right)}+c$로 변형되므로

함수 $y=\sqrt{ax}$의 그래프를 x축의 방향으로 $-\frac{b}{a}$만큼, y축의 방향으로 c만큼 평행이동한 것이다.

| 무리함수의 그래프 (2) |

333 다음 함수의 그래프를 그리고 정의역과 치역을 구하여라.

(1) $y=\sqrt{2x-4}-3$ (2) $y=1-\sqrt{3-x}$

풍산자日 출발점을 찾고, 근호 안과 밖의 부호를 따져 방향을 정하면 끝.

> 풀이

(1) [1단계] $y=\sqrt{2x-4}-3$의 근호 안이 0일 때 $x=2$, $y=-3$이므로 출발점은 점 $(2, -3)$이다.

[2단계] $y=\sqrt{2x-4}-3$의 그래프가 뻗어가는 방향은 $y=\sqrt{2x}$의 그래프가 뻗어가는 방향과 같다. 근호 밖의 부호는 $(+)$, 근호 안의 부호도 $(+)$이므로 위-오른쪽 방향으로 뻗어가는 그래프이다.

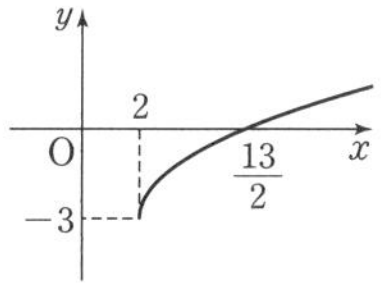

[3단계] 그래프에서 정의역과 치역을 구한다.

정의역: $\{x|x\geq 2\}$, 치역: $\{y|y\geq -3\}$

(2) [1단계] $y=1-\sqrt{3-x}$의 근호 안이 0일 때 $x=3$, $y=1$이므로 출발점은 점 $(3, 1)$이다.

[2단계] $y=1-\sqrt{3-x}$의 그래프가 뻗어가는 방향은 $y=-\sqrt{-x}$의 그래프가 뻗어가는 방향과 같다. 근호 밖의 부호는 $(-)$, 근호 안의 부호도 $(-)$이므로 아래-왼쪽 방향으로 뻗어가는 그래프이다.

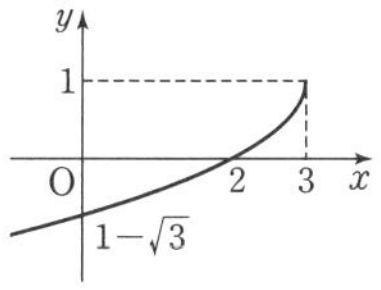

[3단계] 그래프에서 정의역과 치역을 구한다.

정의역: $\{x|x\leq 3\}$, 치역: $\{y|y\leq 1\}$

정답과 풀이 34쪽

유제 **334** 다음 함수의 그래프를 그리고 정의역과 치역을 구하여라.

(1) $y=\sqrt{6-3x}+1$ (2) $y=2-\sqrt{x-1}$

335 함수 $y=\sqrt{8-2x}-2$의 그래프는 함수 $y=\sqrt{-2x}$의 그래프를 x축의 방향으로 a만큼, y축의 방향으로 b만큼 평행이동한 것이다. 이때 $a+b$의 값을 구하여라.

풍산자비 근호 안을 x의 계수로 묶어 $y=\sqrt{a(x-p)}+q$ 의 꼴로 변형한다.

> 풀이 $y=\sqrt{8-2x}-2=\sqrt{-2(x-4)}-2$이므로 이 함수의 그래프는 $y=\sqrt{-2x}$의 그래프를 x축의 방향으로 4만큼, y축의 방향으로 -2만큼 평행이동한 것이다.
따라서 $a=4$, $b=-2$이므로 $a+b=$**2**

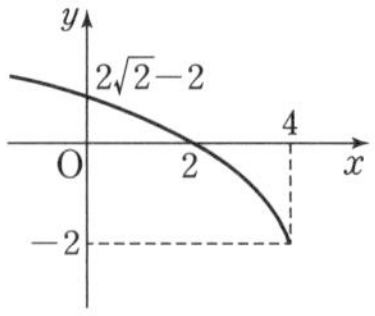

정답과 풀이 34쪽

유제 **336** 함수 $y=\sqrt{3x+12}+1$의 그래프는 함수 $y=\sqrt{3x}$의 그래프를 x축의 방향으로 a만큼, y축의 방향으로 b만큼 평행이동한 것이다. 이때 $a+b$의 값을 구하여라.

337 함수 $y=-\sqrt{-4x+a}+2$의 정의역이 $\{x|x\le1\}$이고, 치역이 $\{y|y\le b\}$일 때, 상수 a, b의 곱 ab의 값을 구하여라.

풍산자비 (1) 무리함수의 정의역: 근호 안이 0 이상인 범위
(2) 무리함수의 치역: $\sqrt{\square}+\triangle\ge0+\triangle$
$-\sqrt{\square}+\triangle\le0+\triangle$

> 풀이 $y=-\sqrt{-4x+a}+2$에서 $y-2=-\sqrt{-4x+a}$이므로
$-4x+a\ge0$, $y-2\le0$ $\quad\therefore\ x\le\frac{a}{4}$, $y\le2$
따라서 정의역은 $\left\{x\,\middle|\,x\le\frac{a}{4}\right\}$이고, 치역은 $\{y|y\le2\}$이므로
$\frac{a}{4}=1$, $b=2$ $\quad\therefore\ a=4$, $b=2$ $\quad\therefore\ ab=8$

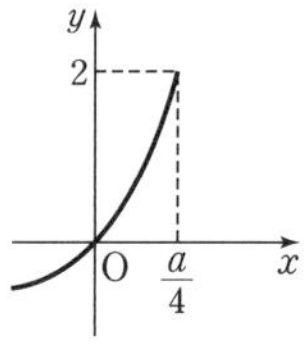

정답과 풀이 34쪽

유제 **338** 함수 $y=\sqrt{-2x+a}+b$의 정의역이 $\{x|x\le1\}$이고, 치역이 $\{y|y\ge3\}$일 때, 상수 a, b의 곱 ab의 값을 구하여라.

339 함수 $y=-\sqrt{ax+b}+c$의 그래프가 그림과 같을 때, 상수 a, b, c의 합 $a+b+c$의 값을 구하여라.

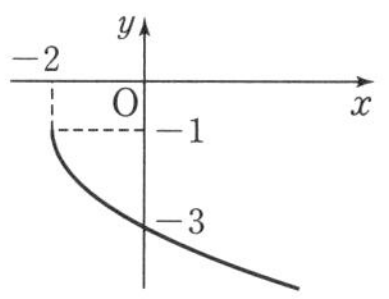

풍산자Tip 출발점이 점 $(-2,\ -1)$이므로 주어진 함수의 식은 $y=-\sqrt{a(x+2)}-1$로 놓을 수 있다. 이 식에 $x=0$, $y=-3$을 대입하면 끝!

> 풀이

주어진 함수의 그래프는 $y=-\sqrt{ax}$의 그래프를 x축의 방향으로 -2만큼, y축의 방향으로 -1만큼 평행이동한 것이므로 함수의 식을

$y=-\sqrt{a(x+2)}-1$ ...... ㉠

로 놓을 수 있다. ㉠의 그래프가 점 $(0,\ -3)$을 지나므로

$-3=-\sqrt{2a}-1$

$\sqrt{2a}=2$, $2a=4$ $\therefore a=2$

$a=2$를 ㉠에 대입하면

$y=-\sqrt{2(x+2)}-1=-\sqrt{2x+4}-1$

따라서 $a=2$, $b=4$, $c=-1$이므로 $a+b+c=$**5**

정답과 풀이 **34**쪽

유제 **340** 함수 $y=\sqrt{ax+b}+c$의 그래프가 그림과 같을 때, 상수 a, b, c의 합 $a+b+c$의 값을 구하여라.

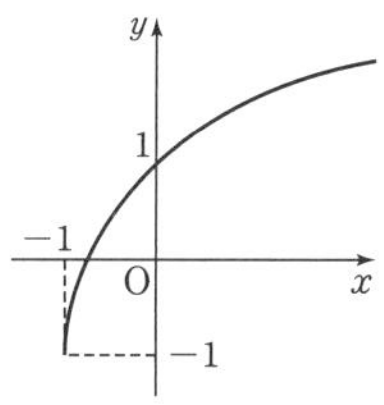

풍산자 비법

- 무리함수 그래프의 출발점은 근호 안의 값이 0이 되는 점이다.
- 무리함수 $y=\bigstar\sqrt{\bigcirc x}$의 그래프의 방향은 ➜
  - ★의 부호가 $(+)$이면 위쪽
  - ★의 부호가 $(-)$이면 아래쪽
  - ○의 부호가 $(+)$이면 오른쪽
  - ○의 부호가 $(-)$이면 왼쪽

03 무리함수의 최대, 최소

최대, 최소 문제는 유리함수에서 배운 것과 마찬가지로 그래프를 그려 구한다. 무리함수의 그래프는 x의 값이 증가할 때, y의 값이 계속 증가하거나 계속 감소하므로 최댓값과 최솟값이 양 끝점에서 발생한다.

| 무리함수의 최대, 최소 (1) |

341 $-1\le x\le 3$에서 함수 $y=3-\sqrt{2x+3}$의 최댓값을 M, 최솟값을 m이라 할 때, Mm의 값을 구하여라.

풍산자TIP 함수의 그래프를 그려 해당하는 부분만 살려 놓는다. 최댓값은 최대 높이, 최솟값은 최소 높이!

> 풀이 함수 $y=3-\sqrt{2x+3}$의 그래프는 근호 안이 0일 때의 점 $\left(-\frac{3}{2},\ 3\right)$을 출발해 $y=-\sqrt{2x}$의 그래프와 같은 아래-오른쪽 방향으로 뻗어가는 그래프이다.

$-1\le x\le 3$인 부분만 살려 놓으면 오른쪽 그림과 같다.

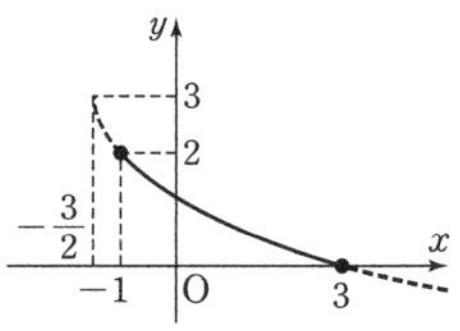

따라서 주어진 함수는 $x=-1$일 때 최댓값 2, $x=3$일 때 최솟값 0을 가지므로

$M=2,\ m=0\quad\therefore\ Mm=\mathbf{0}$

정답과 풀이 **34**쪽

유제 **342** $-3\le x\le 1$에서 함수 $y=5-\sqrt{3-2x}$의 최댓값을 M, 최솟값을 m이라 할 때, Mm의 값을 구하여라.

| 무리함수의 최대, 최소 (2) |

343 $2\le x\le a$에서 함수 $y=\sqrt{2x-3}+b$의 최댓값이 12, 최솟값이 10일 때, 상수 a, b의 값을 구하여라.

풍산자TIP 숫자 대신 미지수가 주어져도 똑같다. 함수의 그래프를 그려 해당하는 부분만 살려 놓고 본다.

> 풀이 함수 $y=\sqrt{2x-3}+b$의 그래프는 근호 안이 0일 때의 점 $\left(\frac{3}{2},\ b\right)$를 출발해 $y=\sqrt{2x}$의 그래프와 같은 위-오른쪽 방향으로 뻗어가는 그래프이다. 따라서 주어진 함수는 $x=a$에서 최댓값, $x=2$에서 최솟값을 갖는다.

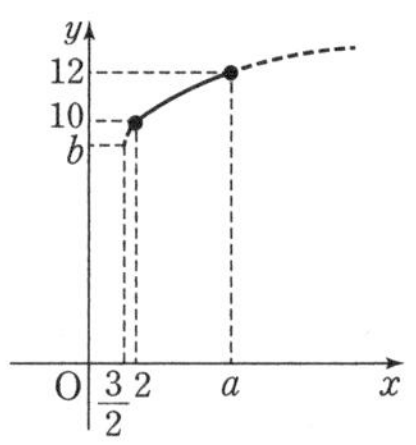

최댓값이 12, 최솟값이 10이므로

$12=\sqrt{2a-3}+b,\ 10=\sqrt{4-3}+b\quad\therefore\ \mathbf{a=6,\ b=9}$

정답과 풀이 **35**쪽

유제 **344** $-1\le x\le 2$에서 함수 $y=3-\sqrt{a-x}$의 최댓값이 b, 최솟값이 1일 때, 상수 a, b의 값을 구하여라.

04 무리함수의 역함수

무리함수의 역함수를 구할 때는 정의역과 치역에 주의한다.

무리함수의 역함수 구하기

[1단계] 주어진 함수의 정의역과 치역을 구한다.

[2단계] 역함수를 구하려면 x와 y를 바꾼 후 $y=☆$의 꼴로 정리한다.

[3단계] x와 y를 바꿀 때 정의역과 치역도 바꾸어 준다.

| 무리함수의 역함수 구하기 |

345 다음 함수의 역함수를 구하여라.

(1) $y=\sqrt{x+3}$

(2) $y=2-\sqrt{3-x}$

풍산자답 정의역과 치역을 먼저 구하고, x와 y를 서로 바꿀 때 정의역과 치역도 바꾸어 준다.

> 풀이

(1) [1단계] 정의역과 치역을 구한다.

$y=\sqrt{x+3}$의 근호 안은 0 이상이어야 하므로 $x\geq-3$

또 $\sqrt{x+3}\geq0$이므로 $y\geq0$

$\therefore y=\sqrt{x+3}\ (x\geq-3,\ y\geq0)$

[2단계] x와 y를 바꾸면 $x=\sqrt{y+3}\ (y\geq-3,\ x\geq0)$

[3단계] $y=☆$의 꼴로 정리하면 $\sqrt{y+3}=x$에서 $y+3=x^2$

$\therefore y=x^2-3\ (x\geq0)$

(2) [1단계] 정의역과 치역을 구한다.

$y=2-\sqrt{3-x}$의 근호 안은 0 이상이어야 하므로 $3-x\geq0$, 즉 $x\leq3$

또 $\sqrt{3-x}\geq0$이므로 $y\leq2$

$\therefore y=2-\sqrt{3-x}\ \ (x\leq3,\ y\leq2)$

[2단계] x와 y를 바꾸면

$x=2-\sqrt{3-y}\ \ (y\leq3,\ x\leq2)$

[3단계] $y=☆$의 꼴로 정리하면

$\sqrt{3-y}=2-x$에서 $3-y=(2-x)^2$

$\therefore y=-(x-2)^2+3\ \ (x\leq2)$

정답과 풀이 35쪽

유제 **346** 다음 함수의 역함수를 구하여라.

(1) $y=\sqrt{6-2x}$

(2) $y=3-\sqrt{2x-1}$

347 **함수 $y=\sqrt{x-1}+2$의 역함수가 $y=x^2+ax+b\ (x\ge c)$일 때, 상수 a, b, c의 값을 구하여라.**

풍산자日 무리함수의 역함수를 구할 때는 먼저 정의역과 치역을 구해 놓고 본다. x와 y를 바꿀 때 정의역과 치역도 바꾸어야 한다.

> 풀이 [1단계] $y-2=\sqrt{x-1}$이므로 $x-1\ge0$, $y-2\ge0$ $\quad\therefore x\ge1$, $y\ge2$

$\therefore y-2=\sqrt{x-1}\ (x\ge1,\ y\ge2)$ …… ㉠

[2단계] ㉠에서 x와 y를 바꾸면

$x-2=\sqrt{y-1}\ (y\ge1,\ x\ge2)$

양변을 제곱하면

$(x-2)^2=y-1$

$\therefore y=x^2-4x+5\ (x\ge2)$

$\therefore$ $\boldsymbol{a=-4,\ b=5,\ c=2}$

정답과 풀이 **35**쪽

유제 **348** **함수 $y=\sqrt{x+2}-1$의 역함수가 $y=x^2+ax+b\ (x\ge c)$일 때, 상수 a, b, c의 값을 구하여라.**

349 **함수 $y=\sqrt{a-x}$의 역함수의 그래프가 점 $(3,\ 4)$를 지날 때, 상수 a의 값을 구하여라.**

풍산자日 역함수의 그래프가 점 $(3,\ 4)$를 지난다? 역함수를 구해야 할까?

그럴 필요 없다! 다음 성질을 이용하면 된다.

'함수의 그래프가 점 $(a,\ b)$를 지나면 그 역함수의 그래프는 점 $(b,\ a)$를 지난다.'

> 풀이 역함수의 그래프가 점 $(3,\ 4)$를 지나므로 주어진 함수의 그래프는 점 $(4,\ 3)$을 지난다.

$x=4$, $y=3$을 $y=\sqrt{a-x}$에 대입하면

$3=\sqrt{a-4}$, $9=a-4$

$\therefore$ $\boldsymbol{a=13}$

정답과 풀이 **35**쪽

유제 **350** **함수 $y=\sqrt{x+a}$의 역함수의 그래프가 점 $(2,\ 1)$을 지날 때, 상수 a의 값을 구하여라.**

351 함수 $f(x)=\sqrt{x+2}$와 그 역함수 $y=g(x)$의 그래프의 교점의 좌표가 (a, b)일 때, $a+b$의 값을 구하여라.

풍산자曰 함수와 그 역함수의 그래프의 교점을 구하라? 역함수를 구해야 할까?
그럴 필요 없다! 다음 성질을 이용하면 된다.
'함수와 그 역함수의 그래프의 교점은 함수의 그래프와 직선 $y=x$의 교점과 같다.'

> 풀이 주어진 두 함수의 그래프의 교점은 함수 $y=\sqrt{x+2}$의 그래프와 직선 $y=x$의 교점과 같다.

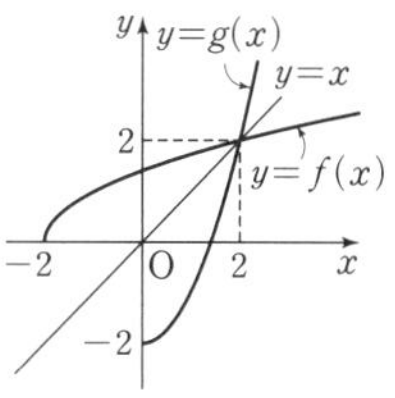

$\sqrt{x+2}=x$의 양변을 제곱하면 $x+2=x^2$
$x^2-x-2=0$, $(x+1)(x-2)=0$
주어진 함수 $y=\sqrt{x+2}$에서 $y\geq0$이므로
역함수의 정의역은 $\{x|x\geq0\}$ $\quad\therefore x=2$
따라서 교점의 좌표가 $(2, 2)$이므로 $a=2$, $b=2$
$\therefore a+b=\mathbf{4}$

정답과 풀이 35쪽

유제 **352** 함수 $f(x)=\sqrt{2x+3}$과 그 역함수 $y=g(x)$의 그래프의 교점의 좌표가 (a, b)일 때, $a+b$의 값을 구하여라.

353 두 함수 $f(x)=\sqrt{x-1}+4$, $g(x)=\sqrt{2x+1}$에 대하여 $(f^{-1}\circ g)^{-1}(2)$의 값을 구하여라.

풍산자曰 일단 역함수의 성질을 이용하여 주어진 식을 간단히 한다. 결국 역함수의 함숫값을 구하는 문제로 변신한다.

> 풀이 [1단계] $(f^{-1}\circ g)^{-1}(2)=(g^{-1}\circ f)(2)$
$=g^{-1}(f(2))$
$=g^{-1}(5)$ ⬅ $f(2)=\sqrt{2-1}+4=5$

[2단계] $g^{-1}(5)=k$로 놓으면 $g(k)=5$이므로 $\sqrt{2k+1}=5$
$2k+1=25$, $2k=24$ $\quad\therefore k=12$
$\therefore (f^{-1}\circ g)^{-1}(2)=g^{-1}(5)=\mathbf{12}$

정답과 풀이 35쪽

유제 **354** 두 함수 $f(x)=\sqrt{x+1}$, $g(x)=\sqrt{2x-1}$에 대하여 $(f^{-1}\circ g)^{-1}(3)$의 값을 구하여라.

05 무리함수의 그래프와 직선의 위치 관계

무리함수의 그래프와 직선의 위치 관계는 그래프를 그려 조건에 맞는 범위를 구한다.

| 무리함수의 그래프와 직선의 위치 관계 |

355 **함수 $y=\sqrt{x+3}$의 그래프와 직선 $y=x+k$의 위치 관계가 다음과 같을 때, 실수 k의 값 또는 범위를 구하여라.**

(1) 서로 다른 두 점에서 만난다. (2) 한 점에서 만난다. (3) 만나지 않는다.

풍산자曰 주어진 무리함수의 그래프를 좌표평면 위에 그려 놓고 직선을 위, 아래로 평행이동하며 조건에 맞는 상황을 포착한다. 이때 교점의 개수가 변하는 순간이 중요하다.

> 풀이 $y=\sqrt{x+3}$의 그래프와 직선의 교점의 개수가 바뀔 때는 그림에서 직선이 l 또는 m일 때이다.

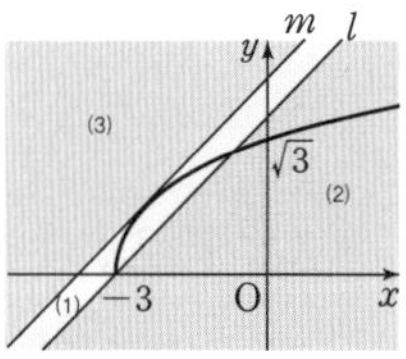

(i) l은 직선 $y=x+k$가 점 $(-3,\ 0)$을 지날 때이므로

$0=-3+k \quad \therefore k=3$

(ii) m은 $y=\sqrt{x+3}$의 그래프와 직선 $y=x+k$가 접할 때이므로

$\sqrt{x+3}=x+k$의 양변을 제곱하면 $x+3=x^2+2kx+k^2$

$\therefore x^2+(2k-1)x+k^2-3=0$

이 이차방정식의 판별식을 D라 하면 $D=(2k-1)^2-4(k^2-3)=0$

$-4k+13=0 \quad \therefore k=\frac{13}{4}$

(1) 서로 다른 두 점에서 만날 때는 l일 때부터 m의 아래쪽일 때까지이므로

$\mathbf{3\le k<\frac{13}{4}}$

(2) 한 점에서 만날 때는 l의 아래쪽 또는 m일 때이므로

$\mathbf{k<3}$ **또는** $\mathbf{k=\frac{13}{4}}$

(3) 만나지 않을 때는 m의 위쪽일 때이므로

$\mathbf{k>\frac{13}{4}}$

정답과 풀이 35쪽

유제 **356** **함수 $y=\sqrt{x+1}$의 그래프와 직선 $y=x+k$의 위치 관계가 다음과 같을 때, 실수 k의 값 또는 범위를 구하여라.**

(1) 서로 다른 두 점에서 만난다. (2) 한 점에서 만난다. (3) 만나지 않는다.

풍산자 비법

무리함수의 그래프, 역함수의 성질, 방정식의 해법 등을 적절히 활용해야 문제를 풀 수 있다.

필수 확인 문제

* 더 많은 유형은 **풍산자필수유형 수학(하)** 066쪽

정답과 풀이 36쪽

357

함수 $y=\sqrt{-2x+4}-1$의 그래프가 지나지 <u>않는</u> 사분면은?

① 제1사분면과 제2사분면

② 제1사분면과 제3사분면

③ 제2사분면과 제4사분면

④ 제3사분면

⑤ 제4사분면

358

함수 $y=2-\sqrt{2x-5}$ 의 그래프는 함수 $y=-\sqrt{2x}$ 의 그래프를 x축의 방향으로 m만큼, y축의 방향으로 n만큼 평행이동한 것이다. 이때 mn의 값을 구하여라.

359

함수 $y=\sqrt{ax+b}+c$의 그래프가 그림과 같을 때, 상수 a, b, c의 합 $a+b+c$의 값을 구하여라.

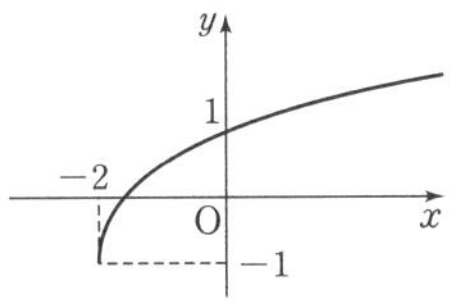

360

두 함수 $f(x)=\frac{x}{x-1}$, $g(x)=\sqrt{2x-3}$에 대하여 $(g\circ f^{-1})^{-1}(2)$의 값을 구하여라.

361

함수 $y=\sqrt{x-1}+1$의 역함수를 $y=ax^2+bx+c\ (x\geq d)$라 할 때, 상수 a, b, c, d의 합 $a+b+c+d$의 값을 구하여라.

362

함수 $f(x)=\sqrt{x+6}$과 그 역함수 $y=f^{-1}(x)$의 그래프의 교점의 좌표를 $(a,\ b)$라 할 때, $a+b$의 값을 구하여라.

중단원 마무리

▶ 무리식

무리식	$\sqrt{a^2}=\lvert a\rvert$의 계산 : $a\geq 0$일 때와 $a<0$일 때로 나누어 생각한다. $\sqrt{a^2}=\lvert a\rvert=\begin{cases} a & (a\geq 0\text{일 때}) \\ -a & (a<0\text{일 때}) \end{cases}$
분모의 유리화	① $\dfrac{1}{\sqrt{a}}=\dfrac{\sqrt{a}}{\sqrt{a}\sqrt{a}}=\dfrac{\sqrt{a}}{a}$ ② $\dfrac{1}{\sqrt{a}-\sqrt{b}}=\dfrac{\sqrt{a}+\sqrt{b}}{(\sqrt{a}-\sqrt{b})(\sqrt{a}+\sqrt{b})}=\dfrac{\sqrt{a}+\sqrt{b}}{a-b}$ ③ $\dfrac{1}{\sqrt{a}+\sqrt{b}}=\dfrac{\sqrt{a}-\sqrt{b}}{(\sqrt{a}+\sqrt{b})(\sqrt{a}-\sqrt{b})}=\dfrac{\sqrt{a}-\sqrt{b}}{a-b}$

▶ 무리함수

무리함수	함수 $y=f(x)$에서 $f(x)$가 x에 대한 무리식인 함수
무리함수 $y=\sqrt{a(x-p)}+q$ 의 그래프	① 함수 $y=\sqrt{ax}\,(a\neq 0)$의 그래프를 x축의 방향으로 p만큼, y축의 방향으로 q만큼 평행이동한 것이다. ② $a>0$일 때, 정의역은 $\{x\mid x\geq p\}$, 치역은 $\{y\mid y\geq q\}$이다. $a<0$일 때, 정의역은 $\{x\mid x\leq p\}$, 치역은 $\{y\mid y\geq q\}$이다.
무리함수 $y=\sqrt{ax+b}+c$ 의 그래프	① $y=\sqrt{ax+b}+c$는 $y=\sqrt{a\left(x+\dfrac{b}{a}\right)}+c$로 변형한다. ② 함수 $y=\sqrt{ax}$의 그래프를 x축의 방향으로 $-\dfrac{b}{a}$만큼, y축의 방향으로 c만큼 평행이동한 것이다. ③ 역함수: 무리함수의 역함수의 그래프는 이차함수의 반쪽이다.

▶ 무리함수의 최대, 최소

최대, 최소	[1단계] 그래프를 그린다. [2단계] 그래프를 주어진 범위만큼 살려 놓는다. [3단계] 살려 놓은 부분을 보고 최댓값, 최솟값을 구한다.

실전 연습문제

정답과 풀이 36쪽

STEP 1

363

$x=2+\sqrt{3}$, $y=2-\sqrt{3}$일 때, $2x^2+3xy+2y^2$의 값을 구하여라.

364

이차함수 $y=ax^2+bx+c$의 그래프가 그림과 같을 때, 무리함수 $f(x)=\sqrt{ax+b}+c$의 그래프의 개형으로 옳은 것은?

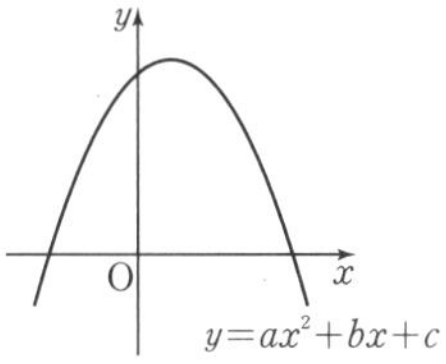

①

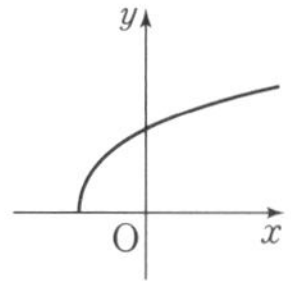

②

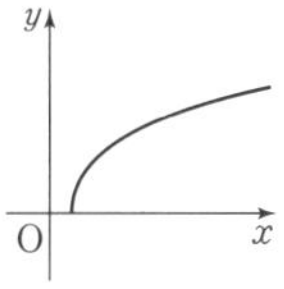

③

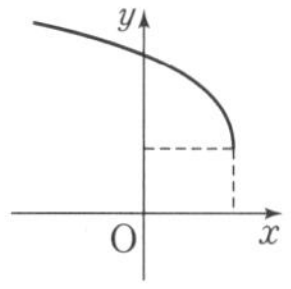

④

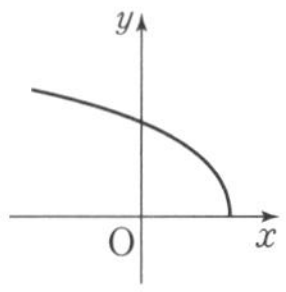

⑤

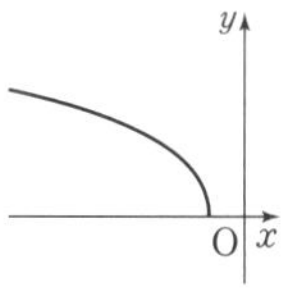

365

자연수 n에 대하여 직선 $x=n$이 무리함수 $f(x)=\sqrt{2x+2}+3$의 그래프와 만나는 점을 A_n, x축과 만나는 점을 B_n이라 하자. 삼각형 $\mathrm{OA_7B_7}$의 넓이를 구하여라. (단, O는 원점이다.)

366

좌표평면에서 곡선 $y=\sqrt{x+4}+1$이 두 직선 $x=0$, $y=-\frac{1}{4}x$와 만나는 점을 각각 A, B라 할 때, 삼각형 OAB의 넓이는? (단, O는 원점이다.)

① 6 ② 7 ③ 8 ④ 9 ⑤ 10

367

두 함수 $f(x)=\frac{x-1}{x}$, $g(x)=\sqrt{2x-1}$에 대하여 $(f\circ(g\circ f)^{-1}\circ f)(2)$의 값은?

① -1 ② 0 ③ $\frac{1}{4}$ ④ $\frac{5}{8}$ ⑤ $\frac{7}{8}$

368

$3\le x\le 5$에서 정의된 두 함수 $y=\frac{-2x+4}{x-1}$와 $y=\sqrt{3x}+k$의 그래프가 한 점에서 만나도록 하는 실수 k의 최댓값을 M이라 할 때, M^2의 값을 구하여라.

STEP 2

369

정의역이 집합 $\{x|x\geq 0\}$의 부분집합인 함수 $y=\sqrt{ax+b}+c\ (a>0)$의 치역이 $\{y|y\geq 2\}$가 되도록 하는 상수 a, b, c에 대하여 $b-3c^2$의 최댓값을 구하여라.

370

함수 $y=\sqrt{x}$의 그래프 위의 점 $\mathrm{P}(x, y)$가 원점 O와 점 $\mathrm{A}(4, 2)$ 사이를 움직인다고 할 때, 삼각형 OAP의 넓이의 최댓값은?

① 1　② 2　③ 3　④ 4　⑤ 5

371

곡선 $y=\sqrt{x+|x|}$가 직선 $y=x+k$와 서로 다른 세 점에서 만나도록 하는 실수 k의 값의 범위는?

① $-\frac{1}{2}\leq k<0$　② $-\frac{1}{2}<k<0$　③ $0<k\leq\frac{1}{2}$　④ $0<k<\frac{1}{2}$　⑤ $-\frac{1}{2}<k<\frac{1}{2}$

372

두 함수 $f(x)=\frac{1}{5}x^2+\frac{1}{5}k(x\geq 0)$, $y=g(x)=\sqrt{5x-k}$에 대하여 $y=f(x)$, $y=g(x)$의 그래프가 서로 다른 두 점에서 만나도록 하는 모든 정수 k의 개수는?

① 5　② 7　③ 9　④ 11　⑤ 13

373

함수 $f(x)=\begin{cases}\sqrt{x} & (x\geq 0)\\ x^2 & (x<0)\end{cases}$의 그래프와 직선 $x+3y-10=0$이 두 점 $\mathrm{A}(-2, 4)$, $\mathrm{B}(4, 2)$에서 만난다.

그림과 같이 주어진 함수 $f(x)$의 그래프와 직선으로 둘러싸인 부분의 넓이를 구하여라. (단, O는 원점이다.)

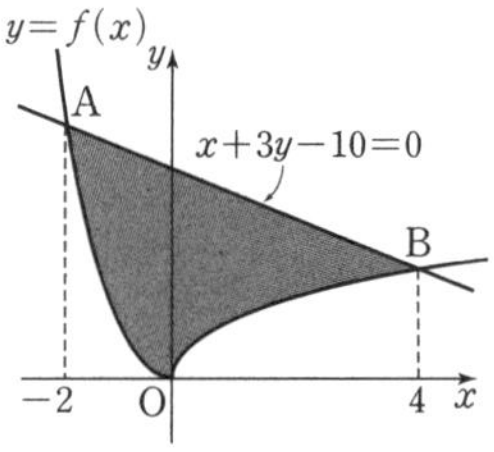

Ⅵ

경우의 수

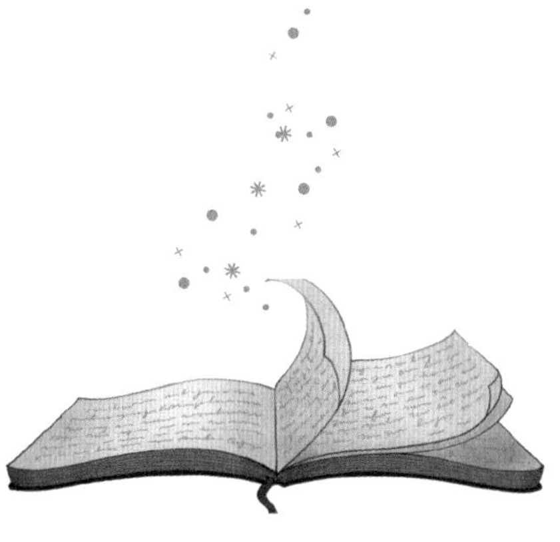

선택해야 할 때,
모든 상황을 다 따졌을까?

다항식에서 시작해 방정식과 부등식을 지나
집합과 함수까지 모두 마쳤다.
마지막으로 경우의 수를 배운다.
경우의 수는 쉽다. – 다른 단원과 연관성이 없으니까.
경우의 수는 어렵다. – 문장제 문제니까.

경우의 수는 일어날 수 있는 사건이
몇 개나 되는지 세어 보는 단원이다.
살아가면서 수많은 선택의 기회가 주어진다.
바른 선택을 위해서는 먼저
어떤 선택지가 있는지 잘 따져 보아야 한다.
지금부터 배울 경우의 수가 그 선택에 도움이 될 것이다.

1 경우의 수

경우의 수에서 가장 중요한 것은
빠짐없이,
그리고 중복되지 않게.

1 경우의 수

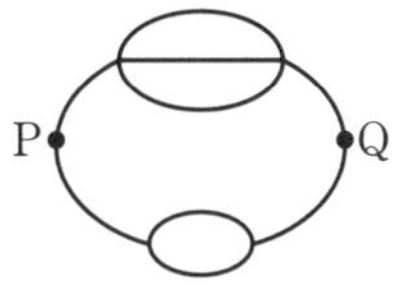

2 순열

$_nP_r$

3 조합

$_nC_r$

1 경우의 수

01 경우의 수

이 단원에서는 확률과 통계의 기본이 되는 경우의 수를 구하는 방법에 대해 배운다.
경우의 수의 특징은 다른 단원과 연관성이 없는 문장제 문제라는 것.
문장제 문제란 수학적 언어, 즉 식이나 기호가 아닌 일반적인 문장으로 서술된 문제를 말한다.
이러한 문장제 문제를 풀 때 많은 벗들이 문장의 분석이나 공식에 너무 집착한다.
그러나 정말 중요한 것은 빠짐없이 중복되지 않게 나열하는 것이다.

大원칙 | 경우의 수 문제 ➡ 추상적으로만 생각하지 말고 구체적인 경우를 나열해 본다.

경우의 수를 구하는 방법

(1) 모든 경우를 나열해 가짓수를 센다.
(2) 수형도(나뭇가지 그림)를 이용해 가짓수를 센다.
(3) 낯선 문제를 익숙한 문제로 변형해 가짓수를 센다.

수형도란 나뭇가지 모양의 그림을 말한다.
모든 경우를 나열하기가 불가능하거나 헷갈릴 때 강력한 도구가 된다.
아래 문제를 통해 수형도에 대하여 간단히 배우고 넘어가도록 하자.

| 개념확인 | A, B, C 세 사람이 가위바위보를 할 때, 일어날 수 있는 모든 경우의 수를 구하여라.

> **풀이** 그냥 생각해도 되지만 수형도를 그려 보면 더욱 명쾌하다.
A가 가위일 때, B는 가위, 바위, 보가 가능하다.
B가 가위일 때, C는 가위, 바위, 보가 가능하다.
이때 수형도의 가로선들이 실제의 경우가 된다.
즉, (A, B, C)=(가위, 가위, 가위), (가위, 가위, 바위), …
따라서 구하는 경우의 수는
$3\times3\times3=\mathbf{27}$

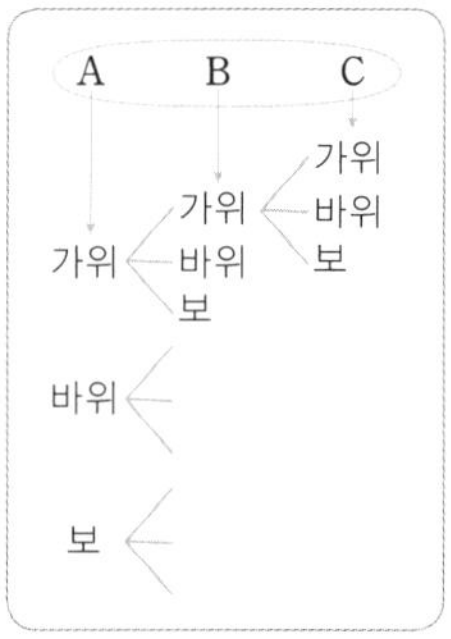

374 4장의 카드 [1], [1], [2], [3]에서 3장을 골라 일렬로 배열할 때, 만들 수 있는 세 자리 정수의 개수를 구하여라.

풍산자비 여러 개 중에서 선택하는 경우는 수형도를 그려 보면 쉽게 알 수 있다.

> 풀이 [1]이 두 장임을 명심하며 수형도를 그려 보면 다음과 같다.

(ⅰ) 1로 시작하는 정수

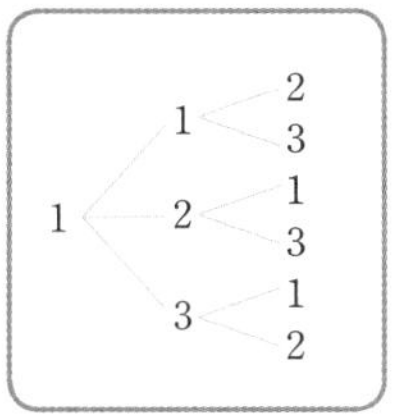

(ⅱ) 2로 시작하는 정수

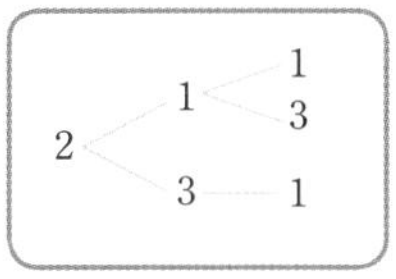

(ⅲ) 3으로 시작하는 정수

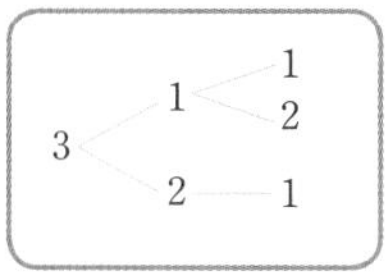

이상에서 구하는 정수의 개수는 $6+3+3=\mathbf{12}$

정답과 풀이 **39쪽**

유제 **375** 4장의 카드 [1], [2], [3], [4]를 일렬로 배열하여 네 자리의 정수 $a_1a_2a_3a_4$를 만들 때, $a_1\neq1$, $a_3=4$를 만족시키는 정수의 개수를 구하여라.

376 학생 A, B, C가 시험지를 채점할 때 자신의 것을 채점하지 않는 경우의 수를 구하여라.

풍산자비 조건에 맞게 일일이 나열해 본다.

> 풀이 가능한 경우를 그림과 같이 수형도로 그리면서 살펴본다.
A가 B의 시험지를 채점하면 B는 C의 시험지를, C는 A의 시험지를 채점해야 한다.
A가 C의 시험지를 채점하면 B는 A의 시험지를, C는 B의 시험지를 채점해야 한다.
따라서 구하는 경우의 수는 **2**

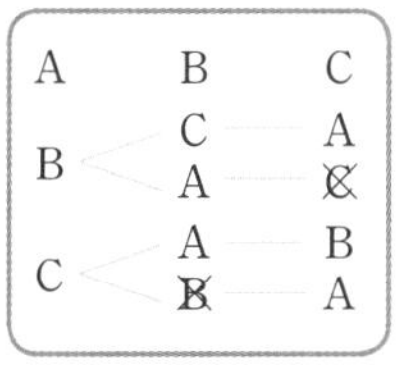

정답과 풀이 **39쪽**

유제 **377** 3명의 학생이 각자 자신의 모자를 가져와 한 개씩 쓰려고 할 때, 모든 사람이 다른 사람의 모자를 쓰는 경우의 수를 구하여라.

풍산자 비법

경우의 수 문제 풀이의 시작은 구체적인 경우를 나열해 보거나 수형도를 그려 보는 것이다.

02 합의 법칙과 곱의 법칙

경우의 수 문제를 풀다 보면 두 경우의 수를 더해야 할지 곱해야 할지 헷갈릴 때가 무척 많다. 합의 법칙과 곱의 법칙은 언제 더하고 언제 곱하는지에 대하여 정리한 것이다.

(1) **합의 법칙**

두 사건 A, B가 동시에 일어나지 않을 때, 사건 A, B가 일어나는 경우의 수가 각각 m, n이면, **사건 A 또는 사건 B가 일어나는 경우의 수는 $m+n$**이다.

(2) **곱의 법칙**

사건 A가 일어나는 경우의 수가 m이고, 그 각각에 대하여 사건 B가 일어나는 경우의 수가 n이면, **두 사건 A, B가 동시에 일어나는 경우의 수는 $m\times n$**이다.

| 개념확인 | 다음 그림에서 P에서 Q로 가는 방법의 수를 구하여라.

(1)

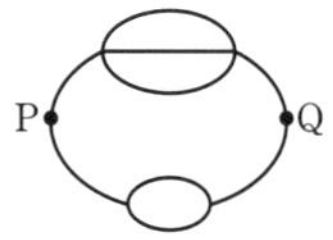

(2)

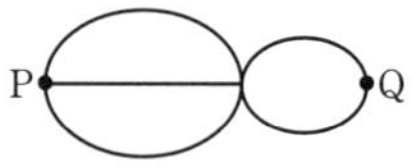

› 풀이 각각의 경우에서 P에서 Q로 가는 방법의 수를 구하려면 3과 2를 더해야 할까? 곱해야 할까?

(1) 더해야 한다. 왜냐? 위쪽 또는 아래쪽 길이 있고 두 길을 동시에 통과하지는 않으니까.

P → 위쪽 길 3가지 → Q

P → 아래쪽 길 2가지 → Q

따라서 P에서 Q로 가는 방법의 수는 $3+2=\mathbf{5}$

(2) 곱해야 한다. 왜냐? 앞쪽의 3가지 길 각각에 대하여 뒤쪽의 2가지 갈림길이 있으니까.

P → 앞쪽 길 3가지 → 뒤쪽 길 2가지 → Q

따라서 P에서 Q로 가는 방법의 수는 $3\times 2=\mathbf{6}$

大 원칙

어떤 경우를 선택했을 때, 다른 경우를 포기해야 하면 합한다.
어떤 경우를 선택했을 때, 다른 경우를 선택해야 하면 곱한다.
또한 경우를 분석했을 때 '잇달아, 동시에, 그리고, 연이어, 각각에 대하여'일 경우에는 곱한다.

| 설명 | 개념확인을 살펴보자.

(1)

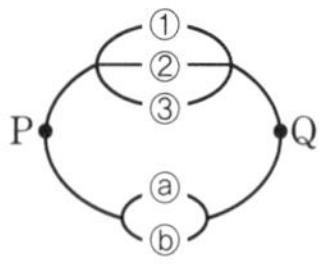

(2)

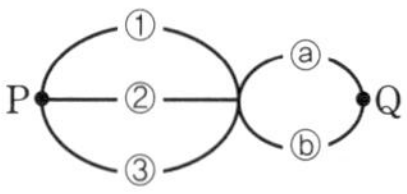

(1)의 상황에서는 P에서 Q로 가기 위하여 ①, ②, ③ 중의 하나를 선택하면 ⓐ, ⓑ는 선택할 수 없으므로 경우의 수를 더한다.

(2)의 상황에서는 P에서 Q로 가기 위하여 ①, ②, ③ 중의 하나를 선택하면 ⓐ, ⓑ 중에 하나를 선택해야 하므로 경우의 수를 곱한다.

378 **애완동물을 좋아하는 민지가 3마리의 개와 4마리의 고양이를 기르고 있다. 어느 날 민지가 여행을 가려고 할 때, 다음과 같이 데려갈 동물을 선택하는 경우의 수를 구하여라.**

(1) 개 또는 고양이 중에서 한 마리를 선택하는 경우

(2) 개와 고양이를 각각 한 마리씩 선택하는 경우

풍산자日 언제 더하고 언제 곱하는가? 어떤 경우를 선택했을 때 다른 경우를 포기해야 하면 합하고, 다른 경우를 선택해야 하면 곱한다.

> **풀이** (1) 합의 법칙에 의해 구하는 경우의 수는 $3+4=\mathbf{7}$
> (2) 곱의 법칙에 의해 구하는 경우의 수는 $3\times4=\mathbf{12}$

정답과 풀이 **39**쪽

유제 **379** **커피 5종류와 전통차 3종류가 있는 자동판매기가 있다. 이 자동판매기에서 다음과 같이 선택하는 경우의 수를 구하여라.**

(1) 커피 또는 전통차 중에서 한 잔을 선택하는 경우

(2) 커피와 전통차를 각각 한 잔씩 선택하는 경우

380 **집과 학교 사이에 그림과 같은 도로망이 있다. 집에서 학교로 가는 방법의 수를 구하여라.**
(단, 같은 지점을 두 번 지나지 않는다.)

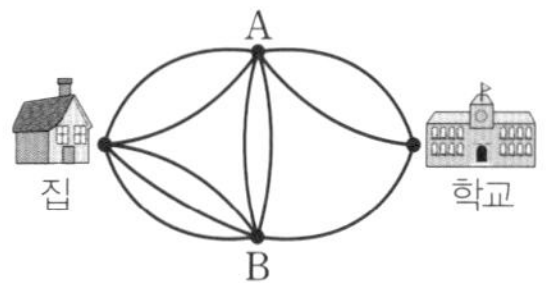

풍산자日 동시에 갈 수 있으면 곱의 법칙을, 동시에 갈 수 없으면 합의 법칙을 이용한다.

> **풀이** 곱의 법칙에 의해 집에서 학교로 가는 방법의 수는
> (집 → A → 학교) ➡ $2\times2=4$
> (집 → B → 학교) ➡ $3\times1=3$
> (집 → A → B → 학교) ➡ $2\times2\times1=4$
> (집 → B → A → 학교) ➡ $3\times2\times2=12$
> 따라서 합의 법칙에 의해 구하는 방법의 수는
> $4+3+4+12=\mathbf{23}$

정답과 풀이 **39**쪽

유제 **381** **네 개의 도시 A, B, C, D 사이에 그림과 같은 도로망이 있다. A도시에서 C도시로 가는 방법의 수를 구하여라.**
(단, 같은 지점을 두 번 지나지 않는다.)

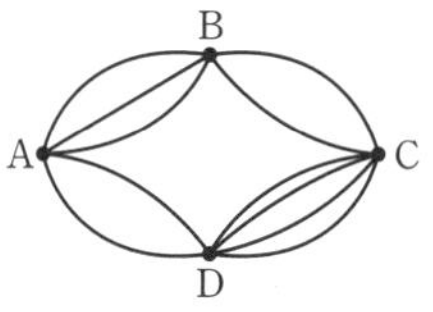

382 **두 종류의 주사위 A, B를 동시에 던질 때, 나오는 눈의 수의 합이 5의 배수가 되는 경우의 수를 구하여라.**

풍산자日 구체적인 경우를 나열해 본다.

> 풀이 주사위의 눈의 수는 1, 2, 3, …, 6이므로 눈의 수의 합은 2, 3, 4, …, 12이다.
여기서 5의 배수는 5 또는 10이다.
(ⅰ) 눈의 수의 합이 5인 경우
(1, 4), (2, 3), (3, 2), (4, 1)로 4가지
(ⅱ) 눈의 수의 합이 10인 경우
(4, 6), (5, 5), (6, 4)로 3가지
합의 법칙에 의해 구하는 경우의 수는 $4+3=$**7**

+	1	2	3	4	5	6
1	2	3	4	5	6	7
2	3	4	5	6	7	8
3	4	5	6	7	8	9
4	5	6	7	8	9	10
5	6	7	8	9	10	11
6	7	8	9	10	11	12

정답과 풀이 39쪽

유제 **383** **서로 다른 두 개의 주사위를 동시에 던질 때, 나오는 눈의 수의 합이 4의 배수가 되는 경우의 수를 구하여라.**

384 **10원, 20원, 50원짜리 3종류의 우표가 있다. 각 우표를 적어도 1장씩은 살 때, 3종류의 우표를 합하여 150원어치를 사는 방법의 수를 구하여라. (단, 각 우표는 충분히 많다.)**

풍산자日 주어진 조건을 이용하여 부정방정식 $ax+by+cz=d$를 세운 후, 계수가 가장 큰 문자에 1, 2, 3, …을 대입한다.

> 풀이 사야 하는 10원, 20원, 50원짜리 우표의 수를 각각 x장, y장, z장이라 하면
$10x+20y+50z=150$
$\therefore x+2y+5z=15$
그런데 각 우표를 적어도 1장씩은 사야 하므로 $x\geq1$, $y\geq1$, $z\geq1$이다.
이 문제는 이제 자연수 조건의 부정방정식 문제로 변신했다.
(ⅰ) $z=1$일 때, $x+2y=10$
$\therefore (x, y)=(2, 4), (4, 3), (6, 2), (8, 1)$
(ⅱ) $z=2$일 때, $x+2y=5$
$\therefore (x, y)=(1, 2), (3, 1)$
합의 법칙에 의해 구하는 방법의 수는 $4+2=$**6**

정답과 풀이 39쪽

유제 **385** **10원, 50원, 100원짜리 3종류의 우표가 있다. 각 우표를 적어도 1장씩은 살 때, 3종류의 우표를 합하여 400원어치를 사는 방법의 수를 구하여라. (단, 각 우표는 충분히 많다.)**

386 다항식 $(a+b)(x+y+z)$를 전개할 때 생기는 항의 개수를 구하여라.

풍산자日 경우를 분석하여 '각각에 대하여'일 때에는 곱한다.
'수형도'를 이용하면 곱하는 상황을 명쾌하게 포착할 수 있다.

> 풀이 a, b 각각에 대하여 x, y, z를 곱한다.
따라서 구하는 항의 개수는
$2\times3=\mathbf{6}$

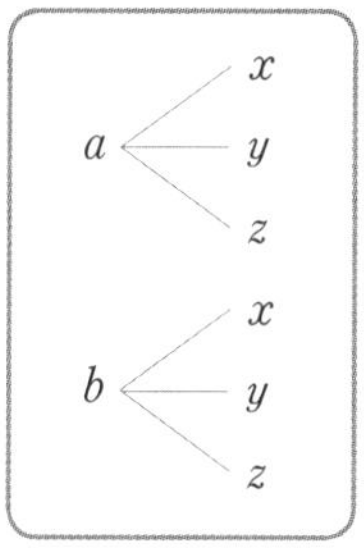

정답과 풀이 **39**쪽

유제 **387** 다항식 $(a+b)(c+d+e)(f+g+h+i)$를 전개할 때 생기는 항의 개수를 구하여라.

388 24의 양의 약수의 개수를 구하여라.

풍산자日 자연수의 양의 약수의 개수는 소인수분해를 이용하면 손쉽게 구할 수 있다.

> 풀이 24를 소인수분해하면 $24=2^3\times3$이므로 24의 양의 약수는 2^3의 약수인 1, 2, 2^2, 2^3 중에서 하나의 수, 3의 약수인 1, 3 중에서 하나의 수를 각각 선택하여 곱한 수이다.
따라서 곱의 법칙에 의해 24의 양의 약수의 개수는
$4\times2=8$(개)

$\times$	1	2	2^2	2^3
1	1×1	1×2	1×2^2	1×2^3
3	3×1	3×2	3×2^2	3×2^3

> 참고 $p^m\times q^n$ (p, q는 서로 다른 소수, m, n은 자연수)의 양의 약수의 개수는 $(m+1)(n+1)$이다.

정답과 풀이 **39**쪽

유제 **389** 72의 양의 약수의 개수를 구하여라.

390 그림에서 A, B, C, D, E의 영역을 5가지 색으로 칠하려고 한다. 각 영역을 구분하기 위하여 인접한 영역을 서로 다른 색으로 칠할 때, 칠하는 방법의 수를 구하여라.
(단, 같은 색을 두 번 사용해도 된다.)

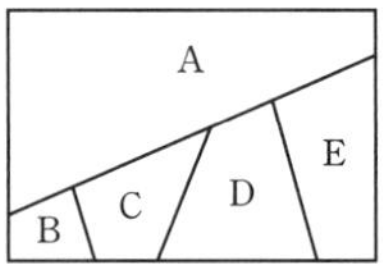

풍산자팁 한 곳을 먼저 정해서 칠한다고 생각한 후 나머지도 칠하는 방법을 생각하면 된다.
인접 영역이 많은 부분을 먼저 칠하면 경우의 수를 구하기 쉽다.

› 풀이 인접한 영역은 서로 다른 색으로 칠해야 함에 유의하며 A부터 칠해 보면 다음과 같다.
A에 칠할 수 있는 색은 5가지
B에 칠할 수 있는 색은 A에 칠한 색을 제외한 4가지
C에 칠할 수 있는 색은 A, B에 칠한 색을 제외한 3가지
D에 칠할 수 있는 색은 A, C에 칠한 색을 제외한 3가지
E에 칠할 수 있는 색은 A, D에 칠한 색을 제외한 3가지
따라서 구하는 방법의 수는 $5\times4\times3\times3\times3=\mathbf{540}$

› 참고 위 문제는 D에 B와 같은 색을 칠하는 경우와 다른 색을 칠하는 경우의 E에 칠할 수 있는 색의 수가 같다. 하지만 인접하지 않은 부분을 같은 색으로 칠하는지 다른 색으로 칠하는지에 따라 경우의 수가 달라지면 상황을 나누어 생각해야 한다.
그림에서 A, B, C, D의 영역을 네 가지 색으로 칠하는 방법의 수를 구해 보자. (단, 인접한 영역은 다른 색으로 칠하고, 같은 색을 두 번 사용해도 된다.)

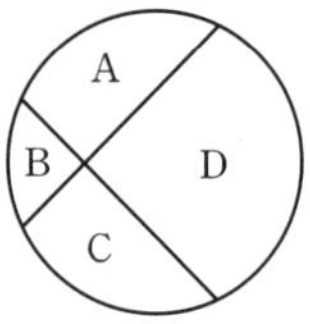

A에 칠할 수 있는 색은 4가지
B에 칠할 수 있는 색은 A에 칠한 색을 제외한 3가지
C에 칠할 수 있는 색은 B에 칠한 색을 제외한 3가지
D에 칠할 수 있는 색은 A, C에 칠한 색을 제외하고 고를 수 있는데, 이때 A와 C가 같은 색인지 다른 색인지에 따라 고를 수 있는 색의 경우의 수가 달라진다. 따라서 상황을 나누어서 문제를 해결한다. A에 칠할 수 있는 색은 4가지, B에 칠할 수 있는 색은 3가지로 같다.
(i) A, C를 같은 색으로 칠할 때
C에 칠할 수 있는 색은 A에 칠한 색과 같은 색이므로 1가지
D에 칠할 수 있는 색은 A, C에 칠한 색을 제외한 3가지
$\therefore 4\times3\times1\times3=36$
(ii) A, C를 다른 색으로 칠할 때
C에 칠할 수 있는 색은 A, B에 칠한 색을 제외한 2가지
D에 칠할 수 있는 색은 A, C에 칠한 색을 제외한 2가지
$\therefore 4\times3\times2\times2=48$
(i), (ii)에서 구하는 방법의 수는 $36+48=84$

정답과 풀이 40쪽

유제 **391** 그림과 같은 지도에서 고구려, 백제, 신라, 가야를 5가지 색으로 칠하려고 한다. 각 나라끼리 구분하기 위하여 이웃하고 있는 나라를 서로 다른 색으로 칠할 때, 칠하는 방법의 수를 구하여라.
(단, 같은 색을 두 번 사용해도 된다.)

392 **100원짜리 동전 1개, 50원짜리 동전 2개, 10원짜리 동전 3개가 있다. 다음 물음에 답하여라.**
(단, 0원을 지불하는 것은 제외한다.)

(1) 이들의 일부 또는 전부를 사용하여 지불할 수 있는 방법의 수를 구하여라.

(2) 이들의 일부 또는 전부를 사용하여 지불할 수 있는 금액의 수를 구하여라.

풍산자日 단어 하나가 문제를 좌우한다.
두 문제의 차이점은 오직 한 단어 ➡ '방법'과 '금액' ➡ 방법은 쉽고 금액은 어렵다.

> 풀이 (1) 100원짜리 1개로 지불할 수 있는 방법 ➡ 0개, 1개로 2가지
50원짜리 2개로 지불할 수 있는 방법 ➡ 0개, 1개, 2개로 3가지
10원짜리 3개로 지불할 수 있는 방법 ➡ 0개, 1개, 2개, 3개로 4가지
따라서 구하는 방법의 수는 $2\times3\times4-1=\mathbf{23}$
(모두 0개씩 지불하는 것은 제외해야 하므로 1가지 경우를 빼 주어야 한다.)

(2) 100원짜리 1개로 만들 수 있는 금액 ➡ 0원, 100원 ······ ㉠
50원짜리 2개로 만들 수 있는 금액 ➡ 0원, 50원, 100원 ······ ㉡
10원짜리 3개로 만들 수 있는 금액 ➡ 0원, 10원, 20원, 30원
그런데 ㉠, ㉡에서 100원이 중복되므로 100원짜리 1개를 50원짜리 2개로 교환하여 생각하면 구하는 금액의 수는 50원짜리 4개, 10원짜리 3개로 지불할 수 있는 방법의 수와 같다.
50원짜리 4개로 지불할 수 있는 방법 ➡ 0개, 1개, 2개, 3개, 4개로 5가지
10원짜리 3개로 지불할 수 있는 방법 ➡ 0개, 1개, 2개, 3개로 4가지
따라서 구하는 금액의 수는 $5\times4-1=\mathbf{19}$
(모두 0개씩 지불하는 것은 제외해야 하므로 1가지 경우를 빼 주어야 한다.)

정답과 풀이 **40쪽**

유제 **393** **100원짜리 동전 2개, 50원짜리 동전 2개, 10원짜리 동전 3개가 있다. 다음 물음에 답하여라.**
(단, 0원을 지불하는 것은 제외한다.)

(1) 이들의 일부 또는 전부를 사용하여 지불할 수 있는 방법의 수를 구하여라.

(2) 이들의 일부 또는 전부를 사용하여 지불할 수 있는 금액의 수를 구하여라.

풍산자 비법

- 합의 법칙: 어떤 경우를 선택했을 때 다른 경우를 포기해야 하면 합한다.
- 곱의 법칙: 어떤 경우를 선택했을 때 다른 경우를 선택해야 하면 곱한다.

필수 확인 문제

＊더 많은 유형은 **풍산자필수유형 수학(하)** 077쪽

정답과 풀이 40쪽

394

4종류의 티셔츠와 3종류의 바지가 있다. 티셔츠와 바지를 각각 한 가지씩 택하여 입으려 할 때, 택하는 방법의 수를 구하여라.

395

네 개의 도시 A, B, C, D 사이에 그림과 같은 도로망이 있다. A도시에서 출발하여 모든 도시를 한 번씩만 거치고, 다시 A도시로 돌아오는 방법의 수를 구하여라.

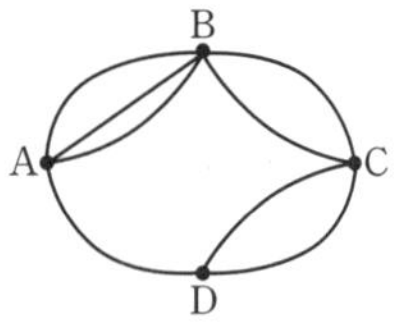

396

부등식 $x+y\leq 4$를 만족시키는 양의 정수 x, y의 순서쌍 (x, y)의 개수를 구하여라.

397

두 집합 $A=\{1, 2, 3, 4\}$, $B=\{1, 2, 3, 4, 5\}$에서 각각 한 개의 원소를 택할 때, 두 수의 합이 홀수인 경우의 수를 구하여라.

398

360과 540의 공약수의 개수를 구하여라.

399

그림과 같이 O, A, B, C, D 5개의 영역을 5가지 색으로 칠하려고 한다. 각 영역을 구분하기 위하여 인접한 영역을 서로 다른 색으로 칠하는 방법의 수를 구하여라.

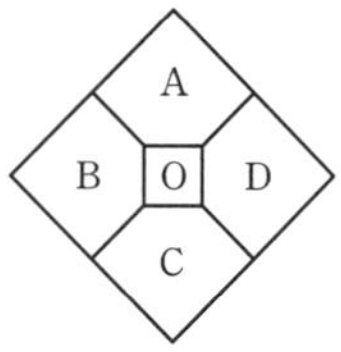

(단, 같은 색을 두 번 사용해도 된다.)

400

100원짜리 동전 1개, 50원짜리 동전 3개, 10원짜리 동전 2개의 일부 또는 전부를 사용하여 지불할 수 있는 방법의 수를 a, 지불할 수 있는 금액의 수를 b라 할 때, $a+b$의 값을 구하여라.

(단, 0원을 지불하는 것은 제외한다.)

2 순열

01 순열의 뜻

3개의 문자 a, b, c에서 2개를 뽑는 방법과 나열하는 방법은 다음과 같다.

뽑는 방법 ➡ 순서를 무시하는 것	나열하는 방법 ➡ 순서를 고려하는 것
ab, ac, bc	ab, ac, ba, bc, ca, cb

뽑아서 나열하는 것을 순열이라 한다.
한 마디로 순열이란 순서가 있는 배열.

순열

서로 다른 n개에서 중복됨이 없이 r개를 택하여 일렬로 나열하는 것을 **n개에서 r개를 택하는 순열**이라 한다. 이 순열의 수를 ${}_n\mathrm{P}_r$로 나타내고, 다음과 같이 계산한다.

$${}_n\mathrm{P}_r = \underbrace{n(n-1)(n-2)\cdots(n-r+1)}_{r\text{개}} \text{ (단, } 0<r\le n\text{)}$$ 중요!

➡ n부터 시작하여 1씩 줄여가며 r개를 곱한다.

| 증명 | 서로 다른 n개 중에서 r개를 택하여 일렬로 나열할 때,
첫 번째 자리에 올 수 있는 것은 n가지이다.
두 번째 자리에 올 수 있는 것은 첫 번째 자리에 놓인 것을 제외한 $(n-1)$가지이다.
⋮
r번째 자리에 올 수 있는 것은 이미 선택된 $(r-1)$개를 제외한 $n-(r-1)$가지, 즉 $(n-r+1)$가지이다.

첫 번째 자리	두 번째 자리	세 번째 자리	⋯	r번째 자리
↑	↑	↑		↑
n가지	$(n-1)$가지	$(n-2)$가지	⋯	$(n-r+1)$가지

따라서 순열의 수 ${}_n\mathrm{P}_r$는 곱의 법칙에 의해 다음과 같다.
${}_n\mathrm{P}_r=n(n-1)(n-2)\cdots(n-r+1)$ (단, $0<r\le n$)

| 설명 | P는 순열을 뜻하는 permutation의 첫 글자이며, ${}_n\mathrm{P}_r$는 $n\,p\,r$로 읽는다.

| 개념확인 | 다음을 구하여라.

(1) 서로 다른 3개에서 2개를 택하여 일렬로 나열하는 방법의 수

(2) 서로 다른 5개에서 3개를 택하여 일렬로 나열하는 방법의 수

› 풀이 (1) ${}_3\mathrm{P}_2=3\times2=\mathbf{6}$ (2) ${}_5\mathrm{P}_3=5\times4\times3=\mathbf{60}$

${}_n\mathrm{P}_r$의 계산을 확장한 공식이 있다.
문제 풀이뿐만 아니라 이론 전개나 증명에 활용된다.

${}_n\mathrm{P}_r$의 변형식과 ${}_n\mathrm{P}_0$, 0!의 정의

(1) ${}_n\mathrm{P}_r=\dfrac{n!}{(n-r)!}$ (단, $0\le r\le n$)

(2) ${}_n\mathrm{P}_n=n!=n(n-1)(n-2)\cdots 3\cdot2\cdot1$

(3) ${}_n\mathrm{P}_0=1$, $0!=1$

| 설명 | $n!$은 'n 팩토리얼(factorial)' 또는 'n의 계승'이라고 읽으며, 이것은 1부터 n까지의 모든 자연수의 곱을 의미한다.

| 증명 | (1) 순열의 수 ${}_n\mathrm{P}_r$를 계승을 사용하여 다음과 같이 나타낼 수 있다.

$${}_n\mathrm{P}_r=\underbrace{n(n-1)(n-2)\ \cdots\ (n-r+1)}_{r\text{개}}$$

우변에 $\dfrac{(n-r)(n-r-1)\ \cdots\ 3\cdot2\cdot1}{(n-r)(n-r-1)\ \cdots\ 3\cdot2\cdot1}$을 곱하면

$${}_n\mathrm{P}_r=\frac{n(n-1)(n-2)\ \cdots\ (n-r+1)(n-r)(n-r-1)\ \cdots\ 3\cdot2\cdot1}{(n-r)(n-r-1)\ \cdots\ 3\cdot2\cdot1}=\frac{n!}{(n-r)!}$$

(2) 서로 다른 n개 중에서 n개를 택하는 순열의 수는 $r=n$인 경우이므로

${}_n\mathrm{P}_n=n(n-1)(n-2)\cdots 3\cdot2\cdot1$

즉, ${}_n\mathrm{P}_n=n!$

(3) ${}_n\mathrm{P}_r$에서 $r=n$이면 ${}_n\mathrm{P}_n=n!=\dfrac{n!}{0!}$이므로 $0!=1$로 정의한다.

또 $r=0$이면 ${}_n\mathrm{P}_0=\dfrac{n!}{n!}$이므로 ${}_n\mathrm{P}_0=1$로 정의한다.

| ${}_n\mathrm{P}_r$와 $n!$의 계산 |

401 다음 값을 구하여라.

(1) ${}_6\mathrm{P}_3$ (2) $5!$ (3) ${}_4\mathrm{P}_4$ (4) ${}_7\mathrm{P}_0$ (5) $0!$

풍산자 ${}_n\mathrm{P}_r=n(n-1)(n-2)\cdots(n-r+1)$ (단, $0<r\le n$)
${}_n\mathrm{P}_n=n(n-1)(n-2)\cdots 3\cdot2\cdot1=n!$

> 풀이

(1) ${}_6\mathrm{P}_3=6\times5\times4=\mathbf{120}$
(2) $5!=5\times4\times3\times2\times1=\mathbf{120}$
(3) ${}_4\mathrm{P}_4=4!=4\times3\times2\times1=\mathbf{24}$
(4) ${}_7\mathrm{P}_0=\mathbf{1}$
(5) $0!=\mathbf{1}$

정답과 풀이 **41**쪽

유제 **402** 다음 값을 구하여라.

(1) ${}_5\mathrm{P}_4$ (2) ${}_2\mathrm{P}_2$ (3) ${}_8\mathrm{P}_1$ (4) $3!$ (5) $1!$

403 다음 등식을 만족시키는 n 또는 r의 값을 구하여라. (단, n, r는 자연수이다.)

(1) ${}_{7}\mathrm{P}_{r}=210$　　(2) ${}_{n}\mathrm{P}_{2}=90$　　(3) ${}_{n}\mathrm{P}_{4}=20{}_{n}\mathrm{P}_{2}$

풍산자日 ${}_{n}\mathrm{P}_{r}=n(n-1)(n-2)\cdots(n-r+1)$ (단, $0<r\leq n$)

> 풀이 (1) ${}_{7}\mathrm{P}_{r}$는 7부터 1씩 줄여가며 r개를 곱한 것이다.
그런데 ${}_{7}\mathrm{P}_{r}=210=7\times6\times5$이므로 $\boldsymbol{r=3}$

(2) ${}_{n}\mathrm{P}_{2}$는 n부터 1씩 줄여가며 2개를 곱한 것이다.
그런데 ${}_{n}\mathrm{P}_{2}=90=10\times9$이므로 $\boldsymbol{n=10}$

(3) 주어진 식의 양변을 풀어 쓰면
$n(n-1)(n-2)(n-3)=20n(n-1)$
그런데 ${}_{n}\mathrm{P}_{4}$에서 $n\geq4$이므로 $n(n-1)\neq0$이다.
양변을 $n(n-1)$로 나누면 $(n-2)(n-3)=20$, $n^2-5n-14=0$
$(n-7)(n+2)=0$
$n\geq4$이므로 $n+2\neq0$　　$\therefore\ \boldsymbol{n=7}$

정답과 풀이 **41**쪽

유제 **404** 다음 등식을 만족시키는 n 또는 r의 값을 구하여라. (단, n, r는 자연수이다.)

(1) ${}_{5}\mathrm{P}_{r}=60$　　(2) ${}_{n}\mathrm{P}_{2}=30$　　(3) ${}_{n}\mathrm{P}_{5}=30{}_{n}\mathrm{P}_{3}$

405 $1<r\leq n$일 때, 등식 ${}_{n}\mathrm{P}_{r}=(n-r+1)\cdot{}_{n}\mathrm{P}_{r-1}$이 성립함을 증명하여라.

풍산자日 순열에 대한 등식을 증명할 때 ➡ 공식 ${}_{n}\mathrm{P}_{r}=\dfrac{n!}{(n-r)!}$ 을 이용!

> 증명

$$\begin{aligned}&(n-r+1)\cdot{}_{n}\mathrm{P}_{r-1}\\&=(n-r+1)\cdot\frac{n!}{(n-r+1)!}\\&=(n-r+1)\cdot\frac{n!}{(n-r+1)(n-r)!}\\&=\frac{n!}{(n-r)!}={}_{n}\mathrm{P}_{r}\end{aligned}$$

⬅ $(m+1)!=(m+1)m(m-1)\cdots3\cdot2\cdot1$
$=(m+1)m!$

정답과 풀이 **41**쪽

유제 **406** $1<r\leq n$일 때, 등식 ${}_{n}\mathrm{P}_{r}=n\cdot{}_{n-1}\mathrm{P}_{r-1}$이 성립함을 증명하여라.

407 **다음 물음에 답하여라.**

(1) 5명의 학생을 일렬로 세우는 방법의 수를 구하여라.

(2) 5명의 학생 중 3명을 뽑아 일렬로 세우는 방법의 수를 구하여라.

풍산자IT 서로 다른 n개에서 r개를 택하여 일렬로 나열하는 방법의 수 $_nP_r$

> 풀이 (1) 5명에서 5명을 택하는 순열의 수와 같으므로

$_5P_5=5!=5\times4\times3\times2\times1=\mathbf{120}$

(2) 5명에서 3명을 택하는 순열의 수와 같으므로

$_5P_3=5\times4\times3=\mathbf{60}$

정답과 풀이 **42**쪽

유제 **408** **다음 물음에 답하여라.**

(1) 6명의 학생을 일렬로 앉히는 방법의 수를 구하여라.

(2) 10명의 학생 중에서 대표, 부대표를 각각 1명씩 뽑는 경우의 수를 구하여라.

409 **서로 다른 9권의 책 중 r권을 뽑아 책꽂이에 일렬로 꽂는 방법의 수가 72일 때, r의 값을 구하여라.**

풍산자IT $_nP_r$를 이용하여 식을 세워 푼다.

> 풀이 서로 다른 9권에서 r권을 택하는 순열의 수가 72이므로

$_9P_n=72=9\times8 \quad \therefore \boldsymbol{r=2}$

정답과 풀이 **42**쪽

유제 **410** **서로 다른 n권의 책 중 2권을 뽑아 책꽂이에 일렬로 꽂는 방법의 수가 56일 때, n의 값을 구하여라.**

02 | 특정 조건이 있는 순열

앞에서 간단한 순열 계산을 배웠다.

이제 다양한 조건이 있는 순열에 대하여 알아보자.

해법은 다음과 같다.

(1) **이웃하는 순열**

[1단계] 이웃하는 것을 하나로 묶는다.

[2단계] (하나로 묶었을 때의 순열의 수)×(한 묶음 안에서의 순서를 바꾸는 순열의 수)

(2) **이웃하지 않는 순열**

[1단계] 이웃해도 좋은 것만 먼저 배열한다.

[2단계] (이웃해도 되는 것들의 순열의 수)

×(그 양 끝과 사이사이에 이웃하지 않아야 할 것을 끼워 넣는 순열의 수)

(3) **'적어도'가 있는 경우의 순열**

[1단계] 반대인 경우의 수를 생각한다.

[2단계] (전체 경우의 수)−(반대 경우의 수)

(4) **교대로 배열하는 순열**

[1단계] 두 개의 대상 중 하나를 일렬로 배열한다.

[2단계] 그 사이사이와 양 끝에 나머지 대상들을 일렬로 나열하여 구한다.

| 이웃하는 경우 |

411 **남자 4명, 여자 3명을 일렬로 세울 때, 여자 3명이 이웃하여 서는 경우의 수를 구하여라.**

풍산자비 '이웃한다.' 하면 이웃하는 것을 한 묶음으로 생각하여 일렬로 세운 후, 묶음 안에서 일렬로 세우는 경우를 생각해 주면 된다.

> **풀이**

[1단계] 여자 3명을 한 묶음으로 보면 총 5묶음

5묶음을 일렬로 세우는 경우의 수는 $5!=120$

남1 남2 남3 남4 (여1 여2 여3)

[2단계] 묶음 안의 여자 3명을 일렬로 세우는 경우의 수는 $3!=6$

[3단계] 곱의 법칙에 의해 구하는 경우의 수는

$120\times6=\mathbf{720}$

정답과 풀이 **42쪽**

유제 **412** **서로 다른 국어책 2권, 영어책 3권, 수학책 2권을 책꽂이에 일렬로 꽂을 때, 국어책은 국어책끼리, 영어책은 영어책끼리 이웃하게 꽂는 경우의 수를 구하여라.**

413 **A, B를 포함한 남자 4명과 여자 3명을 일렬로 세울 때, 다음 경우의 수를 구하여라.**

(1) 여자끼리 이웃하지 않도록 서는 경우의 수

(2) 남자 A, B 2명이 이웃하지 않도록 서는 경우의 수

풍산자비 '이웃하지 않는다.' 하면 나머지를 먼저 나열하면 된다.

> 풀이 (1) [1단계] 먼저 남자 4명을 일렬로 세우는 경우의 수는 $4!=24$

[2단계] 이들의 양 끝이나 사이사이에 여자를 끼워 세우면 되므로

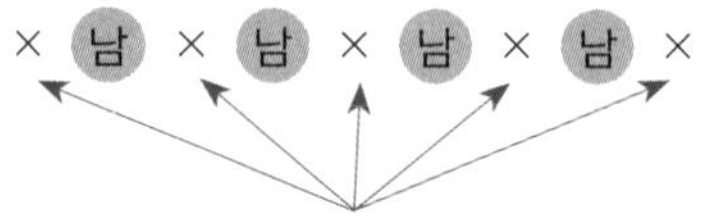

여자 3명이 끼어 들어갈 자리

5개의 자리 중 3개의 자리를 택하여 여자를 끼워 세우는 경우의 수는

${}_5P_3=60$

[3단계] 곱의 법칙에 의해 구하는 경우의 수는 $24\times60=\mathbf{1440}$

(2) [1단계] 먼저 이웃해도 되는 남자 2명과 여자 3명을 일렬로 세우는 경우의 수는 $5!=120$

[2단계] 이들의 양 끝이나 사이사이에 남자 A, B를 각각 끼워 세우면 되므로

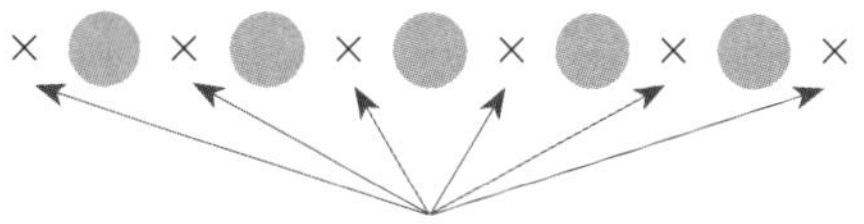

남자 A, B가 끼어 들어갈 자리

6개의 자리 중 2개의 자리를 택하여 A, B를 끼워 세우는 경우의 수는

${}_6P_2=30$

[3단계] 곱의 법칙에 의해 구하는 경우의 수는

$120\times30=\mathbf{3600}$

> 다른 풀이 (2) A, B가 이웃하지 않는 경우의 수는 전체에서 A, B가 이웃하는 경우의 수를 빼는 방법으로도 구할 수 있다.

[1단계] 7명을 일렬로 나열하는 모든 경우의 수는 $7!=5040$

[2단계] A, B가 이웃하는 경우의 수는 A, B를 묶어서 생각하면 되므로 $2\cdot6!=1440$

[3단계] 전체 경우의 수에서 A, B가 이웃하는 경우의 수를 빼면

$7!-2\cdot6!=5040-1440=3600$

3명 이상이 이웃하지 않는 경우는 **다른 풀이**가 더 복잡할 수 있으므로 이 방식으로 풀지 않도록 한다.

정답과 풀이 **42**쪽

유제 **414** **서로 다른 국어책 3권, 수학책 3권을 책꽂이에 일렬로 꽂을 때, 다음 경우의 수를 구하여라.**

(1) 수학책끼리 이웃하지 않도록 꽂는 경우의 수

(2) 특정한 국어책 2권이 이웃하지 않도록 꽂는 경우의 수

| '적어도 ~'의 조건이 있는 경우 |

415 **korea의 5개의 문자를 모두 사용하여 만든 순열 중에서 적어도 한쪽 끝이 자음인 경우의 수를 구하여라.**

풍산자日 '적어도 하나가 …이다.'의 반대는 ➡ '모두 …이 아니다.'

> 풀이 '적어도 한쪽 끝이 자음'의 반대는 '양 끝이 모두 모음'이다.
따라서 전체 경우의 수에서 양 끝이 모두 모음인 경우의 수를 빼면 된다.

전체 경우
- 자□□□자 ┐
- 자□□□모 ├ 구하는 경우
- 모□□□자 ┘
- 모□□□모 ← 이걸 뺀다.

(ⅰ) 5개의 문자를 일렬로 나열하는 경우의 수는 $5!=120$

(ⅱ) 양 끝이 모두 모음인 경우의 수는
(o, e, a 중 2개를 양 끝에 나열하는 경우의 수)×(나머지 3개를 나열하는 경우의 수)
$\therefore {}_3P_2\times3!=36$

(ⅰ), (ⅱ)에서 구하는 경우의 수는 $120-36=$ **84**

정답과 풀이 **42쪽**

유제 **416** **region의 6개의 문자를 모두 사용하여 만든 순열 중에서 적어도 한쪽 끝이 자음인 경우의 수를 구하여라.**

| 교대로 서는 경우 |

417 **선생님 3명과 학생 3명이 교대로 서서 6인 7각 경기를 하려고 한다. 선생님과 학생이 교대로 서는 경우의 수를 구하여라.**

풍산자日 일단 두 개의 대상 중 하나를 일렬로 배열한다.

> 풀이 (ⅰ) [선](학)[선](학)[선](학)으로 서는 경우
선생님 자리에 3명을 일렬로 세우는 경우의 수는 $3!$
학생 자리에 3명을 일렬로 세우는 경우의 수는 $3!$이므로 $3!\times3!=36$

(ⅱ) (학)[선](학)[선](학)[선]으로 서는 경우
학생 자리에 3명을 일렬로 세우는 경우의 수는 $3!$
선생님 자리에 3명을 일렬로 세우는 경우의 수는 $3!$이므로 $3!\times3!=36$

(ⅰ), (ⅱ)에서 구하는 경우의 수는 $36+36=$ **72**

정답과 풀이 **42쪽**

유제 **418** **TUESDAY의 7개의 문자를 한 줄로 나열할 때, 자음과 모음이 교대로 오는 경우의 수를 구하여라.**

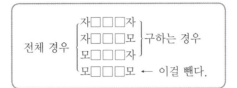

419 worldcup의 8개의 문자를 모두 사용하여 만든 순열 중에서 다음을 구하여라.

(1) w로 시작하여 p로 끝나는 경우의 수

(2) w와 d 사이에 3개의 문자가 들어 있는 경우의 수

풍산자日 경우의 수 문제는 항상 완전한 형태를 파악한 후 딴 생각을 한다.

(1) w□□□□□□p의 꼴 ➡ 처음과 끝이 확정된 경우 가운데만 확정하면 된다.

(2) w□□□d □□□의 꼴 ➡ w와 d 사이에 3개의 문자를 끼운 후 한 덩어리로 본다.

> 풀이 (1) w와 p를 제외한 나머지 6개의 문자를 가운데에 끼우면 되므로 구하는 경우의 수는
$6!=$**720**

(2) [1단계] w와 d를 제외한 나머지 6개의 문자 중 3개를 w와 d 사이에 끼우는 경우의 수는
${}_6P_3=120$

[2단계] w□□□d를 한 덩어리로 생각하여 4덩어리를 일렬로 나열하는 경우의 수는
$4!=24$

w□□□d, □, □, □

[3단계] w와 d가 서로 자리를 바꾸는 경우의 수는 $2!=2$

[4단계] 곱의 법칙에 의해 구하는 경우의 수는 $120\times24\times2=$**5760**

정답과 풀이 **42쪽**

유제 **420** olympic의 7개의 문자를 모두 사용하여 만든 순열 중에서 다음을 구하여라.

(1) o로 시작하여 c로 끝나는 경우의 수

(2) o와 m 사이에 3개의 문자가 들어 있는 경우의 수

421 a, b, c, d, e 5개의 문자를 사전식으로 배열할 때, 52번째에 있는 단어를 구하여라.

풍산자日 사전식으로 배열 ➡ 계승을 이용한다.

> 풀이 a, b로 시작하는 단어의 개수는 각각 $4!=24$
이때 $24\times2=48$이므로 52번째에 있는 단어는 c로 시작하는 단어 중 4번째에 있다.
cabde, cabed, cadbe, cadeb, ⋯
따라서 52번째 단어는 **cadeb**이다.

정답과 풀이 **43쪽**

유제 **422** korea의 5개의 문자를 사전식으로 배열할 때, keora는 몇 번째 단어인지 구하여라.

423 **6개의 숫자 0, 1, 2, 3, 4, 5에서 서로 다른 4개의 숫자를 택하여 만들 수 있는 다음과 같은 정수의 개수를 구하여라.**

(1) 네 자리의 정수　　　　(2) 네 자리의 짝수

풍산자터 (1) 0이 포함된 숫자 문제에서는 맨 앞자리에 0이 올 수 없음에 유의한다.
(2) 짝수가 되려면 맨 끝자리의 수가 짝수이어야 한다.

> 풀이 (1) □□□□의 꼴 ➡ 맨 앞자리에 0이 올 수 없음에 유의한다.

[1단계] 맨 앞자리에 올 수 있는 숫자는 0을 제외한 1, 2, 3, 4, 5로 5가지이다.

[2단계] 나머지 5개의 숫자에서 3개를 택하여 뒷부분에 나열하는 경우의 수는 ${}_5P_3=60$

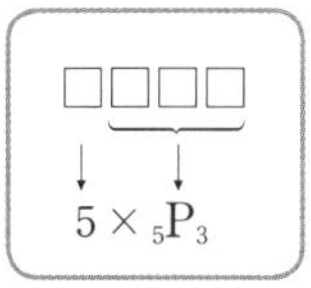

[3단계] 곱의 법칙에 의해 네 자리의 정수의 개수는 $5\times60=$**300**

(2) □□□[짝수]의 꼴 ➡ 짝수가 되려면 맨 끝자리의 수가 짝수이어야 한다.

(i) □□□0의 꼴: ${}_5P_3=60$(개)

(ii) □□□2의 꼴: 맨 앞자리에는 0이 올 수 없으므로 $4\times{}_4P_2=48$(개)

(iii) □□□4의 꼴: 맨 앞자리에는 0이 올 수 없으므로 $4\times{}_4P_2=48$(개)

이상에서 합의 법칙에 의하여 네 자리의 짝수의 개수는 $60+48+48=$**156**

정답과 풀이 43쪽

유제 **424** **6개의 숫자 0, 1, 2, 3, 4, 5 중 서로 다른 3개의 숫자를 택하여 만들 수 있는 세 자리의 정수의 개수를 구하여라.**

425 **5개의 숫자 1, 2, 3, 4, 5를 모두 사용하여 다섯 자리의 정수를 만들 때, 32000보다 작은 정수의 개수를 구하여라.**

풍산자터 정수의 크기는 앞자리의 숫자가 결정한다. ➡ 앞의 두 자릿수가 32보다 작아야 한다.

> 풀이 (i) 1□□□□의 꼴: 1을 제외한 나머지 4개의 숫자를 뒷부분에 나열하면 되므로 $4!=24$(개)

(ii) 2□□□□의 꼴: 2를 제외한 나머지 4개의 숫자를 뒷부분에 나열하면 되므로 $4!=24$(개)

(iii) 31□□□의 꼴: 3, 1을 제외한 나머지 3개의 숫자를 뒷부분에 나열하면 되므로 $3!=6$(개)

이상에서 합의 법칙에 의해 구하는 정수의 개수는 $24+24+6=$**54**

정답과 풀이 43쪽

유제 **426** **4개의 숫자 1, 2, 3, 4를 모두 사용하여 네 자리의 정수를 만들 때, 2300보다 작은 정수의 개수를 구하여라.**

427 **집합 $X=\{a, b, c, d, e\}$에 대하여 함수 $f: X \longrightarrow X$ 중에서 $f(a) \neq a$이고, 일대일대응인 함수 f의 개수를 구하여라.**

풍산자日 함수의 개수 문제는 정의역의 각 원소가 선택할 수 있는 공역의 원소가 몇 개인지에 초점을 맞추면 된다.

> 풀이 $f(a) \neq a$이므로 $f(a)$가 될 수 있는 것은 b, c, d, e의 4개이다.
그 각각에 대하여 일대일대응인 함수 f의 개수는 $f(a)$를 제외한 4개의 원소를 일렬로 나열하는 경우의 수와 같으므로
$4!=24$
따라서 구하는 함수 f의 개수는
$4 \times 24=$**96**

> 다른 풀이 X에서 X로의 일대일대응인 함수 f의 개수는
$5!=120$
$f(a)=a$이고 일대일대응인 함수 f의 개수는
$4!=24$
따라서 구하는 함수 f의 개수는
$120-24=96$

정답과 풀이 **43**쪽

유제 **428** **집합 $X=\{a, b, c, d, e\}$에 대하여 함수 $f: X \longrightarrow X$ 중에서 $f(a)=c$, $f(b)=d$이고, 일대일대응인 함수 f의 개수를 구하여라.**

풍산자 비법

- 순서가 있는 것이 순열 ➔ 서로 다른 n개 중에서 r개를 뽑는 순열의 수는 ${}_n\mathrm{P}_r$
- **이웃하는 순열**은 이웃하는 것을 **한 묶음**으로 계산한다.
- **이웃하지 않는 순열**은 이웃해도 되는 것을 먼저 배열한 후 그 **양 끝과 사이사이**에 이웃하지 않아야 하는 것을 나열한다.

정답과 풀이 43쪽

429

등식 ${}_{n}\mathrm{P}_{3}=3{}_{n}\mathrm{P}_{2}+21{}_{n}\mathrm{P}_{1}$을 만족시키는 자연수 n의 값은?

① 8 ② 9 ③ 10
④ 11 ⑤ 12

430

남학생 3명, 여학생 3명, 선생님 2명이 한 줄로 서서 등산을 할 때, 여학생 3명이 이웃하여 서는 경우의 수를 구하여라.

431

어느 산악 동아리에서 남자 5명, 여자 4명이 일렬로 서서 한라산을 등반하려고 한다. 이때 여자끼리 이웃하지 않도록 하여 올라가는 경우의 수를 구하여라.

432

number의 6개의 문자를 일렬로 나열할 때, 적어도 한쪽 끝에 모음이 오는 경우의 수를 구하여라.

433

남자 5명, 여자 5명을 일렬로 세울 때, 남자와 여자가 교대로 서는 경우의 수를 구하여라.

434

triangle의 모든 문자를 사용하여 만든 순열 중에서 t와 a 사이에 2개의 문자가 들어 있는 경우의 수를 구하여라.

435

5개의 숫자 1, 2, 3, 4, 5를 한 번씩 사용하여 다섯 자리의 정수를 만들 때, 34000보다 큰 정수의 개수를 구하여라.

3 조합

01 조합의 뜻

뽑는 것을 **조합**이라 하고, 뽑아서 나열하는 것을 순열이라 한다.

순열과 조합의 차이점은 순서의 고려 여부뿐. 즉, 조합에 순서를 주면 순열이 된다.

조합

서로 다른 n개에서 순서를 생각하지 않고 r개를 뽑는 것을 **n개에서 r개를 택하는 조합**이라 한다.

이 조합의 수를 ${}_{n}\mathrm{C}_{r}$로 나타내고, 다음과 같이 계산한다.

중요!

$${}_{n}\mathrm{C}_{r}=\frac{{}_{n}\mathrm{P}_{r}}{r!}=\frac{\overbrace{n(n-1)(n-2)\cdots(n-r+1)}^{r\text{개}}}{r!}\quad (\text{단, } 0\le r\le n)$$

| 증명 | 일반적으로 서로 다른 n개에서 r개를 택하는 조합의 수 ${}_{n}\mathrm{C}_{r}$와 택한 r개를 일렬로 나열하는 경우의 수 $r!$을 곱한 것은 서로 다른 n개에서 r개를 택하는 순열의 수 ${}_{n}\mathrm{P}_{r}$와 같으므로

${}_{n}\mathrm{C}_{r}\times r!={}_{n}\mathrm{P}_{r}\qquad \therefore {}_{n}\mathrm{C}_{r}=\frac{{}_{n}\mathrm{P}_{r}}{r!}$

| 설명 | n개에서 r개를 뽑아서 일렬로 나열한 경우의 수, 즉 순열의 수를 모두 구한 후, 같은 것을 뽑아 나열한 경우들은 모두 1가지로 보면 된다. ➡ ${}_{n}\mathrm{P}_{r}$를 $r!$로 나눈다.

예를 들어 3개의 문자 a, b, c에서 2개를 택하는 조합의 수는 ${}_{3}\mathrm{C}_{2}$이다.

이때 택한 2개를 일렬로 나열하는 순열의 수를 생각하면 각각 $2!$가지씩의 경우가 생기므로 전체 순열의 수는 ${}_{3}\mathrm{C}_{2}\times 2!$이다.

이것은 서로 다른 3개의 문자에서 2개를 택하는 순열의 수 ${}_{3}\mathrm{P}_{2}$와 같으므로

${}_{3}\mathrm{C}_{2}\times 2!={}_{3}\mathrm{P}_{2}\qquad \therefore {}_{3}\mathrm{C}_{2}=\frac{{}_{3}\mathrm{P}_{2}}{2!}$

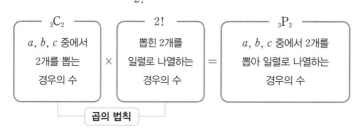

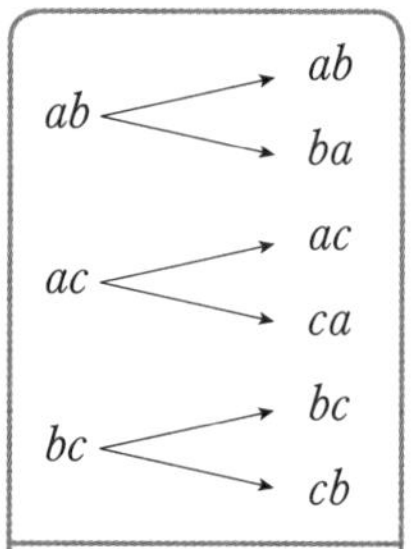

(조합) $\times 2!=$ (순열)

${}_{3}\mathrm{C}_{2}$: a, b, c 중에서 2개를 뽑는 경우의 수 $\times$ $2!$: 뽑힌 2개를 일렬로 나열하는 경우의 수 $=$ ${}_{3}\mathrm{P}_{2}$: a, b, c 중에서 2개를 뽑아 일렬로 나열하는 경우의 수

곱의 법칙

| 개념확인 |

다음을 구하여라.

(1) 서로 다른 3개에서 2개를 택하는 조합의 수

(2) 서로 다른 5개에서 3개를 택하는 조합의 수

> **풀이** (1) ${}_{3}\mathrm{C}_{2}=\frac{{}_{3}\mathrm{P}_{2}}{2!}=\frac{3\times 2}{2\times 1}=3$ (2) ${}_{5}\mathrm{C}_{3}=\frac{{}_{5}\mathrm{P}_{3}}{3!}=\frac{5\times 4\times 3}{3\times 2\times 1}=10$

순열과 마찬가지로 이론 전개나 등식의 증명에 이용되는 변형식이 있다.

지금 배울 여러 가지 조합 공식은 이론 전개나 증명뿐만 아니라 계산에서도 유용하게 이용되니 기억해야 한다.

여러 가지 조합 공식

(1) $_{n}\mathrm{C}_{r}=\dfrac{n!}{r!(n-r)!}$ (단, $0\le r\le n$) 중요!

(2) $_{n}\mathrm{C}_{0}=1$, $_{n}\mathrm{C}_{n}=1$, $_{n}\mathrm{C}_{1}=n$

(3) $_{n}\mathrm{C}_{r}={}_{n}\mathrm{C}_{n-r}$ (단, $0\le r\le n$)

(4) $_{n}\mathrm{C}_{r}={}_{n-1}\mathrm{C}_{r-1}+{}_{n-1}\mathrm{C}_{r}$ (단, $1\le r\le n-1$)

| 증명 | (1) $_{n}\mathrm{P}_{r}=\dfrac{n!}{(n-r)!}$ 이므로 $_{n}\mathrm{C}_{r}=\dfrac{_{n}\mathrm{P}_{r}}{r!}=\dfrac{n!}{r!(n-r)!}$

(2) $_{n}\mathrm{C}_{0}=\dfrac{_{n}\mathrm{P}_{0}}{0!}=\dfrac{1}{1}=1$ ⬅ $_{n}\mathrm{P}_{0}=1,\ 0!=1$

$_{n}\mathrm{C}_{n}=\dfrac{_{n}\mathrm{P}_{n}}{n!}=\dfrac{n!}{n!}=1$ ⬅ $_{n}\mathrm{P}_{n}=n!$

$_{n}\mathrm{C}_{1}=\dfrac{_{n}\mathrm{P}_{1}}{1!}=\dfrac{n}{1}=n$ ⬅ $_{n}\mathrm{P}_{1}=n$

(3) $_{n}\mathrm{C}_{n-r}=\dfrac{n!}{(n-r)!\{n-(n-r)\}!}$

$=\dfrac{n!}{(n-r)!r!}=\dfrac{n!}{r!(n-r)!}={}_{n}\mathrm{C}_{r}$

$\therefore\ {}_{n}\mathrm{C}_{r}={}_{n}\mathrm{C}_{n-r}$

(4) $_{n-1}\mathrm{C}_{r-1}=\dfrac{(n-1)!}{(r-1)!\{(n-1)-(r-1)\}!}=\dfrac{(n-1)!}{(r-1)!(n-r)!}$

$_{n-1}\mathrm{C}_{r}=\dfrac{(n-1)!}{r!\{(n-1)-r\}!}=\dfrac{(n-1)!}{r!(n-r-1)!}$

$$\begin{aligned}\therefore\ {}_{n-1}\mathrm{C}_{r-1}+{}_{n-1}\mathrm{C}_{r}&=\frac{(n-1)!}{(r-1)!(n-r)!}+\frac{(n-1)!}{r!(n-r-1)!}\\&=\frac{r(n-1)!}{r!(n-r)!}+\frac{(n-r)(n-1)!}{r!(n-r)!}\\&=\frac{(n-1)!(r+n-r)}{r!(n-r)!}\\&=\frac{n(n-1)!}{r!(n-r)!}\\&=\frac{n!}{r!(n-r)!}\\&={}_{n}\mathrm{C}_{r}\end{aligned}$$

| 설명 | (3) **$_{n}\mathrm{C}_{r}={}_{n}\mathrm{C}_{n-r}$에 대한 설명**

n개 중에서 r개를 뽑으면 $(n-r)$개가 남는다. 이 상황은 $(n-r)$개를 뽑고 r개가 남은 것으로 생각할 수도 있다. 따라서 n개 중에서 r개를 뽑는 경우의 수는 n개 중에서 $(n-r)$개를 뽑는 모든 경우의 수와 같다.

이 성질은 $_{n}\mathrm{C}_{r}$의 계산에서 r가 큰 수일 때 무척 유용하다.

예를 들면 $_{100}\mathrm{C}_{99}={}_{100}\mathrm{C}_{100-99}={}_{100}\mathrm{C}_{1}=100$

436 다음 값을 구하여라.

(1) ${}_{30}C_0$　(2) ${}_8C_3$　(3) ${}_{10}C_{10}$　(4) ${}_{20}C_{18}$

풍산자日 ${}_nC_r$의 뒷수 r가 앞수 n의 반 이상일 때에는 ➡ 공식 ${}_nC_r={}_nC_{n-r}$를 이용하면 간단히 계산할 수 있다.

> 풀이

(1) ${}_{30}C_0=\mathbf{1}$

(2) ${}_8C_3=\dfrac{{}_8P_3}{3!}=\dfrac{8\times7\times6}{3\times2\times1}=\mathbf{56}$

(3) ${}_{10}C_{10}=\mathbf{1}$

(4) ${}_{20}C_{18}={}_{20}C_2=\dfrac{{}_{20}P_2}{2!}=\dfrac{20\times19}{2\times1}=\mathbf{190}$

정답과 풀이 44쪽

유제 **437** 다음 값을 구하여라.

(1) ${}_{10}C_1$　(2) ${}_6C_2$　(3) ${}_{50}C_{49}$　(4) ${}_{15}C_{12}$

438 다음 등식을 만족시키는 n 또는 r의 값을 구하여라. (단, n, r는 자연수이다.)

(1) ${}_{10}C_r={}_{10}C_4$　(2) ${}_nC_6={}_nC_8$

(3) ${}_nC_3=20$　(4) $12{}_nC_3=6{}_nP_2+{}_nP_3$

풍산자日 ${}_nC_x={}_nC_r$이면 ${}_nC_r={}_nC_{n-r}$이므로 $x=r$ 또는 $x=n-r$이다.

> 풀이

(1) ${}_{10}C_4={}_{10}C_6$이므로 $\mathbf{r=4}$ 또는 $\mathbf{r=6}$

(2) ${}_nC_6={}_nC_{n-6}$이므로 $n-6=8$　$\therefore \mathbf{n=14}$

(3) ${}_nC_3=20$에서 $\dfrac{n(n-1)(n-2)}{3\times2\times1}=20$

$n(n-1)(n-2)=6\times5\times4$　$\therefore \mathbf{n=6}$

(4) $12\times\dfrac{n(n-1)(n-2)}{3\times2\times1}=6n(n-1)+n(n-1)(n-2)$

그런데 $n\geq3$이므로 양변을 $n(n-1)$로 나누면

$2(n-2)=6+n-2$　$\therefore \mathbf{n=8}$

정답과 풀이 44쪽

유제 **439** 다음 등식을 만족시키는 n 또는 r의 값을 구하여라. (단, n, r는 자연수이다.)

(1) ${}_7C_r={}_7C_{r-3}$　(2) ${}_nC_4={}_nC_6$

(3) ${}_nC_2=10$　(4) ${}_nP_3=2{}_nC_2+{}_nP_2$

440 **다음을 구하여라.**

(1) 회원이 10명인 모임에서 회장, 부회장, 총무를 각각 1명씩 정하는 경우의 수

(2) 회원이 10명인 모임에서 대표 3명을 정하는 경우의 수

풍산자日 (1) 택한 3명의 순서를 바꾸면 다른 경우가 되므로 순열이다.

(2) 택한 3명의 순서를 바꿔도 같은 경우가 되므로 조합이다.

> 풀이 (1) 구하는 경우의 수는 10명에서 3명을 택하는 순열의 수이므로

$_{10}P_3=10\times9\times8=\mathbf{720}$

(2) 구하는 경우의 수는 10명에서 3명을 택하는 조합의 수이므로

$_{10}C_3=\frac{10\times9\times8}{3\times2\times1}=\mathbf{120}$

정답과 풀이 44쪽

유제 **441** **다음을 구하여라.**

(1) 5명의 학생 중에서 반장, 부반장을 각각 1명씩 선출하는 경우의 수

(2) 5명의 학생 중에서 대표 2명을 선출하는 경우의 수

442 **다음을 구하여라.**

(1) 경찰관 6명과 소방관 4명 중에서 경찰관 4명과 소방관 2명을 뽑는 경우의 수

(2) 경찰관 6명과 소방관 4명 중에서 3명을 뽑을 때, 뽑힌 3명의 직업이 모두 같은 경우의 수

풍산자日 (1) 경찰관을 뽑고 그리고 소방관을 뽑아야 하므로 ➡ 곱한다.

(2) 모두 경찰관 또는 모두 소방관이어야 하므로 ➡ 더한다.

> 풀이 (1) 경찰관 6명 중에서 4명을 뽑는 경우의 수는 $_6C_4={}_6C_2=15$

소방관 4명 중에서 2명을 뽑는 경우의 수는 $_4C_2=6$

따라서 구하는 경우의 수는 $15\times6=\mathbf{90}$

(2) 경찰관 6명 중에서 3명을 뽑는 경우의 수는 $_6C_3=20$

소방관 4명 중에서 3명을 뽑는 경우의 수는 $_4C_3={}_4C_1=4$

따라서 구하는 경우의 수는 $20+4=\mathbf{24}$

정답과 풀이 44쪽

유제 **443** **다음을 구하여라.**

(1) 서로 다른 검은 공 7개와 흰 공 5개 중에서 검은 공 2개와 흰 공 2개를 뽑는 경우의 수

(2) 서로 다른 검은 공 7개와 흰 공 5개 중에서 4개의 공을 뽑을 때, 뽑힌 공이 모두 같은 색인 경우의 수

444 **9명의 학생 중에서 4명을 뽑을 때, 다음을 구하여라.**

(1) 특정한 학생 2명이 모두 포함되는 경우의 수

(2) 특정한 학생 2명이 모두 포함되지 않는 경우의 수

풍산자 답 (1) 특정한 인원을 포함시키는 경우는 해당 인원을 미리 뽑아 놓고 나머지 인원을 구한다.

(2) 특정한 인원을 포함시키지 않는 경우는 전체에서 해당 인원을 제외하고 구한다.

> 풀이 (1) 특정한 2명을 미리 뽑아 놓고 나머지 7명에서 2명을 뽑으면 되므로 ${}_7C_2=\mathbf{21}$

(2) 특정한 2명을 제외한 나머지 7명에서 4명을 뽑으면 되므로 ${}_7C_4={}_7C_3=\mathbf{35}$

정답과 풀이 **44**쪽

유제 **445** **7가지 무지개 색 중에서 4가지 색을 뽑을 때, 다음을 구하여라.**

(1) 빨강과 노랑이 모두 포함되는 경우의 수

(2) 빨강과 노랑이 모두 포함되지 않는 경우의 수

446 **남자 9명과 여자 5명 중에서 3명을 뽑을 때, 다음을 구하여라.**

(1) 남자가 적어도 1명 포함되는 경우의 수

(2) 남자와 여자가 적어도 1명씩 포함되는 경우의 수

풍산자 답 '적어도 ~'의 조건이 있으면 ➡ 반대를 생각한다.

(1) 전체 경우에서 '모두 여자'인 경우를 뺀다.

(2) 전체 경우에서 '모두 남자 또는 모두 여자'인 경우를 뺀다.

> 풀이 (1) 전체 14명 중에서 3명을 뽑는 경우의 수는 ${}_{14}C_3=364$

여자 5명 중에서 3명을 뽑는 경우의 수는 ${}_5C_3=10$

따라서 구하는 경우의 수는 $364-10=\mathbf{354}$

(2) 전체 14명 중에서 3명을 뽑는 경우의 수는 ${}_{14}C_3=364$

남자 9명 중에서 3명을 뽑는 경우의 수는 ${}_9C_3=84$

여자 5명 중에서 3명을 뽑는 경우의 수는 ${}_5C_3=10$

따라서 구하는 경우의 수는 $364-(84+10)=\mathbf{270}$

정답과 풀이 **45**쪽

유제 **447** **서로 다른 시집 5권과 소설책 4권 중에서 3권을 뽑을 때, 다음을 구하여라.**

(1) 시집이 적어도 1권 포함되는 경우의 수

(2) 시집과 소설책이 적어도 1권씩 포함되는 경우의 수

448 남자 5명, 여자 4명 중에서 남자 3명, 여자 2명을 뽑아 일렬로 세우는 경우의 수를 구하여라.

풍산자日 '뽑아서 나열한다.' ➡ 뽑는 단계와 나열 단계를 구분하여 생각한다.

> 풀이 (ⅰ) 뽑는 단계 ➡ 남자 5명 중에서 3명, 여자 4명 중에서 2명을 뽑는 경우의 수는
$_5C_3 \times {}_4C_2 = 10 \times 6 = 60$
(ⅱ) 나열 단계 ➡ 뽑은 5명을 일렬로 세우는 경우의 수는 $5! = 120$
(ⅰ), (ⅱ)에서 구하는 경우의 수는
$60 \times 120 = \mathbf{7200}$

정답과 풀이 **45쪽**

유제 **449** 서로 다른 국어책 5권, 수학책 5권 중에서 국어책 2권, 수학책 3권을 뽑아 책꽂이에 일렬로 꽂는 경우의 수를 구하여라.

450 1부터 6까지의 자연수를 일렬로 배열하여 첫 번째 수부터 차례로 a_1, a_2, a_3, $\cdots$, a_6이라 할 때, 조건 $a_1 > a_3 > a_4$, $a_2 > a_5$를 만족시키는 경우의 수를 구하여라.

풍산자日 순서가 정해진 경우는 뽑기만 하면 끝. 뽑은 것을 정해진 순서대로 나열하는 방법은 1가지뿐.

> 풀이 6개 중 3개를 뽑아 큰 수부터 차례로 a_1, a_3, a_4를 정한다.
이 각각에 대하여 나머지 3개 중에서 2개를 뽑아 큰 수부터 차례로 a_2, a_5를 정한다.
따라서 구하는 경우의 수는 $_6C_3 \times {}_3C_2 = 20 \times 3 = \mathbf{60}$

정답과 풀이 **45쪽**

유제 **451** 1, 2, 3, 4, 5의 5개 숫자 중 서로 다른 3개의 숫자를 사용하여 만들 수 있는 세 자리 자연수 중 321과 같이 일의 자리의 수보다 십의 자리의 수가 더 크고 십의 자리의 수보다 백의 자리의 수가 더 큰 자연수의 개수를 구하여라.

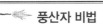

풍산자 비법

뽑는 단계는 조합으로, 나열 단계는 순열로 계산한다.

02 조합과 도형의 개수

도형의 개수를 세는 문제는 조합을 이용하여 풀 수 있다.
자주 나오는 경우에 대하여 정리해 보자.

직선의 개수

일직선 위에 있지 않은 n개의 점 중에서 2개의 점을 이어 만들 수 있는 직선의 개수

➡ ${}_nC_2$ (단, $n\geq 2$)

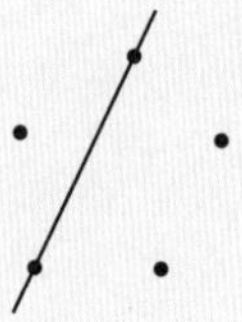

일직선 위에 있는 점으로 만들 수 있는 직선은 1개뿐이다.

삼각형의 개수

일직선 위에 있지 않은 n개의 점 중에서 3개의 점을 이어 만들 수 있는 삼각형의 개수

➡ ${}_nC_3$ (단, $n\geq 3$)

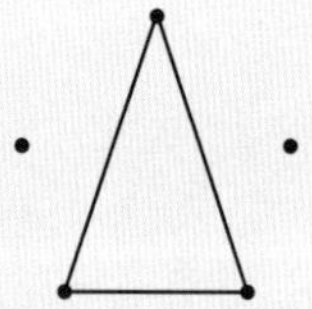

일직선 위에 있는 3개의 점을 이으면 삼각형이 생기지 않는다.

대각선의 개수

볼록 n각형의 대각선의 개수

➡ $({}_nC_2-n)$ (단, $n\geq 3$)

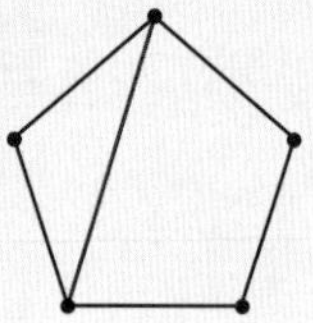

두 꼭짓점을 연결하면 대각선 또는 변이 된다. 따라서 대각선의 개수는 n개의 꼭짓점 중에서 2개를 택하는 조합의 수에서 변의 개수인 n을 뺀 값과 같다.

평행사변형의 개수

m개의 평행선과 n개의 평행선이 서로 만날 때 생기는 평행사변형의 개수

➡ $({}_mC_2\times{}_nC_2)$ (단, $m\geq 2$, $n\geq 2$)

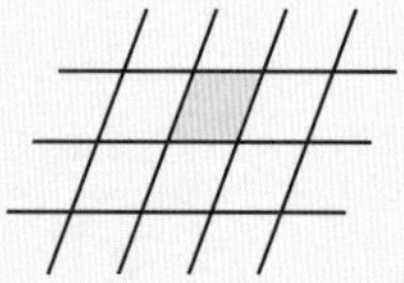

가로선 중에서 2개, 세로선 중에서 2개를 선택하면 하나의 평행사변형이 결정된다.

452 **그림과 같이 반원 위에 10개의 점이 있다. 다음을 구하여라.**

(1) 2개의 점을 연결하여 만들 수 있는 직선의 개수

(2) 3개의 점을 연결하여 만들 수 있는 삼각형의 개수

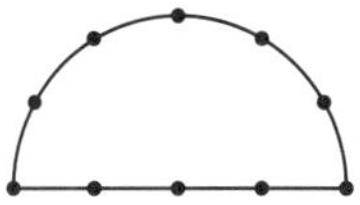

풍산자日 (1) 두 점을 연결하면 하나의 직선이 된다. 단, 일직선 위에 있는 점으로 만들 수 있는 직선은 1개뿐이다. 일직선 위에 있는 점으로 만들 수 있는 직선의 개수는 빼고 나중에 1만 더해 준다.

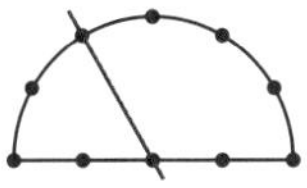

두 점을 연결하면 직선이 된다.

여기서 두 점을 뽑는 경우는 빼고 1만 더해 준다.

(2) 세 점을 연결하면 삼각형이 된다. 단, 일직선에서 세 점을 뽑으면 삼각형이 안 된다.

세 점을 연결하면 삼각형이 된다.

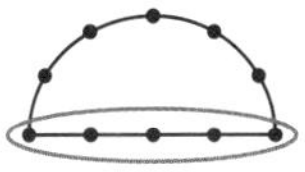

여기서 세 점을 뽑는 경우는 뺀다.

› 풀이 (1) 10개의 점 중에서 2개를 택하는 조합의 수는

$_{10}C_2=45$

일직선 위에 있는 5개의 점 중에서 2개를 택하는 조합의 수는

$_5C_2=10$

따라서 구하는 직선의 개수는

$45-10+1=\mathbf{36}$

(2) 10개의 점 중에서 3개를 택하는 조합의 수는

$_{10}C_3=120$

일직선 위에 있는 5개의 점 중에서 3개를 택하는 조합의 수는

$_5C_3=10$

따라서 구하는 삼각형의 개수는

$120-10=\mathbf{110}$

정답과 풀이 **45**쪽

유제 **453** **그림과 같이 정삼각형의 변 위에 같은 간격으로 놓인 9개의 점이 있다. 다음을 구하여라.**

(1) 2개의 점을 연결하여 만들 수 있는 직선의 개수

(2) 3개의 점을 연결하여 만들 수 있는 삼각형의 개수

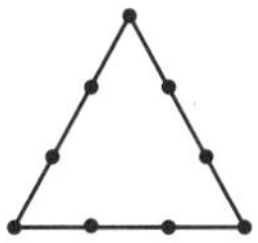

454 그림과 같은 팔각형의 대각선의 개수를 구하여라.

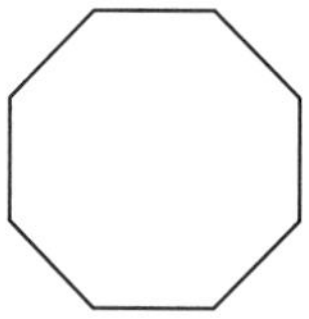

풍산자비 두 꼭짓점을 연결하면 대각선 또는 변이 된다.

> 풀이 8개의 꼭짓점 중에서 2개를 택하는 조합의 수에서 변의 개수인 8을 뺀 값과 같으므로
$_{8}C_{2}-8=28-8=\mathbf{20}$

> 다른 풀이 대각선의 개수를 구하는 공식을 이용하면
$\frac{n(n-3)}{2}$에서 $n=8$이므로 $\frac{8\times5}{2}=20$

> 참고 n개의 점에서 대각선을 그을 수 있는 점이 각각 $(n-3)$개이고, 그어 보면 같은 선이 두 번씩 그어지므로 대각선의 개수는 $\frac{n(n-3)}{2}$이 된다.
위의 풀이를 참고하면 $\frac{n(n-3)}{2}={}_{n}C_{2}-n$임을 알 수 있다.

정답과 풀이 **45**쪽

유제 **455** 대각선이 27개인 볼록 n각형의 꼭짓점의 개수를 구하여라.

456 그림과 같이 5개의 평행선과 4개의 평행선이 서로 만나고 있다. 이 평행선으로 이루어지는 평행사변형의 개수를 구하여라.

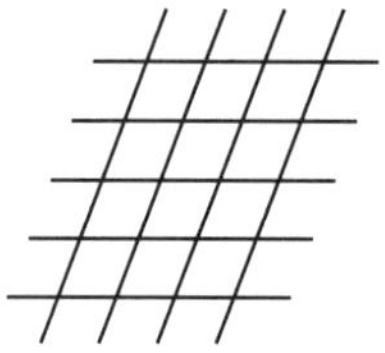

풍산자비 가로선 중에서 2개, 세로선 중에서 2개를 택하면 하나의 평행사변형이 결정된다.

> 풀이 5개의 평행선 중에서 2개, 4개의 평행선 중에서 2개를 택하면 하나의 평행사변형이 결정되므로 구하는 평행사변형의 개수는 $_{5}C_{2}\times{}_{4}C_{2}=10\times6=\mathbf{60}$

정답과 풀이 **45**쪽

유제 **457** 그림과 같이 가로선과 세로선이 같은 간격을 이루며 수직으로 만난다. 이들로 이루어지는 정사각형이 아닌 직사각형의 개수를 구하여라.

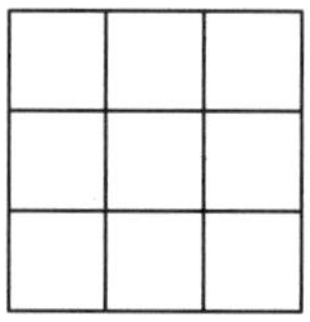

03 분할과 분배

분할은 조를 나누는 것. 나누기만 하므로 순서가 중요하지 않다.

분배는 분할로 나뉜 조를 나열하는 것. 순서가 중요하다.

분할하는 방법의 수

서로 다른 n개를 p개, q개, r개 $(p+q+r=n)$의 3개의 조로 나누는 경우의 수는

(1) p, q, r가 모두 다른 수이면 ➡ ${}_nC_p\times{}_{n-p}C_q\times{}_rC_r$

(2) p, q, r 중 어느 두 수가 같으면 ➡ ${}_nC_p\times{}_{n-p}C_q\times{}_rC_r\times\frac{1}{2!}$

(3) p, q, r가 모두 같으면 ➡ ${}_nC_p\times{}_{n-p}C_q\times{}_rC_r\times\frac{1}{3!}$

| 설명 | 분할하는 방법의 수를 구할 때에는 크기가 같은 조가 k개 있으면 $k!$로 나누어 주어야 한다. 분할에서는 조끼리의 순서는 무시하기 때문이다.

4명의 학생 A, B, C, D를 다음과 같이 2개의 조로 나누는 경우의 수를 각각 구해 보자.

1명, 3명으로 나누는 경우의 수	2명, 2명으로 나누는 경우의 수
A — BCD B — ACD C — ABD D — ABC	AB — CD AC — BD AD — BC BC — AD BD — AC CD — AB 같은 분할
4명에서 1명을 뽑아 한 조로 하고, 나머지 3명에서 3명을 뽑아 한 조로 한다. ${}_4C_1\times{}_3C_3=4$	4명에서 2명을 뽑아 한 조로 하고, 나머지 2명에서 2명을 뽑아 한 조로 한다. ${}_4C_2\times{}_2C_2=6$ 같은 분할이 $2!$개 생기므로 ${}_4C_2\times{}_2C_2\times\frac{1}{2!}=3$

분할한 n개의 조를 나열하는 것이 분배.

분배하는 방법의 수

n개의 조로 분할하여 n곳에 분배하는 경우의 수 ➡ **(n개의 조로 분할하는 경우의 수)**$\times n!$

쪼개고 끝나면 분할이고, 쪼갠 후 다른 곳에 나누어 주면 분배이다.

n개의 조를 일렬로 나열하는 경우의 수는 $n!$이므로 분배의 수는 분할의 수에 $n!$을 곱한다.

458 9명의 학생을 다음과 같이 3조로 나누는 모든 방법의 수를 구하여라.

(1) 2명, 3명, 4명 (2) 2명, 2명, 5명 (3) 3명, 3명, 3명

풍산자日 n조로 분할할 때, 크기가 같은 조가 k개이면 $k!$로 나누어 주어야 한다.

> 풀이 (1) 9명에서 2명을 뽑고, 나머지 7명에서 3명을 뽑고, 나머지 4명에서 4명을 뽑는다.

$\therefore {}_9C_2\times{}_7C_3\times{}_4C_4=36\times35\times1=\mathbf{1260}$

(2) (1)번과 같은 방식으로 한 후 2개의 조의 사람 수가 같으므로 $2!$로 나누어 준다.

$\therefore {}_9C_2\times{}_7C_2\times{}_5C_5\times\frac{1}{2!}=36\times21\times1\times\frac{1}{2}=\mathbf{378}$

(3) (1)번과 같은 방식으로 한 후 3개의 조의 사람 수가 모두 같으므로 $3!$로 나누어 준다.

$\therefore {}_9C_3\times{}_6C_3\times{}_3C_3\times\frac{1}{3!}=84\times20\times1\times\frac{1}{6}=\mathbf{280}$

정답과 풀이 45쪽

유제 **459** 서로 다른 종류의 꽃 5송이를 1송이, 2송이, 2송이로 나누어 3개의 꽃다발을 만드는 방법의 수를 구하여라.

460 10명을 3명, 3명, 4명의 3개의 조로 나눌 때, 특정한 3명이 같은 조에 편성되는 경우의 수를 구하여라.

풍산자日 특정한 인원을 몇 명인 조에 배정할 것인지 정한다.

> 풀이 (ⅰ) 특정한 3명을 3명인 조에 배정하는 경우

나머지 7명을 3명, 4명으로 나누는 방법의 수는 ${}_7C_3\times{}_4C_4=35$

(ⅱ) 특정한 3명을 4명인 조에 배정하는 경우

나머지 7명을 3명, 3명, 1명으로 나누는 방법의 수는 ${}_7C_3\times{}_4C_3\times{}_1C_1\times\frac{1}{2!}=70$

(ⅰ), (ⅱ)에서 구하는 경우의 수는 $35+70=\mathbf{105}$

정답과 풀이 45쪽

유제 **461** 부모를 포함하여 10명의 가족을 3명, 3명, 4명의 3개의 조로 나눌 때, 부모가 같은 조에 속하는 경우의 수를 구하여라.

462 6개의 팀이 그림과 같은 토너먼트 방식으로 시합을 가질 때, 대진표를 작성하는 방법의 수를 구하여라.

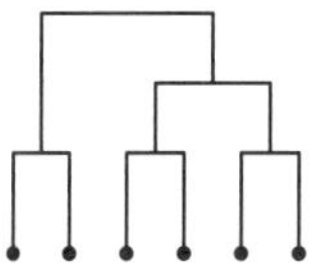

풍산자日 두 번 경기할 팀과 세 번 경기할 팀을 나누어 생각해 본다.

> 풀이 먼저 6개 팀을 두 번 경기하는 2개의 팀과 세 번 경기하는 4개의 팀으로 나누는 방법의 수는

$_6C_2 \times {}_4C_4 = 15$

4개의 팀을 다시 2개의 팀, 2개의 팀으로 나누는 방법의 수는

$_4C_2 \times {}_2C_2 \times \frac{1}{2!} = 3$

따라서 구하는 방법의 수는 $15 \times 3 = \mathbf{45}$

정답과 풀이 **46쪽**

유제 **463** 어느 회사의 배드민턴 동호회의 회원 7명은 그림과 같이 토너먼트 방식으로 단식시합을 하려고 한다. 대진표를 작성하는 방법의 수를 구하여라.

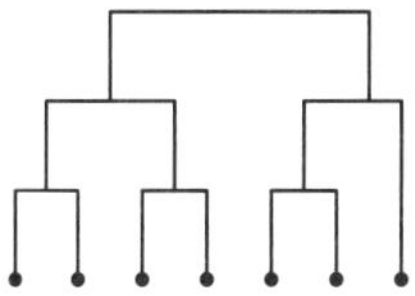

464 서로 다른 6송이의 꽃을 다음과 같이 3다발로 나누어 3명에게 선물하는 모든 방법의 수를 구하여라.

(1) 1송이, 2송이, 3송이 (2) 1송이, 1송이, 4송이 (3) 2송이, 2송이, 2송이

풍산자日 꽃을 3다발로 나누는 것까지는 분할 문제.
3명에게 선물을 한다는 것은 3!을 곱해서 분배의 수를 구하라는 말.

> 풀이 (1) $({}_6C_1 \times {}_5C_2 \times {}_3C_3) \times 3! = (6 \times 10 \times 1) \times 6 = \mathbf{360}$

(2) $\left({}_6C_1 \times {}_5C_1 \times {}_4C_4 \times \frac{1}{2!}\right) \times 3! = \left(6 \times 5 \times 1 \times \frac{1}{2}\right) \times 6 = \mathbf{90}$

(3) $\left({}_6C_2 \times {}_4C_2 \times {}_2C_2 \times \frac{1}{3!}\right) \times 3! = \left(15 \times 6 \times 1 \times \frac{1}{6}\right) \times 6 = \mathbf{90}$

정답과 풀이 **46쪽**

유제 **465** 8명의 관광객을 2명씩 4개의 조로 나누어 4곳의 호텔에 투숙시키는 방법의 수를 구하여라.

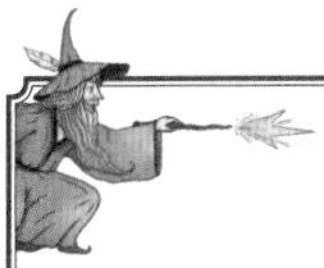

풍산자 비법

- 도형의 개수를 구하는 문제는 선택할 수 있는 점 또는 선의 개수를 따진다.
- 쪼개고 끝나면 분할, 쪼갠 후에 다른 곳에 나누어 주면 분배이다.

필수 확인 문제

* 더 많은 유형은 **풍산자필수유형 수학(하)** 089쪽

정답과 풀이 46쪽

466

등식 ${}_nP_2+4{}_nC_3={}_nP_3$을 만족시키는 자연수 n의 값을 구하여라.

467

어떤 모임에 참석한 회원들끼리 모두 한 번씩 악수를 하였을 때, 악수한 총 횟수가 120회였다. 이 모임에 참석한 회원 수를 구하여라.

468

남자 5명, 여자 3명 중에서 대표 3명을 선출할 때, 여자가 적어도 1명 포함되는 경우의 수를 구하여라.

469

A, B를 포함한 8명의 학생 중 4명을 뽑아 일렬로 세울 때, A, B가 모두 포함되고, 서로 이웃하여 서는 경우의 수를 구하여라.

470

집합 $X=\{a, b, c\}$에서 집합 $Y=\{1, 2, 3, 4, 5, 6, 7\}$로의 함수 f 중에서 $f(a)<f(b)<f(c)$를 만족시키는 함수의 개수를 구하여라.

471

그림과 같이 평행한 두 직선 위에 8개의 점이 있다.

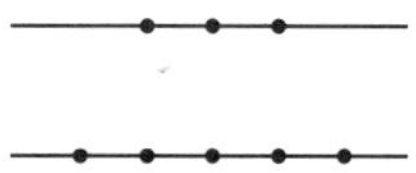

이때 주어진 점을 연결하여 만들 수 있는 서로 다른 직선의 개수를 구하여라.

472

그림과 같이 반원 위에 7개의 점이 있다. 이 중 4개의 점을 연결하여 만들 수 있는 사각형의 개수를 구하여라.

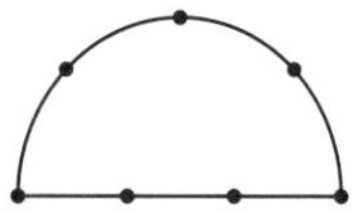

473

유적지를 답사하기 위해 8명의 학생을 4명씩 두 조로 나눌 수 있는 방법의 수를 구하여라.

중단원 마무리

▶ 경우의 수

경우의 수	① 모든 경우를 나열해 가짓수를 센다. ② 수형도(나뭇가지 그림)를 이용해 가짓수를 센다. ③ 낯선 문제를 익숙한 문제로 변형해 가짓수를 센다.
합의 법칙과 곱의 법칙	어떤 경우를 선택했을 때, 다른 경우를 포기해야 하면 각각의 경우의 수를 합한다. ➡ 합의 법칙 어떤 경우를 선택했을 때, 다른 경우를 선택해야 하면 각각의 경우의 수를 곱한다. ➡ 곱의 법칙

▶ 순열

순열의 식	① ${}_n\mathrm{P}_r=n(n-1)(n-2)\cdots(n-r+1)$ ② ${}_n\mathrm{P}_n=n(n-1)(n-2)\cdots3\times2\times1=n!$ ③ ${}_n\mathrm{P}_0=1,\ 0!=1$
특정 조건이 있는 순열	① 이웃하는 순열 (하나로 묶어 생각한 순열의 수)×(한 묶음 안에서의 순서를 바꾸는 순열의 수) ② 이웃하지 않는 순열 (이웃해도 되는 것들의 순열의 수)×(그 양 끝과 사이에 이웃하지 않는 것을 끼워 넣는 순열의 수) ③ '적어도'가 있는 경우의 순열: (전체 경우의 수)−(반대 경우의 수) ④ 교대로 배열하는 순열: 두 개의 대상 중 하나를 일렬로 배열한 후 그 사이사이와 양 끝에 나머지 대상들을 일렬로 나열한다.

▶ 조합

조합의 식	① ${}_n\mathrm{C}_r=\dfrac{{}_n\mathrm{P}_r}{r!}=\dfrac{n!}{r!(n-r)!}$ (단, $0\le r\le n$) ② ${}_n\mathrm{C}_0=1,\ {}_n\mathrm{C}_n=1,\ {}_n\mathrm{C}_1=n$ ③ ${}_n\mathrm{C}_r={}_n\mathrm{C}_{n-r}$ (단, $0\le r\le n$) ④ ${}_n\mathrm{C}_r={}_{n-1}\mathrm{C}_{r-1}+{}_{n-1}\mathrm{C}_r$ (단, $1\le r\le n-1$)
분할과 분배	(1) 분할하는 방법의 수 서로 다른 n개를 p개, q개, r개 $(p+q+r=n)$의 3개의 조로 나누는 경우의 수는 ① $p,\ q,\ r$가 모두 다른 수이면 ➡ ${}_n\mathrm{C}_p\times{}_{n-p}\mathrm{C}_q\times{}_r\mathrm{C}_r$ ② $p,\ q,\ r$ 중 m개가 같은 수이면 ➡ ${}_n\mathrm{C}_p\times{}_{n-p}\mathrm{C}_q\times{}_r\mathrm{C}_r\times\dfrac{1}{m!}$ (2) 분배하는 방법의 수 n개의 조로 분할하여 n곳에 분배하는 경우의 수 ➡ (n개의 조로 분할하는 경우의 수)$\times n!$

실전 연습문제

STEP 1

474

그림과 같이 세 면이 막혀 있는 주차장에 A, B, C, D 네 대의 차량이 주차되어 있다. 주차된 차량이 모두 주차장을 빠져나가는 순서를 정하는 방법의 수는? (단, 모든 차량은 주차 구역 내에서 직진만 하도록 한다.)

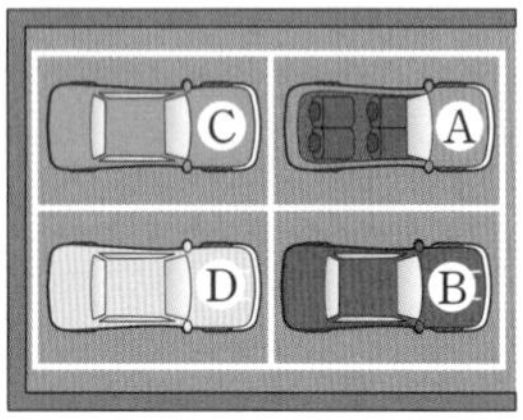

① 4　② 6　③ 8
④ 10　⑤ 12

475

다항식 $(a+b+c)(p+q+r)-(a+b)(s+t)$를 전개하였을 때 항의 개수는?

① 5　② 7　③ 9
④ 11　⑤ 13

476

그림과 같이 세 개의 도시 A, B, C를 잇는 도로망이 있다.

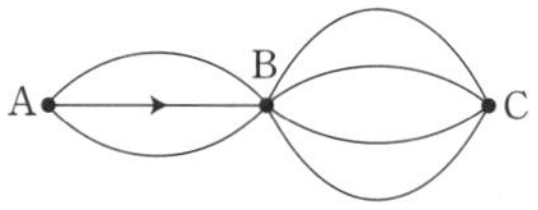

화살표가 있는 도로는 화살표 방향으로만 일방통행이 가능하고, 화살표가 없는 도로는 양쪽 방향으로 통행이 가능하다고 할 때, A 도시에서 출발하여 B 도시를 거쳐 C 도시까지 갔다가 다시 B 도시를 거쳐 A 도시까지 되돌아오는 방법의 수는?

① 72　② 78　③ 84
④ 90　⑤ 96

477

다음 등식을 만족시키는 자연수 n의 값을 구하여라.

(1) ${}_{n}P_{3}=8\cdot{}_{n-1}P_{2}$

(2) ${}_{2n}P_{2}+{}_{n}P_{2}-68=0$

(3) ${}_{n}P_{4}:{}_{n+1}P_{3}=5:2$

478

5개의 문자 a, b, c, d, e를 사전식으로 배열할 때, 75번째에 위치하는 단어는?

① dabce　② dabec　③ dacbe
④ daceb　⑤ daebc

479

풍산자 대학교에서는 수시전형의 면접시험을 치르기 위하여 응시생 3명을 일렬로 놓여 있는 7개의 의자에 앉히려고 한다. 부정행위를 방지하기 위하여 어느 2명도 이웃하지 않게 앉히려고 할 때, 가능한 경우의 수는?

① 52 ② 54 ③ 56
④ 58 ⑤ 60

480

남자 8명, 여자 8명 중에서 5명을 뽑을 때, 남자와 여자를 각각 적어도 2명씩 뽑는 경우의 수를 구하여라.

481

어떤 행사에 참여한 6명의 회원이 각자의 우산을 접수처에 맡겨 두었다가 행사를 마친 후 돌려받았다. 이때 3명은 자신의 우산을 받고, 나머지 3명은 다른 사람의 우산을 받을 경우의 수를 구하여라.

STEP 2

482

두 집합
$A=\{1, 2, 3\}$, $B=\{x|x$는 10 이하의 자연수$\}$
에 대하여 $a\in A$, $b\in B$일 때,
방정식 $x^2+2ax+b=0$이 허근을 가지는 경우의 수를 구하여라.

483

1, 2, 3, 4의 숫자가 하나씩 적힌 카드 4장이 있다. 이 카드 중에서 한 장을 꺼낸 후 다시 넣는 시행을 4번하여 나온 수를 차례대로 a, b, c, d라 할 때, 두 직선 $y=ax+b$, $y=cx+d$가 만나지 않는 경우의 수를 구하여라.

484

'3 6 9 게임'은 참가자들이 돌아가며 자연수를 1부터 차례로 말하되 3, 6, 9가 들어 있는 수는 말하지 않는 게임이다. 예를 들어 3, 13, 60, 396, 462, 900 등은 말하지 않아야 한다. '3 6 9 게임'을 할 때, 1부터 999까지의 자연수 중 말하지 않아야 하는 수의 개수를 구하여라.

485

스키장에서 안전관리요원으로 4명을 선발하려고 한다. 남자 5명, 여자 5명이 지원했을 때, 남자와 여자를 각각 2명씩 선발하는 경우의 수를 a, 적어도 여자 1명을 선발하는 경우의 수를 b, 특정한 2명을 반드시 선발하는 경우의 수를 c라 할 때, a, b, c의 대소 관계를 옳게 나타낸 것은?

① $a<b<c$ ② $a<c<b$ ③ $b<a<c$
④ $b<c<a$ ⑤ $c<a<b$

486

그림과 같이 가로 방향의 평행한 선분 4개와 세로 방향의 평행한 선분 6개가 각각 수직으로 만나고 있다. 선분 사이의 간격이 같을 때, 이 선분으로 만들 수 있는 정사각형이 아닌 직사각형의 개수를 구하여라.

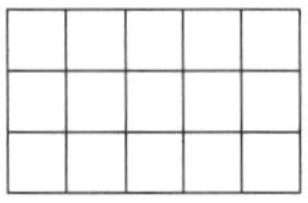

487

○○경찰서 △△지구대에서 8명의 근무자를 순찰차 순찰, 도보 순찰, 지구대 근무의 3개의 조로 편성하려고 한다. 한 조의 인원을 최소 2명에서 최대 4명까지 배치할 수 있을 때, 배치하는 방법의 수는?

① 2900 ② 2920 ③ 2940
④ 2960 ⑤ 2980

488

다음은 진서가 배낭여행을 가고 싶은 나라를 대륙별로 정리한 것이다. 진서는 두 대륙을 여행하되 먼저 방문하는 대륙에서는 3개국을 여행하고, 두 번째 방문하는 대륙에서는 2개국을 여행하려고 할 때, 계획할 수 있는 배낭여행의 경우의 수를 구하여라. (단, 방문국의 순서는 고려하지 않는다.)

대륙	가고 싶은 나라
아시아	일본, 중국, 인도, 태국
유럽	프랑스, 이탈리아, 스페인, 그리스
아메리카	미국, 멕시코, 브라질
아프리카	이집트, 리비아, 튀니지

빨간 정답

빨리 간편하게 정답을 체크한다.

IV. 집합과 명제 9p

002 ㄱ, ㄹ　004 ③
006 (1) $\{0, 1, 2\}$ (2) $\{0, 1\}$ (3) $\{0, 1, 2, 4\}$
008 $\{1, 9\}$　010 ㄷ　012 ⑤
014 (1) 64 (2) 63 (3) 8 (4) 16 (5) 8
016 8　018 12　020 128
021 ③　022 6　023 4
024 2　025 64　026 5
028 (1) $\{x \mid -2 \leq x \leq 6\}$ (2) $\{x \mid 1 \leq x \leq 2\}$
(3) $\{x \mid -2 \leq x < 1\}$ (4) $\{x \mid x < -2$ 또는 $x > 2\}$
030 2　032 ⑤　034 16
036 풀이 참조　038 풀이 참조　040 U
042 ①　044 ⑤　046 12
048 8
050 (1) 33 (2) 43 (3) 67 (4) 17
052 90　053 ①　054 16
055 ⑤　056 $A \cap B$　057 ②
058 7　059 4　060 64
061 32　062 ②　063 24
064 ①　065 ⑤　066 12
067 ②　068 ③　069 ⑤
070 6　071 16　072 28
073 3　074 ④
076 (1) $\{-2, 2\}$ (2) $\{2, 3, 5, 7\}$　078 4
080 풀이 참조　082 풀이 참조
084 (1) $\{x \mid x \geq 4\}$ (2) $\{x \mid x < 3$ 또는 $x \geq 8\}$
086 $\{x \mid x < 0$ 또는 $x > 3\}$
088 ㄱ, ㄴ, ㄹ　090 ③　092 ②
094 풀이 참조　096 풀이 참조　098 ①
100 7　102 ⑤　104 풀이 참조
106 풀이 참조　107 ②　108 풀이 참조
109 ①　110 $\{3, 9\}$　111 ③
112 ④　114 (1) 충분조건 (2) 필요충분조건
116 (1) 필요조건 (2) 필요충분조건
118 ⑤　120 0　122 4
124 (가) 필요 (나) 필요충분
126 (가) $2\sqrt{ab}$ (나) $>$ (다) $>$
128 풀이 참조　130 2　132 9
134 $8\sqrt{2}$　136 최댓값: 5, 최솟값: -5
137 ④　138 -2　139 ⑤
140 ④　141 9　142 3
143 4　144 ④　145 8
146 ⑤　147 ③　148 ③
149 ③　150 13　151 4
152 28　153 ③　154 ③
155 ④　156 ③　157 ④
158 ②

V. 함수와 그래프 69p

160 (1)

162 (1) 정의역: $\{1, 2, 3, 4\}$, 공역: $\{1, 2, 3, 4\}$
치역: $\{1, 3, 4\}$
(2) 3, 4 (3) 2, 3

164 5　166 $\{0, 1\}$　168 -6

170 ②, ⑤

172 일대일함수: ㄴ, ㄷ, 항등함수: ㄴ

174 7　176 $a=2$, $b=2$　178 $a<-1$

180 (1) 27 (2) 6 (3) 1 (4) 3

181 ②, ③, ⑤　182 $\{0, 1, 2\}$　183 7

184 -8　185 3　186 312

188 (1) 0 (2) 1 (3) 1 (4) 3

190 (1) $h(x)=3x-1$ (2) $h(x)=3x-5$

192 -10　194 1001　196 4

198 (1) a (2) d

200

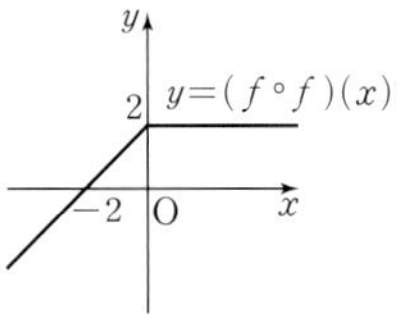

202

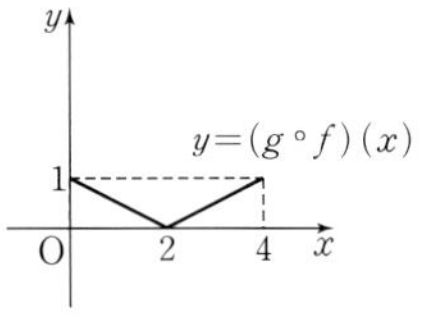

204

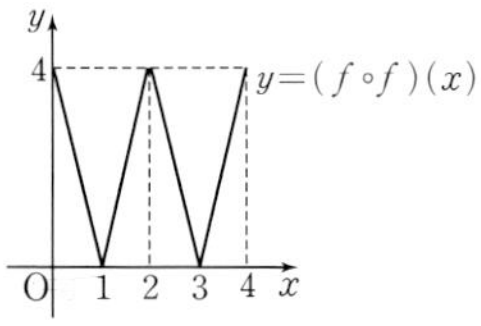

206 6　208 (1) $6x+10$ (2) $6x+10$

210 ㄴ, ㄹ　212 $y=x-3$

214 (1) 3 (2) 4

216 -2　218 3　220 e

222 -6　224 18　225 1

226 4　227 10　228 5

229 $(3, 3)$　230 9

232

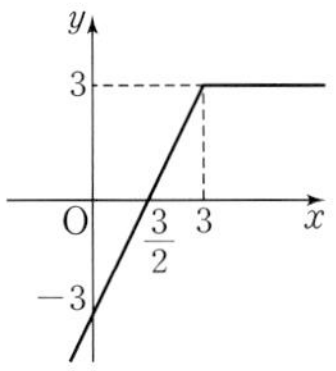

234

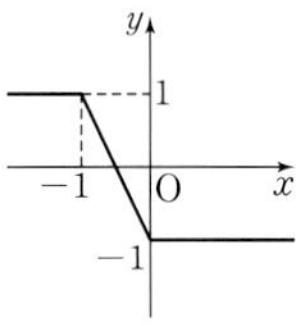

236 -2

238 (1)

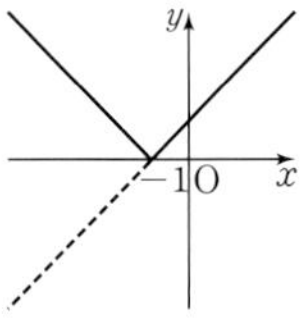

(2)

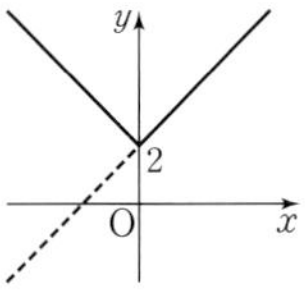

(3)

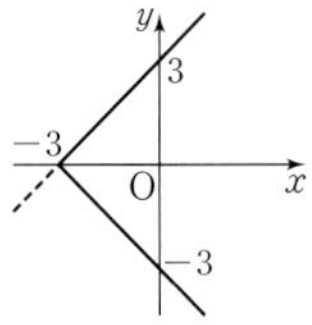

(4)

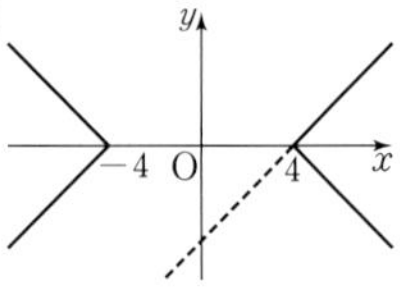

240 8

242

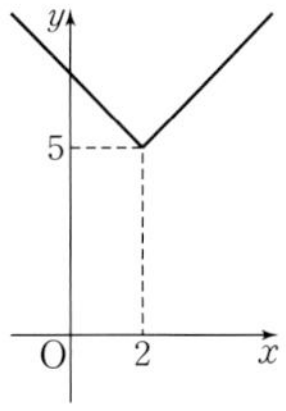

244

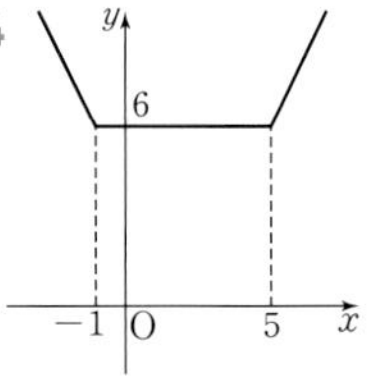

246 $a=1$, $b=5$

248 (1)

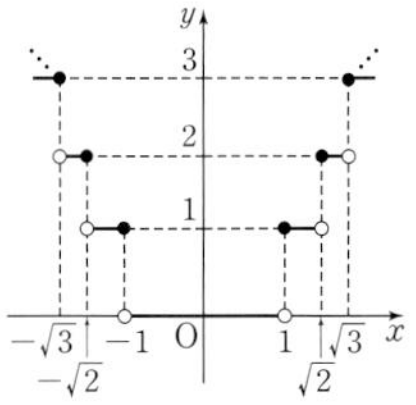

(2)

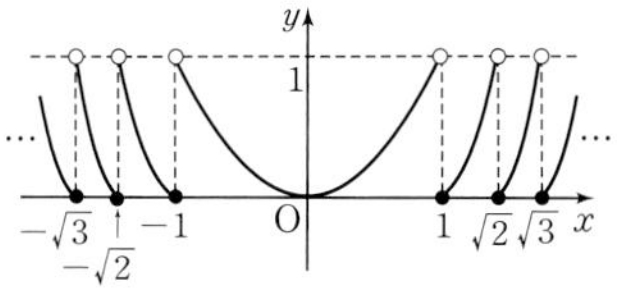

250 -1　251 8　252 0, -1

253 7　254 ㄱ, ㄴ, ㄷ　255 3

256 6　257 60　258 2

259 3　260 ①　261 -2

262 4　263 ④　264 ⑤

265 ②　266 ④　267 ③

268 ③　269 4　270 10

271 7　273 x　275 0

277 $\dfrac{-16x+24}{x(x+1)(x-3)(x-4)}$

279 $\dfrac{1000}{x(x+1000)}$

281 $\dfrac{x}{x-1}$　283 (1) $\dfrac{9}{29}$ (2) $\dfrac{11}{10}$

285 2 또는 -1

287 (1)

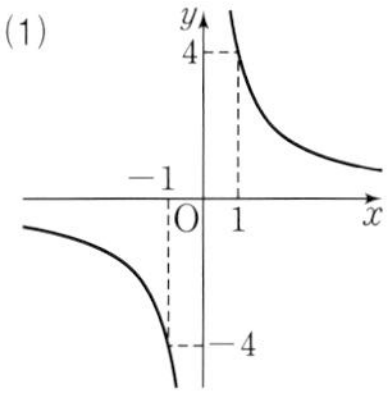

점근선의 방정식: $x=0$, $y=0$
정의역: $\{x|x\neq0$인 실수$\}$
치역: $\{y|y\neq0$인 실수$\}$

(2)

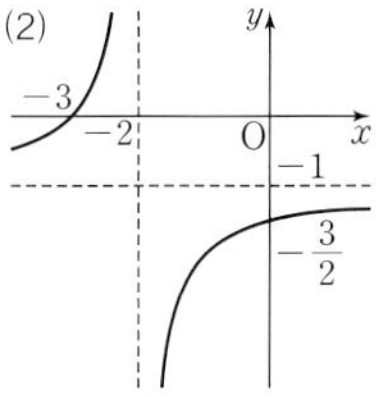

점근선의 방정식: $x=-2$, $y=-1$
정의역: $\{x|x\neq-2$인 실수$\}$
치역: $\{y|y\neq-1$인 실수$\}$

289

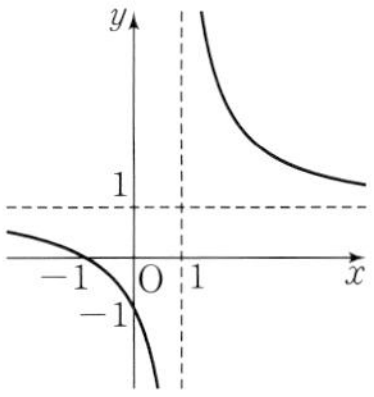

점근선의 방정식: $x=1$, $y=1$
정의역: $\{x|x\neq1$인 실수$\}$
치역: $\{y|y\neq1$인 실수$\}$

291 $a=4$, $b=2$, $c=2$

293 ㄱ, ㄷ **295** 5

297 $a=-1$, $b=5$

299 $a=2$, $b=-2$, $c=-1$

301 $\{y|y\leq-1$ 또는 $y\geq3\}$

303 최댓값: -1, 최솟값: $-\frac{5}{3}$

305 $a=4$, $b=-5$

307 (1) $y=\frac{2x+3}{x+4}$ (2) $y=\frac{cx-b}{x+a}$

309 $-3<a<1$ **311** $3\leq a\leq8$

312 $\frac{3x+1}{(x-1)(x+1)}$

313 2	**314** 9	**315** $\frac{2}{3}$
316 2	**317** -8	**318** ①
319 ⑤	**320** ⑤	**321** ③
322 ②	**323** 7	**324** ①
325 ②	**326** ②	**327** ⑤

328 $4\sqrt{2}$ **330** (1) $\frac{11+6\sqrt{2}}{7}$ (2) $2x$

332 (1)

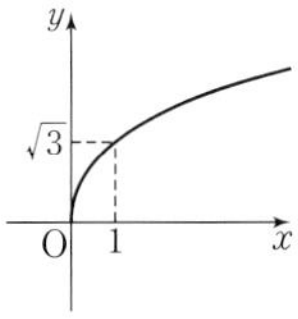

정의역: $\{x|x\geq0\}$
치역: $\{y|y\geq0\}$

(2)

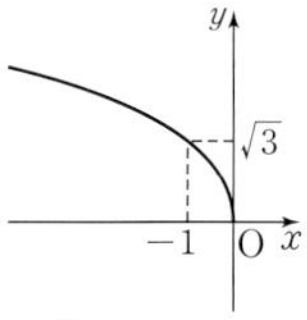

정의역: $\{x|x\leq0\}$
치역: $\{y|y\geq0\}$

(3)

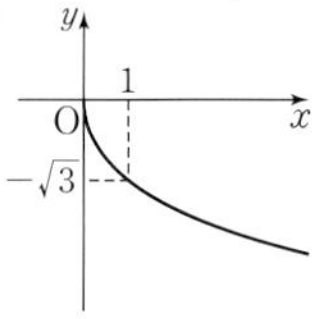

정의역: $\{x|x\geq0\}$
치역: $\{y|y\leq0\}$

(4)

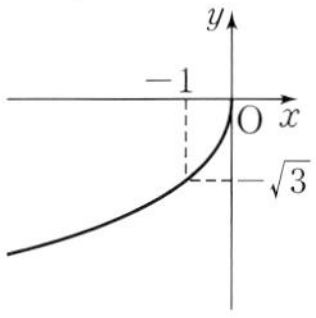

정의역: $\{x|x\leq0\}$
치역: $\{y|y\leq0\}$

334 (1)

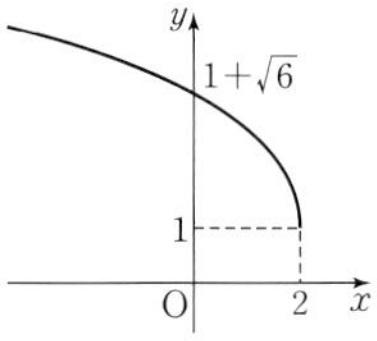

정의역: $\{x|x\leq2\}$
치역: $\{y|y\geq1\}$

(2)

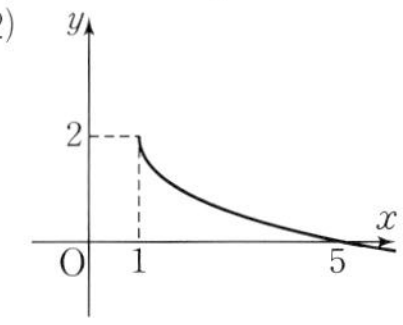

정의역: $\{x|x\geq1\}$
치역: $\{y|y\leq2\}$

336 -3	**338** 6	**340** 7
342 8	**344** $a=3$, $b=2$	

346 (1) $y=-\frac{1}{2}x^2+3$ $(x\geq0)$

(2) $y=\frac{(x-3)^2}{2}+\frac{1}{2}$ $(x\leq3)$

348 $a=2$, $b=-1$, $c=-1$

350 3	**352** 6	**354** $\frac{5}{2}$

356 (1) $1\leq k<\frac{5}{4}$ (2) $k<1$ 또는 $k=\frac{5}{4}$ (3) $k>\frac{5}{4}$

357 ④	**358** 5	**359** 5
360 $\frac{7}{5}$	**361** 2	**362** 6
363 31	**364** ③	**365** $\frac{49}{2}$
366 ①	**367** ④	**368** 16
369 6	**370** ①	**371** ④
372 ②	**373** 10	

VI. 경우의 수 153p

375 4
377 2
379 (1) 8 (2) 15
381 14
383 9
385 9
387 24
389 12
391 180
393 (1) 35 (2) 27
394 12
395 24
396 6
397 10
398 18
399 420
400 40
402 (1) 120 (2) 2 (3) 8 (4) 6 (5) 1
404 (1) $r=3$ (2) $n=6$ (3) $n=9$
406 풀이 참조
408 (1) 720 (2) 90
410 8
412 288
414 (1) 144 (2) 480
416 576
418 144
420 (1) 120 (2) 720
422 58번째
424 100
426 8
428 6
429 ①
430 4320
431 43200
432 432
433 28800
434 7200
435 60
437 (1) 10 (2) 15 (3) 50 (4) 455
439 (1) $r=5$ (2) $n=10$ (3) $n=5$ (4) $n=4$
441 (1) 20 (2) 10
443 (1) 210 (2) 40
445 (1) 10 (2) 5
447 (1) 80 (2) 70
449 12000
451 10
453 (1) 21 (2) 72
455 9
457 22
459 15
461 560
463 315
465 2520
466 5
467 16
468 46
469 180
470 35
471 17
472 22
473 35
474 ②
475 ⑤
476 ⑤
477 (1) 8 (2) 4 (3) 7
478 ③
479 ⑤
480 3136
481 40
482 16
483 48
484 657
485 ⑤
486 64
487 ③
488 126

고등 풍산자와 함께하면
개념부터 ~ 고난도 문제까지!
어떤 시험 문제도 익숙해집니다!

고등 풍산자 1등급 로드맵

고등 풍산자 교재		하	중하	중	상	최상
개념 기본서 1위		필수 문제로 개념 정복, 개념 학습 완성				
유형 기본서			개념 정리부터 유형까지 모두 정복, 유형 학습 완성			
기초 반복 훈련서		개념 및 기본 연산 정복, 기본 실력 완성				
기본 유형 연습서			기본 및 대표 유형 연습, 중위권 실력 완성			
유형서 만족도 1위				기출 문제로 유형 정복, 시험 준비 완료		
상위권 필독서				내신과 수능 1등급 도전, 상위권 실력 완성		
단기 특강서			개념 및 기본 체크, 단기 실력 점검			

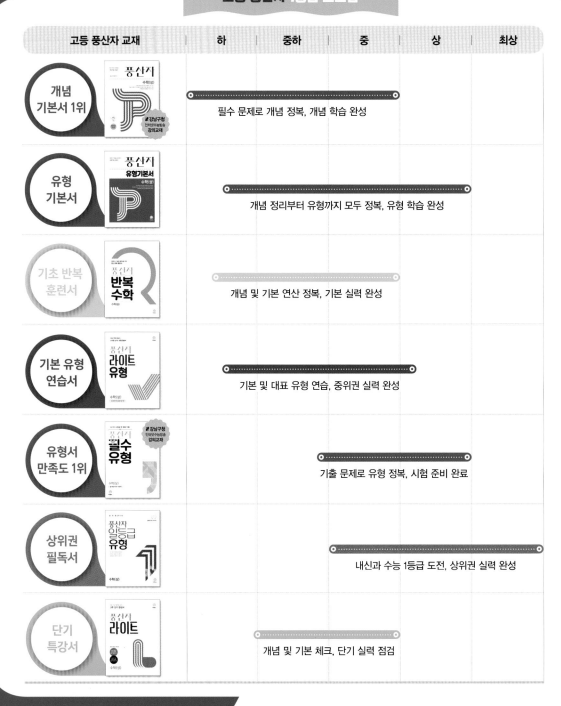

풍산자

수학(하)

정답과 풀이

지학사

풍산자

수학(하)

정답과 해설

Ⅳ 집합과 명제

1 집합

002

ㄱ은 집합이 아니다.

'예쁜'의 기준이 확실하지 않다.

ㄴ은 집합이다.

$1<x<2$를 만족시키는 자연수는 없으므로 공집합이다.

ㄷ도 집합이다.

$x^2=-1$을 만족시키는 실수는 없으므로 공집합이다.

ㄹ은 집합이 아니다.

'빨간'의 기준이 확실하지 않다.

따라서 집합이 아닌 것은 ㄱ, ㄹ이다. **답** ㄱ, ㄹ

004

① 0은 자연수가 아니다.

② $0.\dot{9}=\frac{9}{9}=1$이므로 1은 정수이다.

③ $\sqrt{4}=2$이므로 2는 유리수이다.

④ $\sqrt{2}$는 무리수이다.

⑤ π는 무리수이므로 실수이다.

따라서 옳지 않은 것은 ③이다. **답** ③

006

(1) $A=\{0, 1\}$, $B=\{1, 2\}$이므로 표에서

$A \otimes B=\{0, 1, 2\}$

B ＼ A	0	1
1	0	1
2	0	2

(2) $A=\{0, 1\}$이므로 표에서

$A \otimes A=\{0, 1\}$

A ＼ A	0	1
0	0	0
1	0	1

(3) $B=\{1, 2\}$이므로 [표 1]에서

$B \otimes B=\{1, 2, 4\}$

$A=\{0, 1\}$이므로 [표 2]에서

$A \otimes (B \otimes B)=\{0, 1, 2, 4\}$

B ＼ B	1	2
1	1	2
2	2	4

[표 1]

A ＼ $B \otimes B$	1	2	4
0	0	0	0
1	1	2	4

[표 2]

답 (1) $\{0, 1, 2\}$ (2) $\{0, 1\}$ (3) $\{0, 1, 2, 4\}$

008

조건 (나)에 의해 집합 A는

1, 9 또는 2, 8 또는 3, 7 또는 4, 6 또는 5로 만들어지는 집합이다. 그런데 조건 (가)에 의해 $1 \in A$이므로 두 조건을 모두 만족시키는 가장 작은 집합 A는 $\{1, 9\}$이다.

답 $\{1, 9\}$

010

ㄱ은 옳지 않다.

그림과 같이 $A \neq B$일 때도 있다.

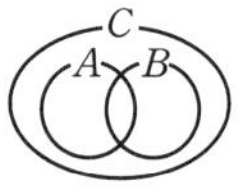

ㄴ도 옳지 않다.

그림과 같이 $B \neq C$일 때도 있다.

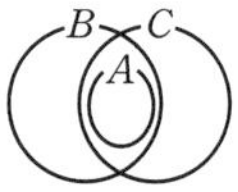

ㄷ은 옳다.

$x^2=1$에서 $x=\pm 1$이므로 $A=B$이다.

따라서 옳은 것은 ㄷ이다. **답** ㄷ

012

(ⅰ) 원소 기호 $\in$를 처리한다.

1과 $\{1, 4\}$는 집합 A의 원소이므로 ②, ③은 옳다.

(ⅱ) 부분집합 기호 $\subset$를 처리한다.

$\varnothing$은 모든 집합의 부분집합이므로 ①은 옳다.

1, 3은 집합 A의 원소이므로 $\{1, 3\}$은 A의 부분집합이다. 따라서 ④는 옳다.

또 $\{1, 4\}$는 집합 A의 부분집합이 아니므로 ⑤는 옳지 않다.

그러므로 옳지 않은 것은 ⑤이다. **답** ⑤

014

(1) 원소의 개수가 6개이므로 부분집합의 개수는

$2^6=64$

(2) 진부분집합은 자기 자신을 제외한 부분집합이므로 그 개수는

$2^6-1=63$

(3) 구하는 부분집합은 1, 2, 3을 빼고 생각한 $\{4, 5, 6\}$의 부분집합과 같으므로 그 개수는

$2^{6-3}=2^3=8$

(4) 구하는 부분집합은 4, 5를 빼고 생각한
{1, 2, 3, 6}의 부분집합에 4, 5를 끼운 것과 같으므로 그 개수는
$2^{6-2}=2^4=16$

(5) 구하는 부분집합은 1, 2, 5를 빼고 생각한
{3, 4, 6}의 부분집합에 1, 2, 5를 끼운 것과 같으므로 그 개수는
$2^{6-2-1}=2^3=8$

답 (1) 64 (2) 63 (3) 8 (4) 16 (5) 8

016

원소 a_1, a_2, a_n을 포함하는 부분집합의 개수가 32이므로 $2^{n-3}=32$, $2^{n-3}=2^5$

$n-3=5$ $\therefore n=8$ 답 8

018

구하는 부분집합의 개수는
(전체 부분집합의 개수)
−(홀수 1, 3을 포함하지 않는 부분집합의 개수)
와 같다.

(ⅰ) 전체 부분집합의 개수는
$2^4=16$

(ⅱ) 홀수 1, 3을 포함하지 않는 부분집합의 개수는
$2^{4-2}=2^2=4$

(ⅰ), (ⅱ)에서 구하는 부분집합의 개수는
$16-4=12$ 답 12

020

집합 B를 원소나열법으로 나타내면
$B=\{1, 2, 3, \cdots, 10\}$
B의 부분집합 중 A의 원소를 반드시 포함하는 집합은 집합 B에서 A의 원소 2, 3, 7을 빼고 생각한 {1, 4, 5, 6, 8, 9, 10}의 부분집합에 2, 3, 7을 끼운 것과 같다.
$\therefore 2^{10-3}=2^7=128$ 답 128

021

① {2, 4, 6, 8, 10, ⋯}
② ∅
③ '작은'의 기준이 명확하지 않으므로 집합이 아니다.
④ '가장 큰'은 기준이 명확하므로 집합이다.
⑤ {31, 32, 33, 34, ⋯}
따라서 집합이 아닌 것은 ③이다. 답 ③

022

$X=\{1, 2, 3\}$이므로
$a^2=1, 4, 9$
$b^2=1, 4, 9$
따라서 오른쪽 표에서

a^2 \ b^2	1	4	9
1	2	5	10
4	5	8	13
9	10	13	18

$Y=\{2, 5, 8, 10, 13, 18\}$
이므로 집합 Y의 원소의 개수는 6이다. 답 6

023

주어진 두 집합이 같으므로 집합 B가 4를 포함하려면
$a^2-3a=4$, $a^2-3a-4=0$
$(a+1)(a-4)=0$
$\therefore a=-1$ 또는 $a=4$

(ⅰ) $a=-1$일 때,
$A=\{4, 0, -8\}$, $B=\{2, 5, 4\}$이므로
$A\neq B$이다.

(ⅱ) $a=4$일 때,
$A=\{4, 5, 2\}$, $B=\{2, 5, 4\}$이므로
$A=B$이다.

(ⅰ), (ⅱ)에서 구하는 상수 a의 값은 4이다. 답 4

024

두 집합 P, Q를 $P\subset Q$가 되도록 수직선 위에 나타내면 그림과 같다.

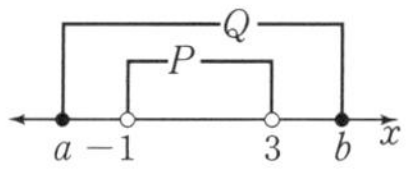

$P\subset Q$이므로 $a\leq -1$, $b\geq 3$이어야 한다.
따라서 a의 최댓값은 -1, b의 최솟값은 3이므로
$-1+3=2$ 답 2

025

구하는 부분집합은 집합 X의 원소 1, 2, 3, ⋯, 10 중 2, 3, 5, 7을 빼고 생각한 {1, 4, 6, 8, 9, 10}의 부분집합에 2, 3, 5, 7을 끼운 것과 같다.
따라서 구하는 부분집합의 개수는
$2^{10-4}=2^6=64$ 답 64

026

$b=a-1$이므로 $a+b=a+(a-1)=63$
$2a=64$ $\therefore a=32$
집합 A의 원소의 개수를 n이라 하면
$2^n=32$에서 $2^n=2^5$ $\therefore n=5$
따라서 집합 A의 원소의 개수는 5이다. 답 5

028

두 집합 A, B를 수직선 위에 나타내면 그림과 같다.

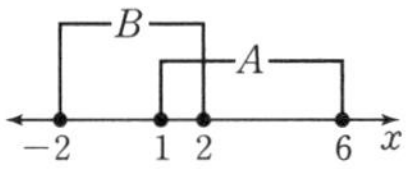

(1) $A\cup B=\{x\mid -2\le x\le 6\}$

(2) $A\cap B=\{x\mid 1\le x\le 2\}$

(3) $B-A=\{x\mid -2\le x<1\}$

(4) $B^C=\{x\mid x<-2$ 또는 $x>2\}$

답 (1) $\{x\mid -2\le x\le 6\}$ (2) $\{x\mid 1\le x\le 2\}$
(3) $\{x\mid -2\le x<1\}$ (4) $\{x\mid x<-2$ 또는 $x>2\}$

030

$A\cap B=\{1, 5\}$에서 $5\in A$이므로

$a^2+1=5,\ a^2=4$

$\therefore a=2$ 또는 $a=-2$

(i) $a=2$일 때,

$A=\{1, 2, 5\}, B=\{0, 5, 1\}$

$A\cap B=\{1, 5\}$

(ii) $a=-2$일 때,

$A=\{1, 2, 5\}, B=\{0, 1, -7\}$

$\therefore A\cap B=\{1\}$

(i), (ii)에서 구하는 상수 a의 값은 2이다. **답** 2

032

벤 다이어그램에서

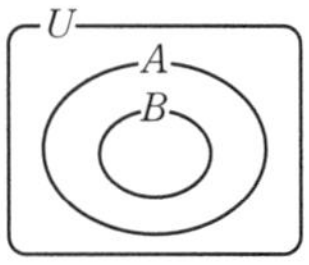

① $A\cup B=A$

② $A\cap B=B$

③ $A^C\subset B^C$

④ $B-A=\varnothing$

⑤ $A\cap B^C\ne\varnothing$

따라서 옳지 않은 것은 ⑤이다. **답** ⑤

034

[1단계] $A\cup X=A$에서 $X\subset A$

$(A\cap B)\cup X=X$에서 $(A\cap B)\subset X$

$\therefore (A\cap B)\subset X\subset A$

$\therefore \{5, 6\}\subset X\subset\{1, 2, 3, 4, 5, 6\}$

[2단계] 집합 X는 $\{1, 2, 3, 4, 5, 6\}$의 부분집합 중 5, 6을 반드시 포함하는 것이므로 집합 X의 개수는

$2^{6-2}=2^4=16$ **답** 16

036

(1) $(A\cap B^C)\cup B=(A\cup B)\cap(B^C\cup B)$ ⇐ 분배법칙

$=(A\cup B)\cap U$

$=A\cup B$

(2) $(A\cup B)\cap(A\cup B^C)=A\cup(B\cap B^C)$ ⇐ 분배법칙

$=A\cup\varnothing$

$=A$

답 풀이 참조

038

(1) $(A^C-B)^C=(A^C\cap B^C)^C$ ⇐ 차집합 공식

$=(A^C)^C\cup(B^C)^C$ ⇐ 드 모르간의 법칙

$=A\cup B$

(2) $(A-B)^C\cap B$

$=(A\cap B^C)^C\cap B$ ⇐ 차집합 공식

$=\{A^C\cup(B^C)^C\}\cap B$ ⇐ 드 모르간의 법칙

$=(A^C\cup B)\cap B$

$=B$ ⇐ 흡수법칙

답 풀이 참조

040

(주어진 식)

$=\{A\cap(B\cup B^C)\}\cup\{A^C\cap(B\cup B^C)\}$ ⇐ 분배법칙

$=(A\cap U)\cup(A^C\cap U)$

$=A\cup A^C$

$=U$

답 U

042

[1단계] $\{(A\cap B)\cup(A-B)\}\cap B$

$=\{(A\cap B)\cup(A\cap B^C)\}\cap B$ ⇐ 차집합 공식

$=\{A\cap(B\cup B^C)\}\cap B$ ⇐ 분배법칙

$=(A\cap U)\cap B$

$=A\cap B$

[2단계] (좌변)=(우변)에서 $A\cap B=A$이므로

$A\subset B$

따라서 옳은 것은 ①이다.

답 ①

044

주어진 연산은 전체에서 공통인 부분을 빼는 대칭차집합.
모두 색칠해 본다.

①

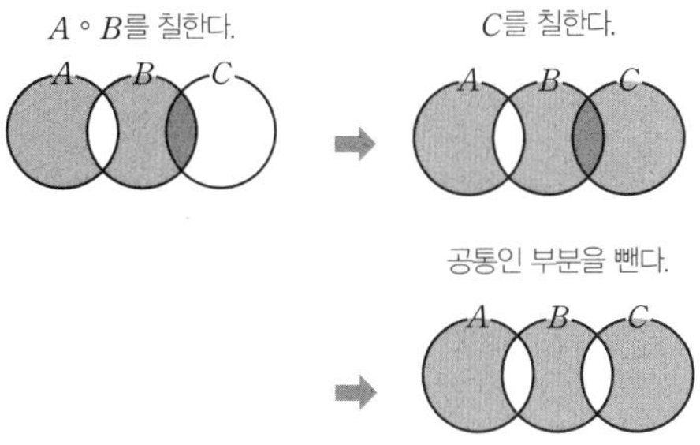
$A \circ B$를 칠한다.
C를 칠한다.
공통인 부분을 뺀다.

②

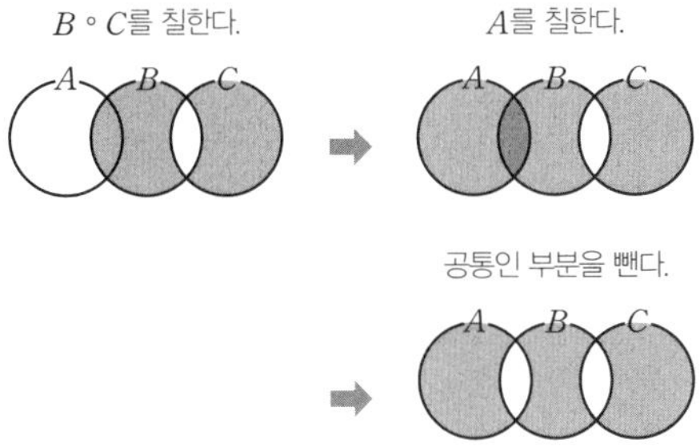
$B \circ C$를 칠한다.
A를 칠한다.
공통인 부분을 뺀다.

③

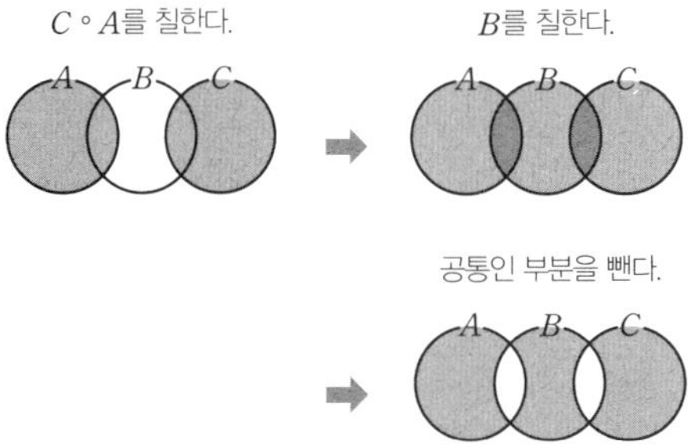
$C \circ A$를 칠한다.
B를 칠한다.
공통인 부분을 뺀다.

④

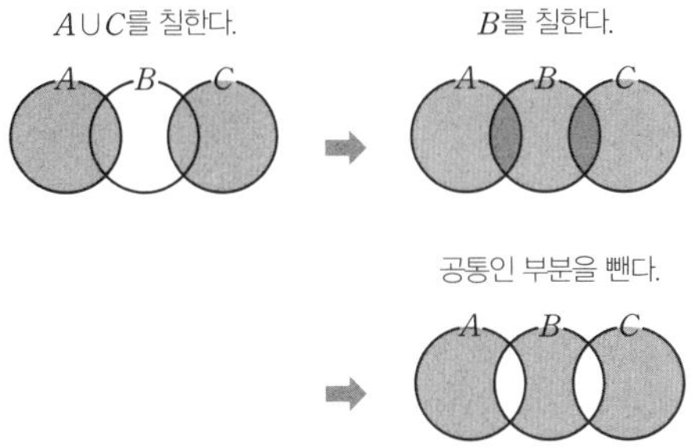
$A \cup C$를 칠한다.
B를 칠한다.
공통인 부분을 뺀다.

⑤

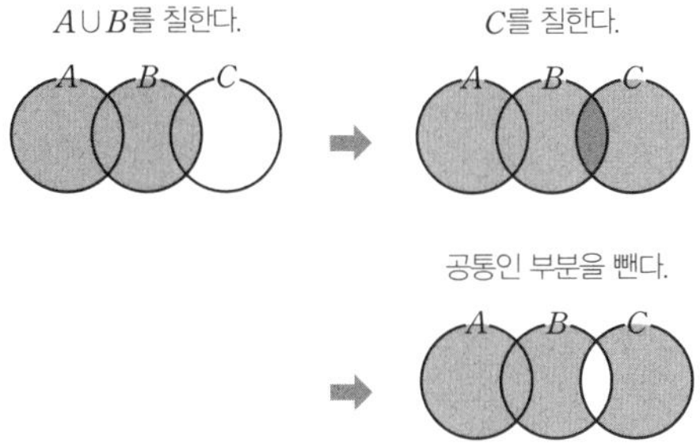
$A \cup B$를 칠한다.
C를 칠한다.
공통인 부분을 뺀다.

따라서 정답은 ⑤이다.

답 ⑤

046

[1단계] $n(A\cup B)=n(A)+n(B)-n(A\cap B)$에서

$n(A\cup B)=35+27-14=48$

[2단계] $n(A^C\cap B^C)=n((A\cup B)^C)$

$=n(U)-n(A\cup B)$

$=60-48$

$=12$

답 12

048

[1단계] A와 C가 서로소이므로 $A\cap C=\varnothing$

$\therefore A\cap B\cap C=\varnothing$

[2단계] $n(A\cup B)=n(A)+n(B)-n(A\cap B)$에서

$5=2+4-n(A\cap B)$

$\therefore n(A\cap B)=1$

$n(B\cup C)=n(B)+n(C)-n(B\cap C)$에서

$7=4+4-n(B\cap C)$

$\therefore n(B\cap C)=1$

[3단계] $n(A\cup B\cup C)$

$=n(A)+n(B)+n(C)$

$-n(A\cap B)-n(B\cap C)-n(C\cap A)$

$+n(A\cap B\cap C)$

$=2+4+4-1-1-0+0=8$

답 8

050

1부터 100까지의 자연수의 집합을 U, 4의 배수의 집합을 A, 6의 배수의 집합을 B, 7의 배수의 집합을 C라 하면

$n(U)=100$, $n(A)=25$, $n(B)=16$, $n(C)=14$

$A\cap B$는 12의 배수의 집합 ➡ $n(A\cap B)=8$

$B\cap C$는 42의 배수의 집합 ➡ $n(B\cap C)=2$

$C\cap A$는 28의 배수의 집합 ➡ $n(C\cap A)=3$

$A\cap B\cap C$는 84의 배수의 집합

➡ $n(A\cap B\cap C)=1$

(1) 4의 배수 또는 6의 배수의 개수는

$n(A\cup B)=n(A)+n(B)-n(A\cap B)$

$=25+16-8=33$

(2) 4의 배수 또는 6의 배수 또는 7의 배수의 개수는

$n(A\cup B\cup C)$

$=n(A)+n(B)+n(C)$

$-n(A\cap B)-n(B\cap C)-n(C\cap A)$

$+n(A\cap B\cap C)$

$=25+16+14-8-2-3+1=43$

(3) 4의 배수도 아니고 6의 배수도 아닌 수의 개수는

$n(A^C\cap B^C)=n((A\cup B)^C)$

$=n(U)-n(A\cup B)$

$=100-33=67$

(4) 4의 배수이지만 6의 배수가 아닌 수의 개수는

$n(A-B)=n(A)-n(A\cap B)$

$=25-8=17$

답 (1) 33 (2) 43 (3) 67 (4) 17

052

[1단계] 전체 학생의 집합을 U, 축구를 좋아하는 학생의 집합을 A, 야구를 좋아하는 학생의 집합을 B라 하면

$n(U)=100,\ n(A)=70,\ n(B)=60$

두 종목을 모두 좋아하는 학생 수 $n(A\cap B)$가 최대가 되려면 야구를 좋아하는 학생이 모두 축구를 좋아해야 한다.

즉, $B\subset A$이어야 하므로 $n(A\cap B)$의 최댓값은 60이다.

[2단계] $n(A)+n(B)=130$이고 $n(U)=100$이므로 $n(A\cap B)$의 최솟값은

$n(A)+n(B)-n(U)$

$=70+60-100=30$

[3단계] 따라서 구하는 최댓값과 최솟값의 합은

$60+30=90$ **답** 90

053

각 집합을 벤 다이어그램으로 나타내면 그림과 같다.

①
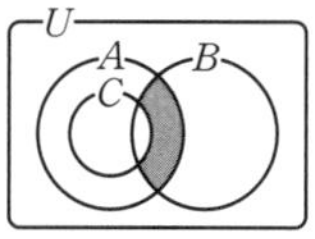

$(A\cap B)-C$

②
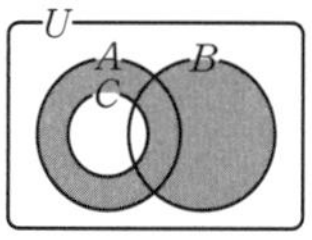

$(A\cup B)-C$

③
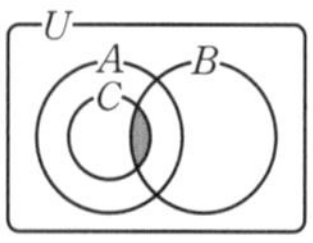

$(A\cap B)\cap C$

⑤
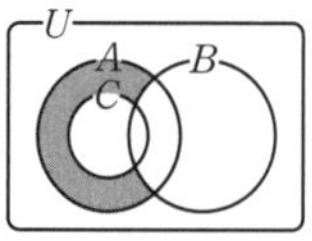

$(A-B)-C$

④ $(B-A)\cap C=\varnothing$

따라서 주어진 그림의 색칠한 부분을 나타내는 집합은 ①이다.

답 ①

054

[1단계] $(A\cup B)\cap X=X$에서 $X\subset(A\cup B)$

$(A-B)\cup X=X$에서 $(A-B)\subset X$

$\therefore (A-B)\subset X\subset(A\cup B)$

$\therefore \{1, 2\}\subset X\subset\{1, 2, 3, 4, 5, 6\}$

[2단계] 집합 X는 $\{1, 2, 3, 4, 5, 6\}$의 부분집합 중 1, 2를 반드시 포함하는 것이므로

집합 X의 개수는

$2^{6-2}=2^4=16$ **답** 16

055

$(A\cap B^C)\cup(A^C\cap B)$

$=(A-B)\cup(B-A)$ ⬅ 차집합 공식

(좌변)=(우변)에서 $(A-B)\cup(B-A)=\varnothing$이므로

$A-B=\varnothing$이고 $B-A=\varnothing$

따라서 $A\subset B$이고 $B\subset A$이므로

$A=B$ **답** ⑤

056

(주어진 식)

$=[\{A^C\cap(B\cup B^C)\}\cup B^C]^C$ ⬅ 분배법칙

$=\{(A^C\cap U)\cup B^C\}^C$

$=(A^C\cup B^C)^C$

$=A\cap B$ ⬅ 드 모르간의 법칙

답 $A\cap B$

057

[1단계] $A_3=\{3, 6, 9, 12, \cdots\}$,

$A_6=\{6, 12, 18, 24, \cdots\}$

$A_3\cup A_6=\{3, 6, 9, 12, \cdots\}=A_3$

[2단계] $A_2=\{2, 4, 6, 8, \cdots\}$이므로

$A_2\cap A_3=\{6, 12, 18, \cdots\}=A_6$

따라서 $A_2\cap(A_3\cup A_6)$이 나타내는 집합은 A_6이다.

답 ②

058

전체 학생의 집합을 U, 토요일에 참여한 학생의 집합을 A, 일요일에 참여한 학생의 집합을 B라 하면

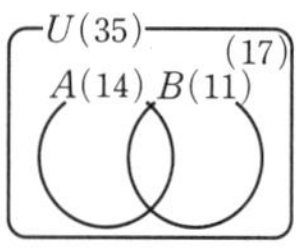

$n(U)=35$,

$n(A)=14,\ n(B)=11$

$n((A\cup B)^C)=17$이므로

$n(A\cup B)=n(U)-n((A\cup B)^C)$

$=35-17=18$

따라서 토요일에도 참여하고 일요일에도 참여한 학생 수 $n(A\cap B)$는

$n(A\cup B)=n(A)+n(B)-n(A\cap B)$에서

$18=14+11-n(A\cap B)$

$\therefore n(A\cap B)=7$ 답 7

059

집합 $A=\{a, b, c, d, e\}$의 부분집합 중에서 집합 $B=\{a, c, e\}$와 서로소인 것은 a, c, e를 원소로 갖지 않아야 하므로 구하는 부분집합의 개수는

$2^{5-3}=2^2=4$ 답 4

060

$(A\cup B)^C=\{2, 3, 5, 7\}$이므로

$A\cup B=\{1, 4, 6, 8, 9, 10\}$

이때 $A\cap B=\varnothing$이므로

$A=\varnothing$이면 $B=\{1, 4, 6, 8, 9, 10\}$

$A=\{1\}$이면 $B=\{4, 6, 8, 9, 10\}$

$A=\{4\}$이면 $B=\{1, 6, 8, 9, 10\}$

$A=\{1, 4\}$이면 $B=\{6, 8, 9, 10\}$

⋮

$A=\{1, 4, 6, 8, 9, 10\}$이면 $B=\varnothing$

따라서 순서쌍 (A, B)의 개수는 집합 $A\cup B$의 부분집합의 개수와 같으므로 $2^6=64$ 답 64

061

$A=\{x\mid 0\le x\le 10,\ x\text{는 정수}\}=\{0, 1, 2, \cdots, 10\}$

$B=\{x\mid x\text{는 16의 양의 약수}\}=\{1, 2, 4, 8, 16\}$

$C=\{x\mid x\text{는 10 이하의 소수}\}=\{2, 3, 5, 7\}$

$\therefore A\cap B=\{1, 2, 4, 8\}$, $A\cap C=\{2, 3, 5, 7\}$

따라서 $(A\cap B)\cup X=(A\cap C)\cup X$가 성립하기 위해서는 집합 X가 $\{1, 3, 4, 5, 7, 8\}$을 반드시 원소로 가져야 하므로 집합 A의 부분집합 X의 개수는

$2^{11-6}=2^5=32$ 답 32

062

$(A^C\cup B)\cap A=(A^C\cap A)\cup(B\cap A)$

$=\varnothing\cup(A\cap B)$

$=A\cap B$

$=\{2, 4, 6\}\cap\{1, 2, 3\}=\{2\}$

따라서 집합 $(A^C\cup B)\cap A$의 원소의 개수는 1이다.

답 ②

063

$U=\{1, 2, 3, 4, 5, 6, 7, 8, 9, 10\}$,

$A=\{2, 4, 6, 8, 10\}$, $B=\{3, 6, 9\}$이므로

$(A^C\cup B)^C=(A^C)^C\cap B^C$

$=A\cap B^C$

$=A-B$

$=\{2, 4, 8, 10\}$

따라서 구하는 모든 원소의 합은 24이다. 답 24

064

ㄱ. $A\cap(A\cap B)^C$

$=A\cap(A^C\cup B^C)$ ⬅ 드 모르간의 법칙

$=(A\cap A^C)\cup(A\cap B^C)$ ⬅ 분배법칙

$=\varnothing\cup(A-B)$ ⬅ 차집합 공식

$=A-B$ (참)

ㄴ. $(A-B)-C$

$=(A\cap B^C)\cap C^C$ ⬅ 차집합 공식

$=A\cap(B^C\cap C^C)$ ⬅ 결합법칙

$=A\cap(B\cup C)^C$ ⬅ 드 모르간의 법칙

$=A-(B\cup C)$ (거짓) ⬅ 차집합 공식

ㄷ. $(A-C)\cap(B-C)$

$=(A\cap C^C)\cap(B\cap C^C)$ ⬅ 차집합 공식

$=(A\cap B)\cap C^C$ ⬅ 결합법칙, 교환법칙

$=(A\cap B)-C$ (거짓) ⬅ 차집합 공식

따라서 옳은 것은 ㄱ이다. 답 ①

065

색칠하지 않은 부분은

$(A\cap B)\cup(A\cap C)=A\cap(B\cup C)$

따라서 색칠한 부분은

$\{A\cap(B\cup C)\}^C=A^C\cup(B\cup C)^C$

$=A^C\cup(B^C\cap C^C)$ 답 ⑤

066

$A※B=(A\cup B)\cap(A\cap B)^C$

$=(A\cup B)\cap(A^C\cup B^C)$

이므로

$A^C※B^C=(A^C\cup B^C)\cap\{(A^C)^C\cup(B^C)^C\}$

$=(A^C\cup B^C)\cap(A\cup B)$

$=(A\cup B)\cap(A^C\cup B^C)$

$=A※B$

$=\{1, 3, 5, 7, 9\}$

$A=\{x|x$는 소수$\}=\{2, 3, 5, 7\}$이므로 두 집합 A, B의 관계를 벤 다이어그램으로 나타내면 그림과 같다.

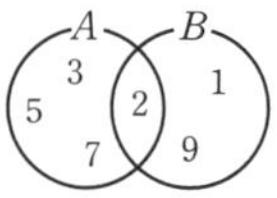

$\therefore B=\{1, 2, 9\}$

따라서 집합 B의 모든 원소들의 합은 $1+2+9=12$

답 12

067

$(A-B)\cup B$

$=(A\cap B^C)\cup B$ ⬅ 차집합 공식

$=(A\cup B)\cap(B^C\cup B)$ ⬅ 분배법칙

$=(A\cup B)\cap U$

$=A\cup B$

(좌변)=(우변)에서 $A\cup B=A$ $\quad\therefore B\subset A$

따라서 옳은 것은 ②이다.

답 ②

068

$(A-B)\cup(A^C\cap B)=(A-B)\cup(B\cap A^C)$

$=(A-B)\cup(B-A)=\varnothing$

즉, $A-B=\varnothing$, $B-A=\varnothing$이므로

$A\subset B$, $B\subset A$ $\quad\therefore A=B$

따라서 두 집합 A, B 사이의 포함 관계를 벤 다이어그램으로 나타내면 그림과 같다.

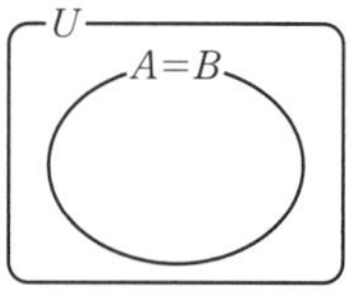

답 ③

069

ㄱ. $A\triangle B=(A\cup B)-(A\cap B)$

$=(A\cup B)\cap(A\cap B)^C$

$=(A\cup B)\cap(A^C\cup B^C)$

$=\{(A\cup B)\cap A^C\}\cup\{(A\cup B)\cap B^C\}$

$=(B\cap A^C)\cup(A\cap B^C)$

$=(A\cap B^C)\cup(B\cap A^C)$

$=(A-B)\cup(B-A)$ (참)

ㄴ. $(A\triangle B)\triangle C$, $A\triangle(B\triangle C)$를 벤 다이어그램으로 나타내면 그림과 같다.

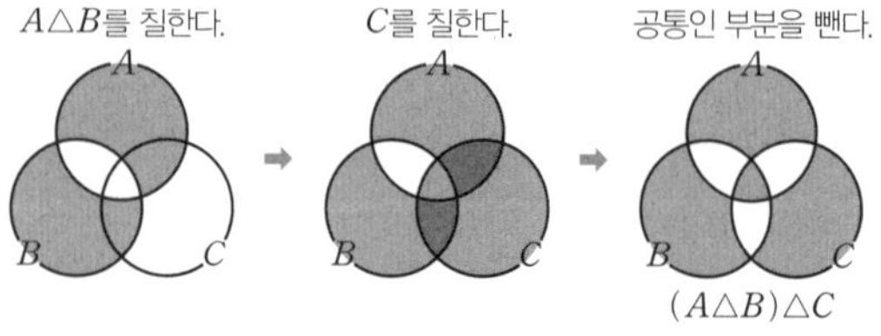

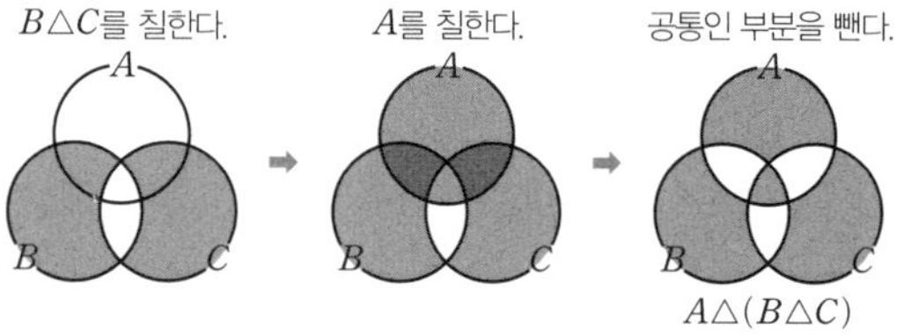

$\therefore (A\triangle B)\triangle C=A\triangle(B\triangle C)$ (참)

ㄷ. $A\triangle B=(A\cup B)-(A\cap B)=\varnothing$이므로 ㄱ에서

$(A-B)\cup(B-A)=\varnothing$

$\therefore A-B=\varnothing$, $B-A=\varnothing$

즉, $A\subset B$, $B\subset A$이므로 $A=B$이다. (참)

따라서 옳은 것은 ㄱ, ㄴ, ㄷ이다.

답 ⑤

070

$A=\{1, 2, 4, 8\}$, $B\subset A$이므로

$n(A-B)=n(A)-n(A\cap B)$

$=n(A)-n(B)$

즉, 집합 B는 1, 2, 4, 8 중 2개를 원소로 가지는 집합이다.

따라서 구하는 집합 B는

$\{1, 2\}$, $\{1, 4\}$, $\{1, 8\}$, $\{2, 4\}$, $\{2, 8\}$, $\{4, 8\}$

이므로 그 개수는 6이다.

답 6

071

$a=\pm2$, $b=\pm2$일 때, $a\bigstar b=8$

$a=\pm1$, $b=\pm1$일 때, $a\bigstar b=2$

$\left.\begin{array}{l}a=\pm1,\ b=\pm2\\ a=\pm2,\ b=\pm1\end{array}\right\}$일 때, $a\bigstar b=5$

$a=0$ 또는 $b=0$일 때, $a\bigstar b=0$

$\therefore B=\{0, 2, 5, 8\}$

따라서 집합 B의 부분집합의 개수는 $2^4=16$이다.

답 16

072

$M(X)\geq3$을 만족시키기 위하여 A의 부분집합 X는 3 이상의 원소를 적어도 하나 가져야 한다.

즉, 조건을 만족시키는 집합 X는 A의 부분집합 전체에서 3 이상의 원소를 갖지 않는 부분집합을 제외한 것이다.

따라서 집합 X의 개수는

$2^5-2^2=32-4=28$

답 28

073

$U=\{x \mid x$는 10 이하의 짝수인 자연수$\}$

$=\{2, 4, 6, 8, 10\}$

이므로 $S(A)=x$라 하면

$S(B)=(2+4+6+8+10)-x=30-x$

$S(A)\times S(B)=x(30-x)=200$

$x^2-30x+200=0,\ (x-10)(x-20)=0$

$\therefore x=20\ (\because S(A)>S(B))$

이때 $S(A)=20$, $S(B)=10$인 경우는

$A=\{2, 4, 6, 8\}$일 때, $B=\{10\}$

$A=\{2, 8, 10\}$일 때, $B=\{4, 6\}$

$A=\{4, 6, 10\}$일 때, $B=\{2, 8\}$

따라서 순서쌍 (A, B)의 개수는 3이다. 답 3

074

전체 학생의 집합을 U, 축구를 좋아하는 학생의 집합을 A, 야구를 좋아하는 학생의 집합을 B라 하면

$n(U)=100$

(가)에서 $n(A\cap B)=16$

(나)에서 $n(A^C\cap B^C)=n((A\cup B)^C)=26$이므로

$n(A\cup B)=n(U)-n((A\cup B)^C)$

$=100-26=74$

(다)에서 $n(A)=\frac{3}{2}n(B)$

$\therefore n(A\cup B)=n(A)+n(B)-n(A\cap B)$

$=\frac{3}{2}n(B)+n(B)-16$

$=74$

$\frac{5}{2}n(B)=90$

$\therefore n(B)=36$

따라서 축구를 좋아하지만 야구를 좋아하지 않는 학생 수는

$n(A\cap B^C)=n(A-B)$

$=n(A\cup B)-n(B)$

$=74-36=38$ 답 ④

2 명제

076

(1) $x^2=4$를 만족시키는 값은 $x=\pm2$이므로 진리집합은 $\{-2, 2\}$

(2) 10보다 작은 소수는 2, 3, 5, 7이므로 진리집합은 $\{2, 3, 5, 7\}$

답 (1) $\{-2, 2\}$ (2) $\{2, 3, 5, 7\}$

078

소수이면서 홀수가 아닌 수는 2뿐이므로

$P=\{2\}$

10 이하의 자연수 중에서 15의 약수는 1, 3, 5이므로

$Q=\{1, 3, 5\}$

$\therefore P\cup Q=\{1, 2, 3, 5\}$

따라서 $P\cup Q$의 원소의 개수는 4이다. 답 4

080

(1) 주어진 조건의 부정: 두 실수 x, y는 모두 무리수이거나 유리수이다.

(2) 주어진 조건의 부정: x는 짝수이거나 4의 배수이다. 전체집합의 원소 중에서 짝수는 2, 4, 6이고 4의 배수는 4이다. 짝수이거나 4의 배수인 것은 2, 4, 6이므로 구하는 진리집합은 $\{2, 4, 6\}$이다.

답 풀이 참조

082

주어진 명제의 부정: 0은 양수도 아니고 음수도 아니다.
이것은 참인 명제이다. 답 풀이 참조

084

두 조건 p, q의 진리집합을 각각 P, Q라 하면

$P=\{x \mid x<4\}$, $Q=\{x \mid 3\le x<8\}$

(1) $P^C=\{x \mid x\ge4\}$

(2) $Q^C=\{x \mid x<3$ 또는 $x\ge8\}$

답 (1) $\{x \mid x\ge4\}$ (2) $\{x \mid x<3$ 또는 $x\ge8\}$

086

두 조건 p, q의 진리집합을 각각 P, Q라 하면

조건 '$\sim p$이고 $\sim q$'의 진리집합은 $P^C\cap Q^C$이다.

$P^C=\{x \mid x<0$ 또는 $x>2\}$

$Q^C=\{x \mid x<1$ 또는 $x>3\}$

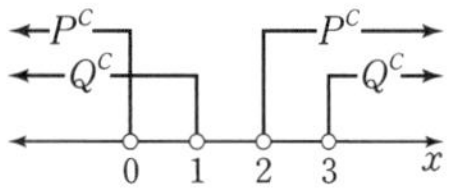

$\therefore P^C \cap Q^C = \{x \mid x<0$ 또는 $x>3\}$

답 $\{x \mid x<0$ 또는 $x>3\}$

088

ㄱ은 참이다.

p : $3x+1=-2$, q : $x^2-2x-3=0$이라 하고, p, q의 진리집합을 각각 P, Q라 하면

$3x+1=-2$에서 $3x=-3$ $\quad \therefore x=-1$

$x^2-2x-3=0$에서 $(x+1)(x-3)=0$

$\therefore x=-1$ 또는 $x=3$

$P=\{-1\}$, $Q=\{-1, 3\}$

$P \subset Q$이므로 $p \Longrightarrow q$

ㄴ도 참이다.

x가 정수라는 조건에 유의해야 한다.

p : $0<x\leq 3$, q : $1\leq x<4$라 하고, p, q의 진리집합을 각각 P, Q라 하면 x는 정수이므로

$P=\{1, 2, 3\}$, $Q=\{1, 2, 3\}$

$P \subset Q$이므로 $p \Longrightarrow q$

($P=Q$일 때도 $P \subset Q$는 성립한다.)

ㄷ은 거짓이다.

$ax=ay$이면 반드시 $x=y$일까? 아니다.

(반례) $a=0$, $x=2$, $y=3$일 때, $ax=ay$이지만 $x \neq y$이다.

ㄹ은 참이다.

a, b가 실수일 때, $a^2+b^2=0$을 만족시키는 a, b의 값은 $a=0$, $b=0$뿐이다. 이때 $ab=0$이 된다.

따라서 참인 명제는 ㄱ, ㄴ, ㄹ이다. 답 ㄱ, ㄴ, ㄹ

090

명제 $p \longrightarrow q$가 참이므로 $P \subset Q$

즉, P는 Q의 안쪽에 있어야 하므로 벤 다이어그램과 같다.

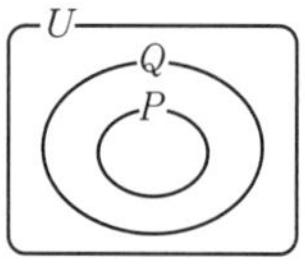

$\therefore P \cap Q^C = \varnothing$

따라서 옳은 것은 ③이다.

답 ③

092

주어진 명제가 거짓임을 보여 주는 반례는 2의 양의 배수이지만 6의 양의 배수가 아닌 것이다.

2의 양의 배수는 2, 4, 6, 8, 10, …이다.

또 6의 양의 배수는 6, 12, 18, 24, 30, …이다.

따라서 2의 양의 배수 중 6의 양의 배수가 아닌 수를 뽑으면 2, 4, 8, 10, …이므로 주어진 수 중 반례로 적당한 것은 ②이다. 답 ②

094

(1) 주어진 명제의 부정: 어떤 실수 x에 대하여 $2x+3\leq 5$이다.

이것은 $x=0$일 때 $2x+3\leq 5$가 성립하므로 참이다.

(2) 주어진 명제의 부정: 모든 자연수 x에 대하여 $x^2 \neq 3x$이다.

이것은 $x=3$일 때 $x^2=3x$이므로 거짓이다.

답 풀이 참조

096

(1) 명제: $x=1$ 또는 $x=-1$이면 $x^2=1$이다. (참)

역: $x^2=1$이면 $x=1$ 또는 $x=-1$이다. (참)

대우: $x^2 \neq 1$이면 $x \neq 1$이고 $x \neq -1$이다. (참)

(2) 명제: $x>1$이고 $y>1$이면 $x+y>2$이다. (참)

역: $x+y>2$이면 $x>1$이고 $y>1$이다. (거짓)

(반례) $x=9$, $y=-1$

대우: $x+y\leq 2$이면 $x\leq 1$이거나 $y\leq 1$이다. (참)

답 풀이 참조

098

$\sim p \longrightarrow q$의 역은 $q \longrightarrow \sim p$이고 이것이 참이므로 역의 대우 $p \longrightarrow \sim q$도 참이다.

따라서 반드시 참인 명제는 ①이다. 답 ①

100

주어진 명제의 역은 '$x-1=0$이면 $x^2-ax+6=0$이다.'이다.

역이 참이어야 하므로 $x=1$을 $x^2-ax+6=0$에 대입하면 $1-a+6=0$ $\quad \therefore a=7$

답 7

102

(i) 주어진 두 명제가 참이므로 그 대우 $q \longrightarrow \sim p$와 $\sim q \longrightarrow r$도 참이다.

(ii) $\sim r \longrightarrow q$와 $q \longrightarrow \sim p$가 참이므로 삼단논법을 적용하면 $\sim r \longrightarrow \sim p$도 참이다.

(iii) $p \longrightarrow \sim q$와 $\sim q \longrightarrow r$가 참이므로 삼단논법을 적용하면 $p \longrightarrow r$도 참이다.

따라서 반드시 참이라고 할 수 없는 것은 ⑤이다.

답 ⑤

104

주어진 명제의 대우 'n이 자연수일 때, n이 짝수이면 n^2도 짝수이다.'가 참임을 보이면 된다.

n이 짝수이면 $n=2k$ (k는 자연수)로 나타낼 수 있으므로 $n^2=(2k)^2=4k^2$

여기서 $4k^2$은 짝수이므로 n^2은 짝수이다.

따라서 주어진 명제의 대우가 참이므로 주어진 명제도 참이다.

답 풀이 참조

106

(1) n을 2의 배수라고 가정하면 $n=2k$ (k는 자연수)로 나타낼 수 있으므로

$n^2+2n=(2k)^2+2\cdot 2k=4k^2+4k=4(k^2+k)$

여기서 $4(k^2+k)$가 4의 배수이므로 n^2+2n은 4의 배수이다.

이것은 n^2+2n이 4의 배수가 아니라는 주어진 명제의 가정에 모순이다.

따라서 n은 2의 배수가 아니다.

(2) 주어진 명제의 결론을 부정하여 $\sqrt{3}$이 유리수라고 가정하면

$\sqrt{3}=\dfrac{n}{m}$ (m, n은 서로소인 자연수)

인 m, n이 존재한다.

$\sqrt{3}=\dfrac{n}{m}$의 양변을 제곱하면 $3=\dfrac{n^2}{m^2}$

$\therefore n^2=3m^2$ …… ㉠

따라서 n^2이 3의 배수이므로 n도 3의 배수이다.

$n=3k$ (k는 자연수)로 놓고 ㉠에 대입하면

$(3k)^2=3m^2 \quad \therefore m^2=3k^2$

m^2이 3의 배수이므로 m도 3의 배수이다.

이것은 m, n이 서로소라는 가정에 모순이므로 $\sqrt{3}$은 유리수가 아니다.

답 풀이 참조

107

ㄱ. 거짓인 명제이다.

ㄴ. 참인 명제이다.

ㄷ. '예쁘다.'의 기준이 명확하지 않으므로 명제가 아니다.

ㄹ. '높다.'의 기준이 명확하지 않으므로 명제가 아니다.

따라서 명제인 것은 ㄱ, ㄴ이다.

답 ②

108

'$x+y\le 0$인 어떤 실수 x, y에 대하여 $x\le 0$ 또는 $y\le 0$이다.'의 부정은 '$x+y\le 0$인 모든 실수 x, y에 대하여 $x>0$이고 $y>0$이다.'이다.

$x=-3$, $y=2$이면 $x+y\le 0$이지만 $x<0$이므로 거짓이다.

답 풀이 참조

109

주어진 명제가 거짓임을 보여 주는 반례는 $xy>1$이지만 $x>1$ 또는 $y\ge 1$이 아닌 것이다. 즉, $xy>1$이지만 $x\le 1$이고 $y<1$인 것을 찾으면 된다.

따라서 반례로 적당한 것은 ①이다.

답 ①

110

두 조건 p, q의 진리집합을 각각 P, Q라 하면

$P=\{2, 4, 6, 8, 10\}$, $Q=\{3, 6, 9\}$

$\sim p$의 진리집합은 P^C이므로

$P^C=\{1, 3, 5, 7, 9\}$

'$\sim p$이고 q'의 진리집합은 $P^C\cap Q$이므로

$P^C\cap Q=\{3, 9\}$

답 $\{3, 9\}$

111

① 역: 동물은 사람이다. (거짓)

② 역: x가 홀수이면 $x=1$이다. (거짓)
(반례) $x=3$

③ 역: $x=0$이면 $x^2-x=0$이다. (참)

④ 역: $xy=0$이면 $x+y=0$이다. (거짓)
(반례) $x=0$, $y=1$

⑤ 역: $xy<0$이면 $x>0$이고 $y<0$이다. (거짓)
(반례) $x=-1$, $y=2$

따라서 그 역이 참인 명제는 ③이다.

답 ③

112

① $R\subset P$이므로 명제 $r \longrightarrow p$는 참이다.

② $R\subset Q$이므로 명제 $r \longrightarrow q$는 참이다.

③ 명제 $r \longrightarrow p$가 참이므로 그 대우 $\sim p \longrightarrow \sim r$도 참이다.

④ $P^C\not\subset Q$이므로 명제 $\sim p \longrightarrow q$는 거짓이다.

⑤ 명제 $r \longrightarrow q$가 참이므로 그 대우 $\sim q \longrightarrow \sim r$도 참이다.

따라서 거짓인 명제는 ④이다. 답 ④

114

두 조건 p, q의 진리집합을 각각 P, Q라 하면

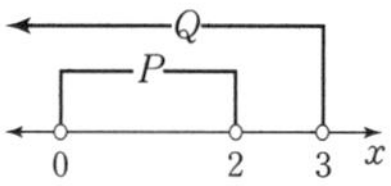

(1) $P=\{x|0<x<2\}$,
$Q=\{x|x<3\}$ $\quad \therefore P\subset Q$
따라서 p는 q이기 위한 충분조건이다.

(2) $P=\{0\}$, $Q=\{0\}$ $\quad \therefore P=Q$
따라서 p는 q이기 위한 필요충분조건이다.

답 (1) 충분조건 (2) 필요충분조건

116

(1) $p \longrightarrow q$: 두 삼각형이 닮음이면 두 삼각형은 합동이다. (거짓)
$q \longrightarrow p$: 두 삼각형이 합동이면 두 삼각형은 닮음이다. (참)
참인 명제 $q \longrightarrow p$를 이용하여 판정하면 p는 q이기 위한 필요조건이다.

(2) $p \longrightarrow q$: $a+c>b+c$이면 $a>b$이다. (참)
$q \longrightarrow p$: $a>b$이면 $a+c>b+c$이다. (참)
두 명제 $p \longrightarrow q$와 $q \longrightarrow p$가 모두 참이므로 p는 q이기 위한 필요충분조건이다.

답 (1) 필요조건 (2) 필요충분조건

118

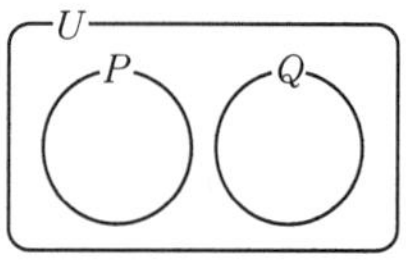

q가 $\sim p$이기 위한 충분조건이므로
$Q\subset P^C$
벤 다이어그램에서
$P\cap Q=\varnothing$이므로 옳은 것은 ⑤이다. 답 ⑤

120

(i) $x\le -2$는 $x\le a$이기 위한 충분조건이므로

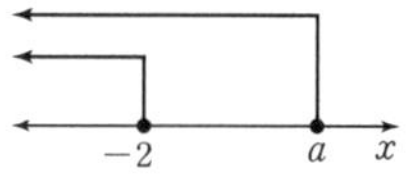

$\{x|x\le -2\}\subset\{x|x\le a\}$
$\therefore a\ge -2$

(ii) $x\ge 2$는 $x\ge b$이기 위한 필요조건이므로

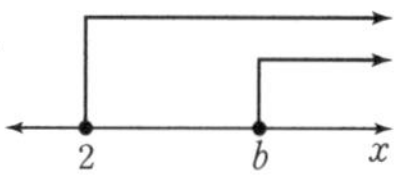

$\{x|x\ge b\}\subset\{x|x\ge 2\}$
$\therefore b\ge 2$

(i), (ii)에서 a의 최솟값은 -2, b의 최솟값은 2이므로 구하는 합은
$-2+2=0$ 답 0

122

$x-1=0$이 $x^2-ax+3=0$이기 위한 충분조건이므로
$\{x|x-1=0\}\subset\{x|x^2-ax+3=0\}$
따라서 $x=1$이 $x^2-ax+3=0$을 만족시키므로
$1-a+3=0$ $\quad \therefore a=4$ 답 4

124

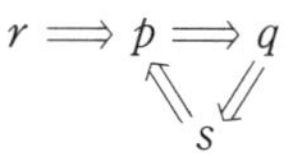

주어진 조건을 기호로 나타내면
$r \Longrightarrow p$, $p \Longrightarrow q$, $q \Longrightarrow s$, $s \Longrightarrow p$
이것을 정리하면 그림과 같다.

(i) $r \Longrightarrow p$, $p \Longrightarrow q$, $q \Longrightarrow s$에서 $r \Longrightarrow s$이므로 s는 r이기 위한 필요조건이다.

(ii) $p \Longrightarrow q$, $q \Longrightarrow s$에서 $p \Longrightarrow s$이고, $s \Longrightarrow p$이므로 p는 s이기 위한 필요충분조건이다.

답 (가) 필요 (나) 필요충분

126

$(\sqrt{a}+\sqrt{b})^2-(\sqrt{a+b})^2=(a+2\sqrt{ab}+b)-(a+b)$
$=\boxed{2\sqrt{ab}}>0$

$\therefore (\sqrt{a}+\sqrt{b})^2 \boxed{>} (\sqrt{a+b})^2$

그런데 $\sqrt{a}+\sqrt{b}>0$, $\sqrt{a+b}>0$이므로

$\sqrt{a}+\sqrt{b} \boxed{>} \sqrt{a+b}$ 답 (가) $2\sqrt{ab}$ (나) $>$ (다) $>$

128

근호나 절댓값 기호가 있으면 양변을 제곱하여 좌변으로 이항한다.

$\{\sqrt{2(a^2+b^2)}\}^2-\{|a|+|b|\}^2$
$=2(a^2+b^2)-(|a|^2+2|a||b|+|b|^2)$
$=2(a^2+b^2)-(a^2+2|a||b|+|b|^2)$ ⬅ $|A|^2=A^2$
$=|a|^2-2|a||b|+|b|^2$
$=(|a|-|b|)^2\ge 0$

그런데 $\sqrt{2(a^2+b^2)}\ge 0$, $|a|+|b|\ge 0$ 이므로
$\therefore \sqrt{2(a^2+b^2)}\ge |a|+|b|$
(단, 등호는 $|a|=|b|$일 때, 즉 $a=\pm b$일 때 성립)

답 풀이 참조

130

$a>0$, $b>0$이므로 산술평균과 기하평균의 관계에 의해

$$\frac{b}{a}+\frac{a}{b}\ge 2\sqrt{\frac{b}{a}\cdot\frac{a}{b}}=2\cdot 1=2$$

$$\left(\text{단, 등호는 } \frac{b}{a}=\frac{a}{b}\text{, 즉 } a=b\text{일 때 성립}\right)$$

따라서 $\frac{b}{a}+\frac{a}{b}$의 최솟값은 2이다.

답 2

132

$a>0$, $b>0$이므로 산술평균과 기하평균의 관계에 의해

$$(a+b)\left(\frac{1}{a}+\frac{4}{b}\right)=1+\frac{4a}{b}+\frac{b}{a}+4$$

$$=\frac{4a}{b}+\frac{b}{a}+5$$

$$\ge 2\sqrt{\frac{4a}{b}\cdot\frac{b}{a}}+5$$

$$=2\cdot 2+5=9$$

$$\left(\text{단, 등호는 } \frac{4a}{b}=\frac{b}{a}\text{, 즉 } b=2a\text{일 때 성립}\right)$$

따라서 $(a+b)\left(\frac{1}{a}+\frac{4}{b}\right)$의 최솟값은 9이다.

답 9

134

$a>0$, $b>0$이므로 산술평균과 기하평균의 관계에 의해

$2a+4b\ge 2\sqrt{2a\cdot 4b}=2\sqrt{8ab}$

(단, 등호는 $2a=4b$일 때 성립)

그런데 $ab=4$이므로

$2a+4b\ge 2\sqrt{8\cdot 4}=8\sqrt{2}$

따라서 $2a+4b$의 최솟값은 $8\sqrt{2}$이다.

답 $8\sqrt{2}$

136

$a=3$, $b=4$로 놓고 코시-슈바르츠의 부등식을 적용하면

$(3^2+4^2)(x^2+y^2)\ge(3x+4y)^2$

$$\left(\text{단, 등호는 } \frac{x}{3}=\frac{y}{4}\text{일 때 성립}\right)$$

그런데 $x^2+y^2=1$이므로

$5^2\ge(3x+4y)^2$

$\therefore -5\le 3x+4y\le 5$

따라서 $3x+4y$의 최댓값은 5, 최솟값은 -5이다.

답 최댓값: 5, 최솟값: -5

137

① $p \longrightarrow q$: $x^2+y^2=0$이면 $x=0$ 또는 $y=0$이다. (참)

$q \longrightarrow p$: $x=0$ 또는 $y=0$이면 $x^2+y^2=0$이다. (거짓)

(반례) $x=1$, $y=0$

참인 명제 $p \longrightarrow q$를 이용하여 판정하면 p는 q이기 위한 충분조건이다.

② $p \longrightarrow q$: $x=1$이면 $x^2-3x+2=0$이다. (참)

$q \longrightarrow p$: $x^2-3x+2=0$이면 $x=1$이다. (거짓)

(반례) $x=2$

참인 명제 $p \longrightarrow q$를 이용하여 판정하면 p는 q이기 위한 충분조건이다.

③ $p \longrightarrow q$: $x^2+y^2=1$이면 $|x|+|y|=1$이다. (거짓)

(반례) $x=\frac{1}{\sqrt{2}}$, $y=\frac{1}{\sqrt{2}}$

$q \longrightarrow p$: $|x|+|y|=1$이면 $x^2+y^2=1$이다. (거짓)

(반례) $x=\frac{1}{2}$, $y=\frac{1}{2}$

두 명제 $p \longrightarrow q$와 $q \longrightarrow p$가 모두 거짓이므로 p는 q이기 위한 필요조건도 아니고 충분조건도 아니다.

④ $p \longrightarrow q$: $x>0$, $y>0$이면 $x+y>0$, $xy>0$이다. (참)

$q \longrightarrow p$: $x+y>0$, $xy>0$이면 $x>0$, $y>0$이다. (참)

두 명제 $p \longrightarrow q$와 $q \longrightarrow p$가 모두 참이므로 p는 q이기 위한 필요충분조건이다.

⑤ $p \longrightarrow q$: $x<y$이면 $x^2<y^2$이다. (거짓)

(반례) $x=-1$, $y=0$

$q \longrightarrow p$: $x^2<y^2$이면 $x<y$이다. (거짓)

(반례) $x=0$, $y=-1$

두 명제 $p \longrightarrow q$와 $q \longrightarrow p$가 모두 거짓이므로 p는 q이기 위한 필요조건도 아니고 충분조건도 아니다.

따라서 p가 q이기 위한 필요충분조건인 것은 ④이다.

답 ④

138

$-1<x<3$은 $a-1<x<a+5$이기 위한 충분조건이므로

$\{x|-1<x<3\}\subset\{x|a-1<x<a+5\}$

그림에서

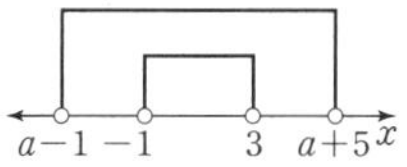

$a-1\le -1$, $a+5\ge 3$

$\therefore -2\le a\le 0$

따라서 a의 최댓값은 0, 최솟값은 -2이므로 구하는 합은 $0+(-2)=-2$

답 -2

139

p는 q이기 위한 충분조건이므로

$p \Longrightarrow q$ ...... ㉠

이 명제의 대우도 참이므로

$\sim q \Longrightarrow \sim p$

또 $\sim q$는 r이기 위한 필요조건이므로

$r \Longrightarrow \sim q$

이 명제의 대우도 참이므로

$q \Longrightarrow \sim r$ ...... ㉡

㉠, ㉡에서 삼단논법을 적용하면

$p \Longrightarrow \sim r$

이 명제의 대우도 참이므로

$r \Longrightarrow \sim p$

따라서 반드시 참이라고 할 수 없는 것은 ⑤이다.

답 ⑤

140

① $a^2-ab+b^2=\left(a-\frac{b}{2}\right)^2+\frac{3}{4}b^2\geq 0$

$\therefore a^2-ab+b^2\geq 0$ (단, 등호는 $a=b=0$일 때 성립)

② $(a^3+b^3+c^3)-3abc$

$=(a+b+c)(a^2+b^2+c^2-ab-bc-ca)$

$=\frac{1}{2}(a+b+c)\{(a-b)^2+(b-c)^2+(c-a)^2\}\geq 0$

$\therefore a^3+b^3+c^3\geq 3abc$

(단, 등호는 $a=b=c$일 때 성립)

③ $\left(\frac{b}{a}+\frac{d}{c}\right)\left(\frac{a}{b}+\frac{c}{d}\right)=1+\frac{bc}{ad}+\frac{ad}{bc}+1$

$\geq 2+2\sqrt{\frac{bc}{ad}\cdot\frac{ad}{bc}}=4$

$\therefore \left(\frac{b}{a}+\frac{d}{c}\right)\left(\frac{a}{b}+\frac{c}{d}\right)\geq 4$

(단, 등호는 $ad=bc$일 때 성립)

④ $(\sqrt{a}+\sqrt{b})^2-\{\sqrt{2(a+b)}\}^2$

$=a+b+2\sqrt{ab}-2a-2b$

$=-a-b+2\sqrt{ab}=-(\sqrt{a}-\sqrt{b})^2\leq 0$

그런데 $\sqrt{a}+\sqrt{b}>0, \sqrt{2(a+b)}>0$이므로

$\sqrt{a}+\sqrt{b}\leq\sqrt{2(a+b)}$ (단, 등호는 $a=b$일 때 성립)

⑤ $(a^2+b^2)(c^2+d^2)-(ac+bd)^2$

$=a^2c^2+a^2d^2+b^2c^2+b^2d^2-a^2c^2-2abcd-b^2d^2$

$=a^2d^2+b^2c^2-2abcd$

$=(ad-bc)^2\geq 0$

$\therefore (a^2+b^2)(c^2+d^2)\geq(ac+bd)^2$

(단, 등호는 $ad=bc$일 때 성립)

답 ④

141

$a>0$, $b>0$이므로 산술평균과 기하평균의 관계에 의해

$a+b\geq 2\sqrt{ab}$ (단, 등호는 $a=b$일 때 성립)

그런데 $a+b=6$이므로

$6\geq 2\sqrt{ab}$, $3\geq\sqrt{ab}$

양변을 제곱하면 $9\geq ab$

따라서 ab의 최댓값은 9이다. 답 9

142

$x+\frac{4}{x+1}=(x+1)+\frac{4}{x+1}-1$

$\geq 2\sqrt{(x+1)\cdot\frac{4}{(x+1)}}-1$ ($\because x+1>0$)

$\geq 2\sqrt{4}-1=2\cdot 2-1=3$

따라서 최솟값은 3이다. 답 3

143

$a=4$, $b=3$으로 놓고 코시-슈바르츠의 부등식을 적용하면

$(4^2+3^2)(x^2+y^2)\geq(4x+3y)^2$

$\left(\text{단, 등호는 } \frac{x}{4}=\frac{y}{3}\text{일 때 성립}\right)$

그런데 $4x+3y=10$이므로

$25(x^2+y^2)\geq 100$ $\therefore x^2+y^2\geq 4$

따라서 x^2+y^2의 최솟값은 4이다. 답 4

144

'어떤 실수의 제곱은 음수이다.'의 부정은 '모든 실수의 제곱은 음수가 아니다.'이다. 답 ④

145

두 조건 p, q의 진리집합을 각각 P, Q라 하면

$P=\{x|-1<x<a+1\}$,

$Q=\{x|x\leq 9$ 또는 $x\geq 11\}$

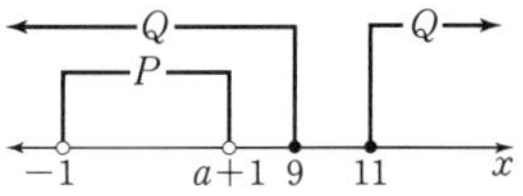

$P\subset Q$이어야 하므로

$a+1\leq 9$ $\therefore a\leq 8$

따라서 a의 최댓값은 8이다. 답 8

146

① $P\not\subset Q$이므로 $p \longrightarrow q$는 거짓이다.

② $Q\not\subset R$이므로 $q \longrightarrow r$는 거짓이다.

③ $R\not\subset Q^C$이므로 $r \longrightarrow \sim q$는 거짓이다.

④ ②에서 $q \longrightarrow r$는 거짓이므로 $\sim r \longrightarrow \sim q$는 거짓이다.

⑤ $R \subset P$에서 $P^C \subset R^C$이므로 $\sim p \longrightarrow \sim r$는 참이다.

답 ⑤

147

$(P \cup Q) \cap R = \varnothing \iff (P \cup Q) \subset R^C \implies P \subset R^C$

따라서 $p \longrightarrow \sim r$는 참이다. 답 ③

148

명제 $p \longrightarrow q$, $q \longrightarrow \sim r$가 모두 참이므로 명제 $p \longrightarrow \sim r$가 참이다. 참인 명제의 대우도 항상 참이므로 $r \longrightarrow \sim p$도 항상 참이다. 답 ③

149

두 조건 p, q의 진리집합을 각각 P, Q라 하자.

ㄱ. $x^2+x-6=0$

$(x-2)(x+3)=0$

$\therefore x=2$ 또는 $x=-3$

$P=\{2\}$, $Q=\{-3, 2\}$

$P \subset Q$이므로 $p \implies q$이다.

따라서 p는 q이기 위한 충분조건이지만 필요조건은 아니다.

ㄴ. $P=\{1, 2, 4, 8, 16\}$, $Q=\{1, 2, 4, 8\}$에서

$Q \subset P$이므로 $q \implies p$이다.

따라서 p는 q이기 위한 필요조건이지만 충분조건은 아니다.

ㄷ. $P=\{-1, 1\}$, $Q=\{-1, 1\}$에서 $P=Q$이므로

$p \iff q$이다.

따라서 p는 q이기 위한 필요충분조건이다. 답 ③

150

조건 $\sim p$의 진리집합 P^C과 조건 q의 진리집합 Q에 대하여 $\sim p$는 q이기 위한 충분조건이므로 $P^C \subset Q$

$x^2-3ax+2a^2>0$에서 $(x-2a)(x-a)>0$

(i) $a \geq 0$일 때,

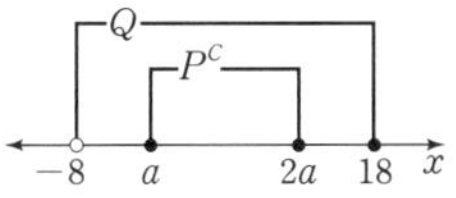

$P^C=\{x \mid a \leq x \leq 2a\}$

$-8<a$, $2a \leq 18$

$\therefore 0 \leq a \leq 9$

따라서 정수 a의 개수는 10이다.

(ii) $a<0$일 때,

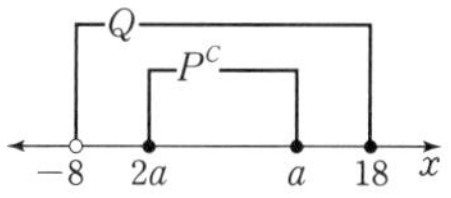

$P^C=\{x \mid 2a \leq x \leq a\}$

$-8<2a$, $a \leq 18$

$\therefore -4<a<0$

따라서 정수 a의 개수는 3이다.

(i), (ii)에서 정수 a의 개수는 13이다. 답 13

151

$x>0$이므로 산술평균과 기하평균의 관계에 의해

$8x+\dfrac{2}{x} \geq 2\sqrt{8x \cdot \dfrac{2}{x}}=2 \cdot 4=8$

$8x=\dfrac{2}{x}$일 때, 등호가 성립하므로 $x^2=\dfrac{1}{4}$

$\therefore x=\dfrac{1}{2}$ ($\because x>0$)

따라서 $x=\dfrac{1}{2}$일 때, $8x+\dfrac{2}{x}$는 최솟값 8을 가지므로

$m=8$, $n=\dfrac{1}{2}$

$\therefore mn=4$ 답 4

152

$a=1$, $b=-2$, $c=3$으로 놓고 코시-슈바르츠의 부등식을 적용하면

$\{1^2+(-2)^2+3^2\}(x^2+y^2+z^2) \geq (x-2y+3z)^2$

$\left(\text{단, 등호는 } x=\dfrac{y}{-2}=\dfrac{z}{3}\text{일 때 성립}\right)$

그런데 $x^2+y^2+z^2=14$이므로

$14^2 \geq (x-2y+3z)^2$

$\therefore -14 \leq x-2y+3z \leq 14$

따라서 $x-2y+3z$의 최댓값은 14, 최솟값은 -14이므로

$M=14$, $m=-14$

$\therefore M-m=28$ 답 28

153

$p \implies q$이므로 $P \subset Q$ …… ㉠

$\sim p \implies q$이므로 $P^C \subset Q$ …… ㉡

$\sim r \implies p$이므로 $R^C \subset P$ …… ㉢

㉠, ㉡에서 $(P \cup P^C) \subset Q$이므로 $U=Q$

㉠, ㉢에서 $R^C \subset P \subset Q$

ㄱ. ㉡에서 $P^C \subset Q$이다. (참)

ㄴ. ㉢에서 $P^C \subset R$이므로 반드시 $R-P^C=\varnothing$이라 할 수 없다.

ㄷ. ㉡, ㉢에서 $(R^C \cup P^C) \subset Q$이다. (참)

따라서 항상 참인 것은 ㄱ, ㄷ이다. 답 ③

154

조사에서 얻은 결과를 명제라 하고 다음 각 조건 p, q, r, s를 다음과 같이 정하기로 하자.

p : 10대에게 선호도가 높다.
q : 판매량이 많다.
r : 가격이 싸다.
s : 기능이 많다.

그러면 (가), (나), (다)를 다음과 같이 나타낼 수 있다.

(가) $p \Longrightarrow q$
(나) $r \Longrightarrow q$
(다) $s \Longrightarrow p$

위의 결과로부터 추론할 수 있는 사실은

(다) $s \Longrightarrow p$와 (가) $p \Longrightarrow q$에서 삼단논법을 적용하면 $s \Longrightarrow q$이다.

명제가 참이면 대우도 참이므로 $\sim q \Longrightarrow \sim s$이다.

나열된 선택지의 내용을 p, q, r, s를 이용하여 나타내면 다음과 같다.

① $s \longrightarrow \sim r$ ② $\sim r \longrightarrow \sim q$ ③ $\sim q \longrightarrow \sim s$

④ $p \longrightarrow s$ ⑤ $p \longrightarrow \sim r$

따라서 항상 옳은 것은 ③이다. **답** ③

155

$p \Longrightarrow \sim q \Longleftrightarrow r$이므로 $P \subset Q^C = R$이다.

ㄱ. $P \subset Q^C$이므로 $P \cap Q = \varnothing$ (참)

ㄴ. $P \subset R$이므로 $P \cap R = P$ (거짓)

ㄷ. $Q^C = R$이므로 $Q \cup R = U$ (참)

따라서 옳은 것은 ㄱ, ㄷ이다. **답** ④

156

조건 p는 조건 q이기 위한 충분조건이지만 필요조건이 아니므로 $p \longrightarrow q$는 참이고 $q \longrightarrow p$는 거짓이다.

ㄱ. $x=0$이고 $y=0$이면 $|0+0|=|0-0|$

$\therefore p \longrightarrow q$는 참이다.

그러나 $x=3$, $y=0$이면

$|3+0|=|3-0|$이지만 $x \neq 0$이므로 $q \longrightarrow p$는 거짓이다.

ㄴ. $x>y>z$이면 $x-y>0$, $y-z>0$, $z-x<0$

이므로 $(x-y)(y-z)(z-x)<0$

$\therefore p \longrightarrow q$는 참이다.

그러나 $x=2$, $y=1$, $z=5$이면,

$(x-y)(y-z)(z-x)=-12<0$이지만

$z>x>y$이므로 $q \longrightarrow p$는 거짓이다.

ㄷ. $|x|+|y|>|x+y|$

$\Longleftrightarrow (|x|+|y|)^2>|x+y|^2$

$\Longleftrightarrow x^2+2|x||y|+y^2>x^2+2xy+y^2$

$\Longleftrightarrow |xy|>xy$

$\Longleftrightarrow xy<0$

$\therefore p \longrightarrow q$와 $q \longrightarrow p$는 모두 참이다.

따라서 조건 p가 조건 q이기 위한 충분조건이지만 필요조건이 아닌 것은 ㄱ, ㄴ이다. **답** ③

157

p, q, r, s의 진리집합을 각각 P, Q, R, S라 하자.

$x \in P$이면 x는 정수이고 정수끼리 곱하면 정수이므로 x^2, x^3, x^4도 정수이다.

따라서 $x \in Q$, $x \in R$, $x \in S$이므로 $P \subset Q$, $P \subset R$, $P \subset S$이다. 같은 방법으로 $Q \subset S$이다.

ㄱ. $r \longrightarrow s$

(반례) $x=\sqrt[3]{2}$이면 $x^3(=2)$은 정수이지만 $x^4(=2\sqrt[3]{2})$은 정수가 아니다.

그러므로 r는 s이기 위한 충분조건이 아니다. (거짓)

ㄴ. $P \cap R = P \subset Q$이므로 (p이고 r) $\longrightarrow q$는 참이다.

그러므로 p이고 r는 q이기 위한 충분조건이다. (참)

ㄷ. $P \cup S = S \supset Q$이므로 $q \longrightarrow$ (p 또는 s)는 참이다.

그러므로 p 또는 s는 q이기 위한 필요조건이다. (참)

따라서 옳은 것은 ㄴ, ㄷ이다. **답** ④

158

$x>1$이므로 $x-1>0$이고

$\frac{x^2-x+4}{x-1} = \boxed{x-1} + \frac{4}{x-1} + 1$이므로 산술평균과 기하평균의 관계에 의해

$\frac{x^2-x+4}{x-1} \geq 2\sqrt{(\boxed{x-1}) \times \frac{4}{x-1}} + 1$

$= \boxed{5}$

단, $\boxed{x-1} = \frac{4}{x-1}$일 때, 등호가 성립한다.

따라서 $\frac{x^2-x+4}{x-1}$는 $x=\boxed{3}$일 때,

최솟값 $\boxed{5}$를 갖는다.

따라서 $f(x)=x-1$, $p=5$, $q=3$이므로

$f(2)+p+q=9$ **답** ②

V 함수와 그래프

1 함수

160

주어진 대응을 그림으로 나타내면 다음과 같다.

(1)
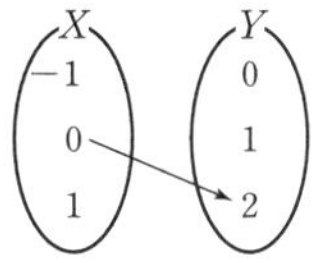

(2)
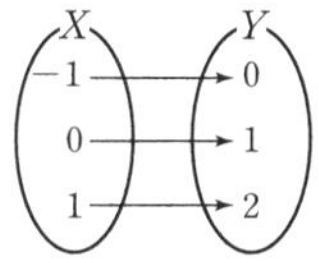

(3)
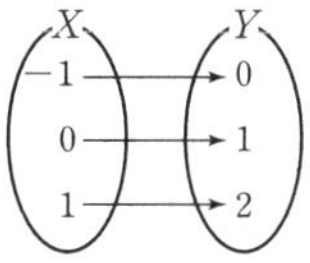

따라서 X에서 Y로의 함수가 아닌 것은 (1)이다.

답 (1)

162

(1) 정의역: $\{1, 2, 3, 4\}$, 공역: $\{1, 2, 3, 4\}$,
치역: $\{1, 3, 4\}$

(2) $f(x)=4$인 원소는 $x=3, 4$

(3) $f(x)=x+1$인 원소는 $x=2, 3$

답 (1) 정의역: $\{1, 2, 3, 4\}$, 공역: $\{1, 2, 3, 4\}$,
치역: $\{1, 3, 4\}$
(2) 3, 4 (3) 2, 3

164

(i) $3\geq 2$이므로
$f(3)=2\cdot 3-1=5$

(ii) $-1<2$이므로
$f(-1)=(-1)^2-1=0$

(i), (ii)에서 $f(3)+f(-1)=5+0=5$

답 5

166

집합 X의 각 원소의 함숫값을 구하면

$f(0)=(0^2$을 4로 나누었을 때의 나머지$)=0$

$f(1)=(1^2$을 4로 나누었을 때의 나머지$)=1$

$f(2)=(2^2$을 4로 나누었을 때의 나머지$)=0$

$f(3)=(3^2$을 4로 나누었을 때의 나머지$)=1$

따라서 함수 f의 치역은 $\{0, 1\}$이다.

답 $\{0, 1\}$

168

두 함수 f, g가 서로 같으므로

$f(1)=g(1)$, $f(2)=g(2)$에서

$2=1+a+b$, $3=4+2a+b$

$\therefore a+b=1$, $2a+b=-1$

두 식을 연립하여 풀면 $a=-2$, $b=3$

$\therefore ab=-6$

답 -6

170

y축에 평행한 직선을 그었을 때, 오직 한 점에서만 만나는 것을 찾으면 된다.

①
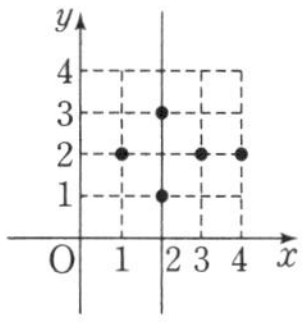

②
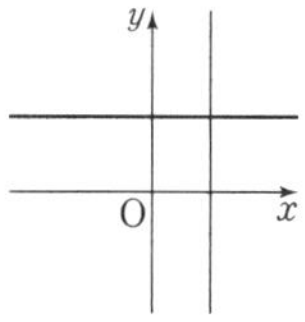

③
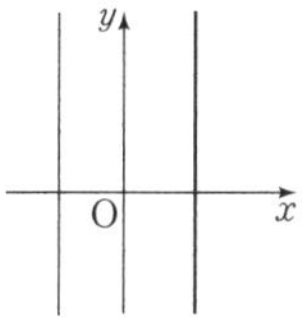

④
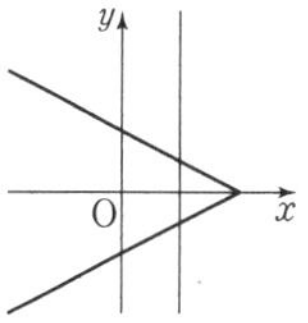

⑤
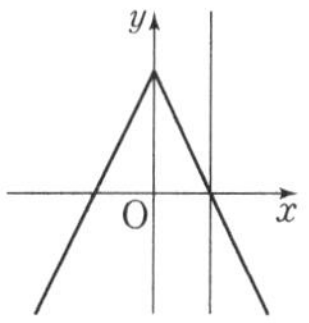

따라서 함수의 그래프인 것은 ②, ⑤이다.

답 ②, ⑤

172

ㄱ은 x축에 평행한 직선을 그었을 때 두 점 또는 세 점에서 만나는 경우가 있다. 따라서 일대일함수가 아니다.

답 일대일함수: ㄴ, ㄷ, 항등함수: ㄴ

174

(i) f가 항등함수이므로
$f(x)=x$
$\therefore f(1)=1$

(ii) g가 상수함수이고 $g(6)=6$이므로
$g(x)=6$
$\therefore g(1)=6$

(i), (ii)에서 $f(1)+g(1)=1+6=7$

답 7

176

$a>0$에서 함수 $f(x)=ax+b$의 그래프는 증가하는 모양이 같으므로 f는 일대일함수이다.

f가 일대일대응이려면 치역과 공역이 일치해야 하므로 그림과 같이 그래프가 두 점 $(-1,\ 0)$, $(1,\ 4)$를 지나야 한다. 즉, $f(-1)=0$, $f(1)=4$이므로

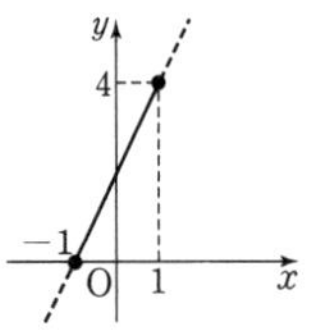

$-a+b=0,\ a+b=4$

두 식을 연립하여 풀면 $a=2,\ b=2$ 　　**답** $a=2,\ b=2$

178

(i) 함수 f가 일대일대응이므로 x의 값은 계속 증가하거나 계속 감소해야 한다.

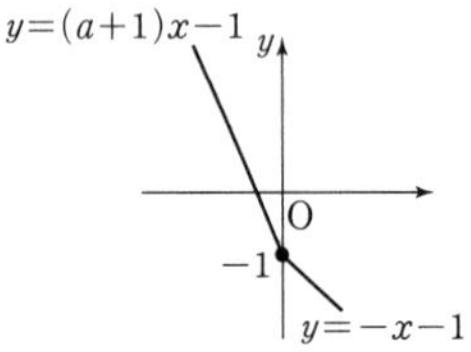

$x\geq0$에서 직선 $y=-x-1$은 기울기가 음수이므로 함수 f의 그래프는 감소하는 모양이다.

따라서 $x<0$에서 그림과 같이 직선 $y=(a+1)x-1$의 기울기도 음수여야 하므로 기울기 $a+1$의 값의 부호는 $a+1<0$

$\therefore a<-1$

(ii) 두 직선 $y=-x-1$, $y=(a+1)x-1$은 모두 점 $(0,\ -1)$을 지나므로 함수 $f(x)$에서 (치역)=(공역)이다.

(i), (ii)에서 함수 $f(x)$가 일대일대응이 되기 위한 a의 값의 범위는 $a<-1$이다. 　　**답** $a<-1$

180

(1) 1의 함숫값이 될 수 있는 것은 1, 2, 3으로 3개

2의 함숫값이 될 수 있는 것도 1, 2, 3으로 3개

3의 함숫값이 될 수 있는 것도 1, 2, 3으로 3개

따라서 함수의 개수는

$3\times3\times3=27$

(2) 1의 함숫값이 될 수 있는 것은 1, 2, 3으로 3개

2의 함숫값이 될 수 있는 것은 1의 함숫값을 제외한 2개

3의 함숫값이 될 수 있는 것은 1, 2의 함숫값을 제외한 1개

따라서 일대일대응의 개수는 $3\times2\times1=6$

(3) 항등함수는 $f(x)=x$로 그 개수는 1이다.

(4) 상수함수는 $f(x)=1$, $f(x)=2$, $f(x)=3$으로 그 개수는 3이다. 　　**답** (1) 27 (2) 6 (3) 1 (4) 3

181

주어진 대응을 그림으로 나타내면 다음과 같다.

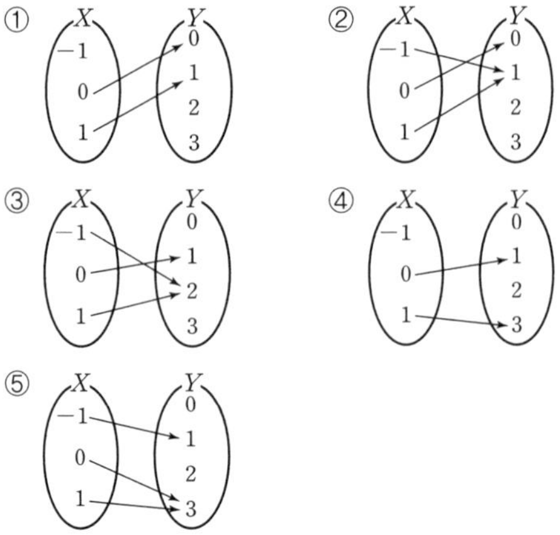

따라서 X에서 Y로의 함수인 것은 ②, ③, ⑤이다.

답 ②, ③, ⑤

182

정수를 3으로 나누었을 때의 나머지는 0 또는 1 또는 2이므로 치역은 $\{0,\ 1,\ 2\}$ 　　**답** $\{0,\ 1,\ 2\}$

> 참고 정수의 집합 Z의 임의의 원소 a를 양의 정수 b로 나눌 때의 몫 q와 나머지 r는

$a=bq+r$ (단, $0\leq r<b$)

183

정의역이 같은 두 함수가 같으려면 함숫값이 같아야 한다.

$f(x)=g(x)$에서

$x^3+2=2x^2+x$

$x^3-2x^2-x+2=0$

$(x+1)(x-1)(x-2)=0$

$\therefore x=-1$ 또는 $x=1$ 또는 $x=2$

집합 X는 -1, 1, 2로만 이루어진 집합이다.

즉, $\{-1,\ 1,\ 2\}$의 부분집합 중 공집합이 아닌 집합이다.

따라서 구하는 집합 X의 개수는

$2^3-1=7$ 　　**답** 7

184

$a<0$에서 함수 $f(x)=ax+b$의 그래프는 감소하므로 f는 일대일함수이다.

f가 일대일대응이려면 치역과 공역이 일치해야 하므로 그림과 같이 그래프가 두 점 $(-1, 6)$, $(3, -2)$를 지나야 한다.

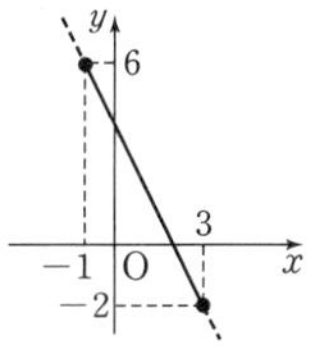

즉, $f(-1)=6$, $f(3)=-2$이므로 $-a+b=6$, $3a+b=-2$

두 식을 연립하여 풀면 $a=-2$, $b=4$

$\therefore ab=-8$

답 -8

185

$f(x)$는 항등함수이므로 $f(x)=x$

$x^2-2=x$, $x^2-x-2=0$

$(x+1)(x-2)=0$

$\therefore x=-1$ 또는 $x=2$

집합 X는 원소 -1, 2로만 이루어진 집합이다.

즉, $\{-1, 2\}$의 부분집합 중 공집합이 아닌 집합이다.

따라서 구하는 집합 X의 개수는

$2^2-1=3$

답 3

186

f가 상수함수이고 $f(4)=8$이므로 $f(x)=8$

따라서 $f(1)=f(2)=f(3)=\cdots=f(39)=8$이므로

$f(1)+f(2)+f(3)+\cdots+f(39)=8\cdot 39=312$

답 312

188

(1) $(g\circ f)(0)=g(f(0))=g(-1)=0$

(2) $(f\circ g)(0)=f(g(0))=f(1)=1$

(3) $(f\circ f)(1)=f(f(1))=f(1)=1$

(4) $(g\circ g)(1)=g(g(1))=g(2)=3$

답 (1) 0 (2) 1 (3) 1 (4) 3

190

(1) $(g\circ h)(x)=g(h(x))=h(x)+2$이므로 주어진 식은 $h(x)+2=3x+1$ $\quad\therefore h(x)=3x-1$

(2) $(h\circ g)(x)=h(g(x))=h(x+2)$이므로 주어진 식은 $h(x+2)=3x+1$ …… ㉠

$x+2=t$로 놓으면 $x=t-2$ …… ㉡

㉡을 ㉠에 대입하면

$h(t)=3(t-2)+1=3t-5$

$\therefore h(x)=3x-5$

답 (1) $h(x)=3x-1$ (2) $h(x)=3x-5$

192

$2x+4=-2$로 놓으면 $2x=-6$ $\quad\therefore x=-3$

$x=-3$을 주어진 식에 대입하면

$f(-2)=4\times(-3)+2=-10$

답 -10

194

$f^1(x)=x+1$

$f^2(x)=(f\circ f)(x)=f(f(x))$

$=f(x+1)=(x+1)+1=x+2$

$f^3(x)=(f\circ f^2)(x)=f(f^2(x))$

$=f(x+2)=(x+2)+1=x+3$

$f^4(x)=(f\circ f^3)(x)=f(f^3(x))$

$=f(x+3)=(x+3)+1=x+4$

⋮

이제 규칙성이 보인다. 상수항이 함수의 합성 횟수이다.

따라서 $f^n(x)=x+n$이므로

$f^{1000}(1)=1+1000=1001$

답 1001

196

$(f\circ g\circ f)(1)=f(g(f(1)))=f(g(1))=f(3)=2$

$(g\circ f\circ g)(1)=g(f(g(1)))=g(f(3))=g(2)=2$

$(f\circ g\circ f)(1)+(g\circ f\circ g)(1)=2+2=4$

답 4

198

(1) $(f\circ f\circ f\circ f)(e)$

$=f(f(f(f(e))))$

$=f(f(f(d)))$

$=f(f(c))$

$=f(b)=a$

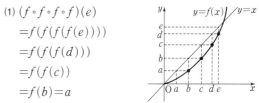

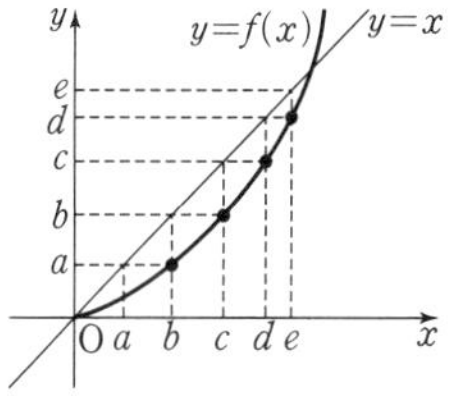

(2) $f(f(x))=b$는 높이가 b일 때를 의미하므로

$f(x)=c$

$f(x)=c$는 높이가 c일 때를 의미하므로 $x=d$

답 (1) a (2) d

200

$f(x)=\begin{cases} x+1 & (x\le 1) \\ 2 & (x>1) \end{cases}$

(ⅰ) $x\le 1$일 때,

$(f\circ f)(x)=f(f(x))=f(x+1)$

$x+1\le 1$, 즉 $x\le 0$일 때,

$f(x+1)=(x+1)+1=x+2$

$x+1>1$, 즉 $x>0$일 때, $f(x+1)=2$

$\therefore (f\circ f)(x)=\begin{cases} x+2 & (x\le 0) \\ 2 & (0<x\le 1) \end{cases}$

(ⅱ) $x>1$일 때,

$(f\circ f)(x)=f(f(x))=f(2)=2$

(ⅰ), (ⅱ)에서 $(f\circ f)(x)=\begin{cases} x+2 & (x\le 0) \\ 2 & (x>0) \end{cases}$

따라서 함수 $y=(f\circ f)(x)$의 그래프를 그리면 그림과 같다.

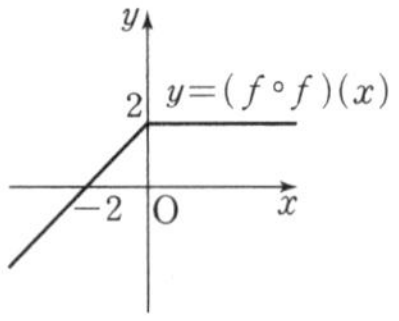

답 풀이 참조

202

$y=g(f(x))$에서 $z=f(x)$로 놓으면

$y=g(z)$, $z=f(x)$

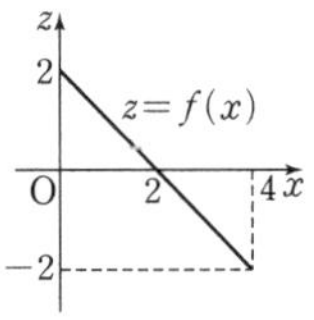

[그림 1]

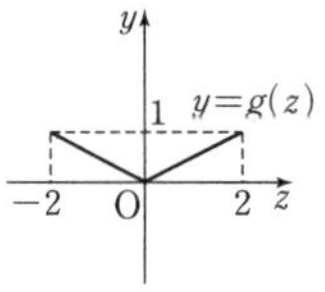

[그림 2]

[1단계] [그림2]에서 끝점과 꺾인 점 z의 값을 구한다.

$z=-2, 0, 2$

[2단계] [그림1]에서 z의 값에 대응하는 x의 값을 구한다.

$z=-2$일 때, $x=4$

$z=0$일 때, $x=2$

$z=2$일 때, $x=0$

[3단계] x의 값을 경계로 꺾임표를 만든다.

y	1	0	1
z	2	0	-2
x	0	2	4

[4단계] 꺾임표를 보고 그래프를 그린다.

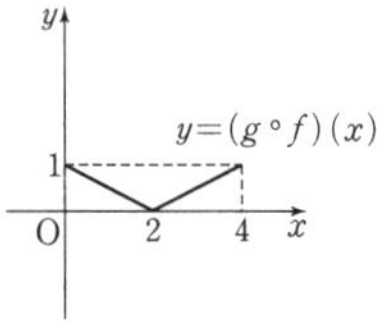

답 풀이 참조

204

$y=f(f(x))$에서 $f(x)=z$로 놓으면

$y=f(z)$, $z=f(x)$

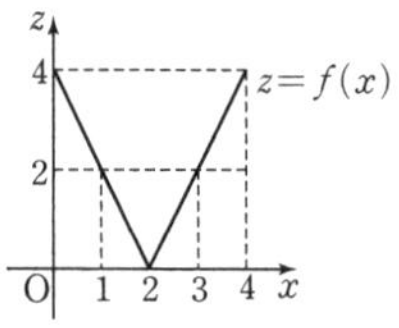

[그림 1]

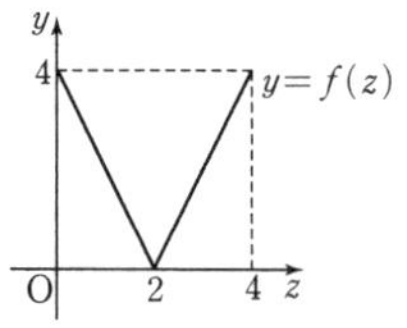

[그림 2]

[1단계] [그림2]에서 끝점과 꺾인 점의 z의 값을 구한다.

$z=0, 2, 4$

[2단계] [그림1]에서 z의 값에 대응하는 x의 값을 구한다.

$z=0$일 때, $x=2$

$z=2$일 때, $x=1, 3$

$z=4$일 때, $x=0, 4$

[3단계] x의 값을 경계로 꺾임표를 만든다.

y	4	0	4	0	4
z	4	2	0	2	4
x	0	1	2	3	4

[4단계] 꺾임표를 보고 그래프를 그린다.

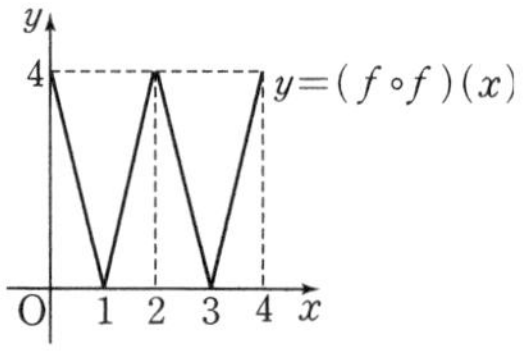

답 풀이 참조

206

$(g\circ f)(x)=g(f(x))=g(2x+3)$

$=3(2x+3)+a=6x+9+a$

$(f\circ g)(x)=f(g(x))=f(3x+a)$

$=2(3x+a)+3=6x+3+2a$

이때 $g\circ f=f\circ g$이므로 $6x+9+a=6x+3+2a$

$9+a=3+2a$ $\quad\therefore a=6$ 답 6

208

(1) $(g\circ f)(x)=g(f(x))=g(x+1)$

$=2(x+1)+1=2x+3$

$\therefore (h\circ(g\circ f))(x)=h((g\circ f)(x))=h(2x+3)$

$=3(2x+3)+1=6x+10$

(2) $(h\circ g)(x)=h(g(x))=h(2x+1)$

$=3(2x+1)+1=6x+4$

$\therefore ((h\circ g)\circ f)(x)=(h\circ g)(f(x))$

$=(h\circ g)(x+1)$

$=6(x+1)+4=6x+10$

답 (1) $6x+10$ (2) $6x+10$

210

일대일대응은 일대일함수이면서 Y의 원소 중에 외톨이가 없어야 한다. 그래프에서는 x축에 평행한 직선을 그었을 때 교점이 하나여야 한다. 즉, 계속 증가하는 함수이거나 계속 감소하는 함수여야 한다.

따라서 역함수가 존재하는 함수는 ㄴ, ㄹ이다.

답 ㄴ, ㄹ

212

$y=x+3$의 x와 y를 바꾸면 $x=y+3$

$y=\square$의 꼴로 정리하면 $y=x-3$ 답 $y=x-3$

214

(1) $f^{-1}(7)=a$에서 $f(a)=7$이므로

$3a-2=7 \quad \therefore a=3$

(2) $f^{-1}(b)=2$에서 $f(2)=b$이므로

$b=3\cdot2-2=4$ 답 (1) 3 (2) 4

216

[1단계] $f^{-1}(3)=0$에서 $f(0)=3$이므로

$b=3$ …… ㉠

$f^{-1}(2)=1$에서 $f(1)=2$이므로

$a+b=2$ …… ㉡

㉠, ㉡을 연립하여 풀면 $a=-1$, $b=3$

$\therefore f(x)=-x+3$

[2단계] $f^{-1}(5)=k$로 놓으면 $f(k)=5$이므로

$-k+3=5 \quad \therefore k=-2$

$\therefore f^{-1}(5)=-2$ 답 -2

218

[1단계] $(g\circ f)^{-1}=f^{-1}\circ g^{-1}$이므로

$(f\circ(g\circ f)^{-1}\circ f)(2)$

$=(f\circ f^{-1}\circ g^{-1}\circ f)(2)$

$=(I\circ g^{-1}\circ f)(2)$ ⬅ $f\circ f^{-1}=I$

$=(g^{-1}\circ f)(2)$ ⬅ $I\circ g^{-1}=g^{-1}$

$=g^{-1}(f(2))$

$=g^{-1}(3)$ ⬅ $f(2)=2\cdot2-1=3$

[2단계] $g^{-1}(3)=k$로 놓으면 $g(k)=3$이므로

$3k-6=3$, $3k=9 \quad \therefore k=3$

$\therefore (f\circ(g\circ f)^{-1}\circ f)(2)=g^{-1}(3)=3$ 답 3

220

직선 $y=x$ 위의 점의 x좌표와 y좌표는 서로 같으므로 주어진 그림에 x좌표를 나타내면 그림과 같다.

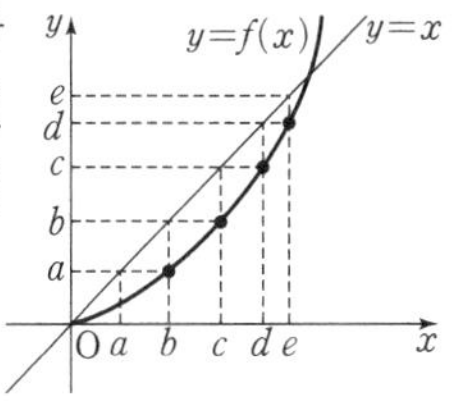

[1단계] $f^{-1}(c)=k$로 놓으면

$f(k)=c$에서 $k=d$

이므로 $f^{-1}(c)=d$

[2단계] $f^{-1}(d)=l$로 놓으면

$f(l)=d$에서 $l=e$

이므로 $f^{-1}(d)=e$

$\therefore (f^{-1}\circ f^{-1})(c)=f^{-1}(f^{-1}(c))$

$=f^{-1}(d)=e$ 답 e

222

함수 $y=f(x)$의 그래프와 그 역함수의 그래프는 직선 $y=x$에 대하여 대칭이므로 함수 $y=f(x)$의 그래프와 그 역함수의 그래프의 교점은 직선 $y=x$ 위에 있다.

따라서 함수 $f(x)=\frac{1}{2}x-\frac{3}{2}$의 그래프와 직선 $y=x$의 교점의 좌표를 구하면 된다.

$\frac{1}{2}x-\frac{3}{2}=x$에서

$\frac{1}{2}x=-\frac{3}{2} \quad \therefore x=-3$

따라서 함수 $y=f(x)$와 그 역함수의 그래프의 교점의 좌표는 $(-3, -3)$이므로

$a=-3$, $b=-3 \quad \therefore a+b=-6$ 답 -6

224

[1단계] 주어진 함수방정식에 $x=1$, $y=1$을 대입하여 $f(2)$를 구한다.

$f(x+y)=f(x)+f(y)+xy$에 $x=1$, $y=1$을 대입하면 $f(1+1)=f(1)+f(1)+1$

$f(1)=3$이므로 $f(2)=3+3+1=7$

[2단계] $f(2)$의 값과 관계식을 이용하여 $f(4)$를 구한다.

$f(x+y)=f(x)+f(y)+xy$에 $x=2$, $y=2$를 대입하면 $f(2+2)=f(2)+f(2)+4$

$\therefore f(4)=7+7+4=18$ 답 18

225

$(f\circ f)(x)=f(f(x))=f(-3x+6)$

$=-3(-3x+6)+6=9x-12$

$\therefore (f\circ(f\circ f))(x)=f((f\circ f)(x))=f(9x-12)$

$=-3(9x-12)+6=-27x+42$

이때 $(f\circ(f\circ f))(x)=15$이므로

$-27x+42=15,\ -27x=-27$

$\therefore x=1$

답 1

226

$(f\circ f\circ f)(12)=f(f(f(12)))$

$=f(f(6))$ ⬅ $f(12)=\frac{12}{2}=6$

$=f(3)$ ⬅ $f(6)=\frac{6}{2}=3$

$=3+1=4$

답 4

227

$(f\circ g^{-1})(5)+(f\circ g)^{-1}(5)$

$=(f\circ g^{-1})(5)+(g^{-1}\circ f^{-1})(5)$

$=f(g^{-1}(5))+g^{-1}(f^{-1}(5))$

$=f(7)+g^{-1}(7)$ ⬅ $g^{-1}(5)=7,\ f^{-1}(5)=7$

$=5+5=10$ ⬅ $g^{-1}(7)=5$

답 10

228

$f^{-1}(5)=2$에서 $f(2)=5$이므로

$f(2)=8a+b=5$

답 5

229

함수 $f(x)$의 그래프와 그 역함수의 그래프는 직선 $y=x$에 대하여 대칭이므로 함수 $f(x)$의 그래프와 그 역함수의 그래프의 교점은 직선 $y=x$ 위에 있다.

따라서 함수 $f(x)=(x-1)^2-1\ (x\geq1)$의 그래프와 직선 $y=x$의 교점의 좌표를 구하면 된다.

$(x-1)^2-1=x$에서 $x^2-3x=0$

$x(x-3)=0 \quad \therefore x=0$ 또는 $x=3$

$x\geq1$이므로 $x=3,\ y=3$

따라서 구하는 교점의 좌표는 $(3,\ 3)$이다.

답 $(3,\ 3)$

230

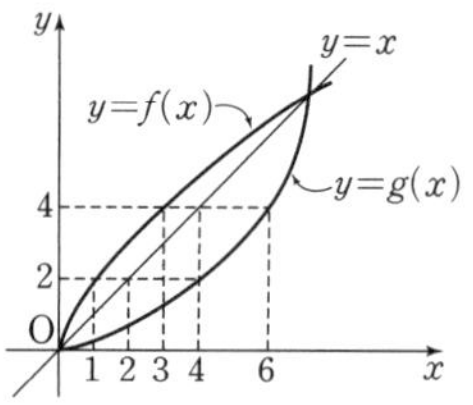

그림에서

$g(4)=2$

$f^{-1}(2)=k$로 놓으면

$f(k)=2$이므로 $k=1$

즉, $f^{-1}(2)=1$

$(f^{-1}\circ g)^{-1}(3)$

$=(g^{-1}\circ f)(3)$

$=g^{-1}(f(3))$

$=g^{-1}(4)$ ⬅ $f(3)=4$

이때 $g^{-1}(4)=k$로 놓으면 $g(k)=4$이므로 $k=6$

즉, $(f^{-1}\circ g)^{-1}(3)=g^{-1}(4)=6$

$\therefore g(4)+f^{-1}(2)+(f^{-1}\circ g)^{-1}(3)=2+1+6=9$

답 9

232

절댓값 기호 안을 0으로 하는 $x=3$을 기준으로 구간을 나누어 생각한다.

[1단계] 절댓값 기호를 없앤다.

(i) $x\geq3$일 때,

$y=x-(x-3)=3$

(ii) $x<3$일 때,

$y=x+(x-3)=2x-3$

[2단계] 없앤 식을 보고 그래프를 그린다.

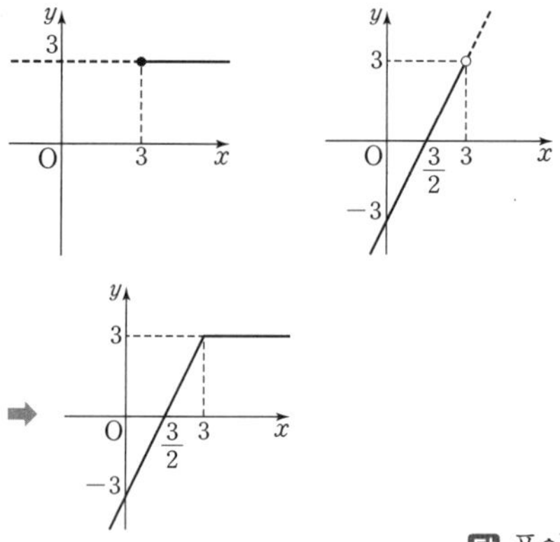

답 풀이 참조

234

절댓값 기호 안을 0으로 하는 $x=-1$과 $x=0$을 기준으로 구간을 나누어 생각한다.

[1단계] 절댓값 기호를 없앤다.

(i) $x<-1$일 때,

$y=-x+(x+1)=1$

(ii) $-1\le x<0$일 때,

$y=-x-(x+1)=-2x-1$

(iii) $x\ge 0$일 때,

$y=x-(x+1)=-1$

[2단계] 없앤 식을 보고 그래프를 그린다.

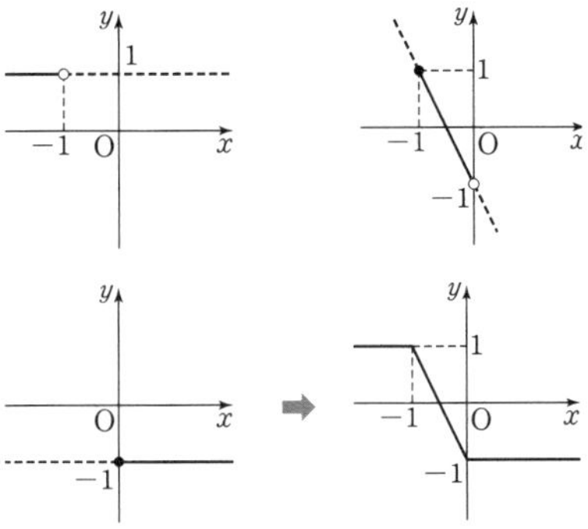

답 풀이 참조

236

함수 $y=|x-1|-3$의 그래프는 점 $(1, -3)$에서 꺾이는 ∨자형의 그래프이고 $0\le x\le 5$일 때, 그림과 같다.

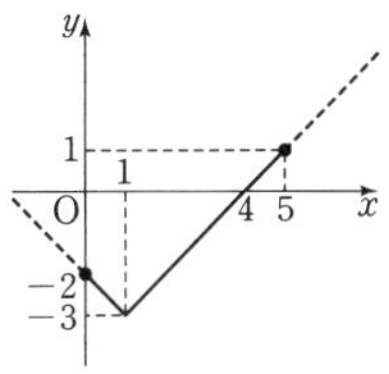

$x=5$일 때,

최댓값 1을 가지므로 $M=1$

$x=1$일 때,

최솟값 -3을 가지므로 $m=-3$

$\therefore M+m=-2$

답 -2

238

(1) $y=x+1$의 그래프의 x축의 아랫부분을 위쪽으로 접어 올린다.

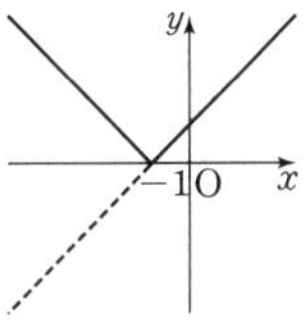

(2) $y=x+2$의 그래프의 y축의 오른쪽 부분을 왼쪽으로 대칭이동한다.

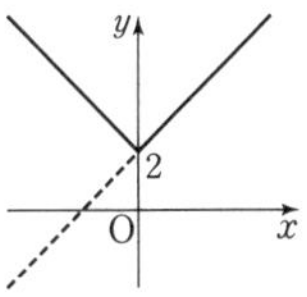

(3) $y=x+3$의 그래프의 x축의 윗부분을 아래쪽으로 대칭이동한다.

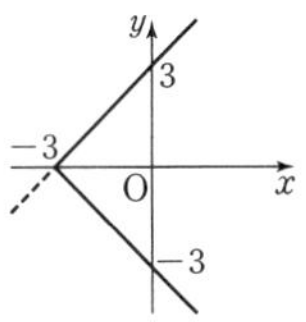

(4) $x-y=4$, 즉 $y=x-4$의 그래프의 제1사분면 부분을 x축, y축, 원점에 대하여 각각 대칭이동한다.

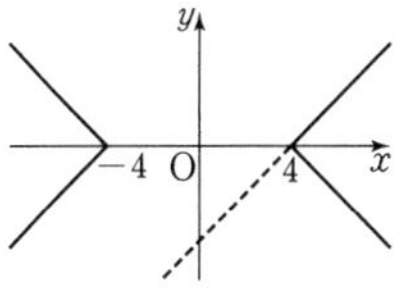

답 풀이 참조

240

$x+y=2$, 즉 $y=-x+2$의 그래프의 제1사분면 부분을 x축, y축, 원점에 대하여 각각 대칭이동하면 그림과 같은 마름모가 된다.

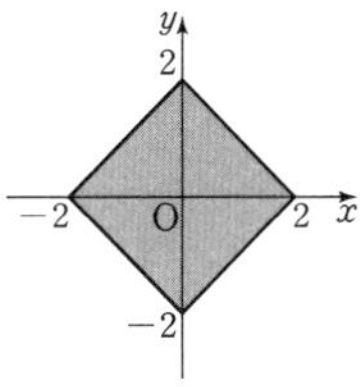

$\therefore$ (구하는 도형의 넓이)$=4\left(\frac{1}{2}\cdot 2\cdot 2\right)=8$

답 8

242

절댓값 기호 안을 0으로 하는 $x=2$를 기준으로 구간을 나누어 생각한다.

(i) $x\ge 2$일 때,

$y=(x-2)+5=x+3$

(ii) $x<2$일 때,

$y=-(x-2)+5=-x+7$

따라서 구하는 식의 그래프는 그림과 같다.

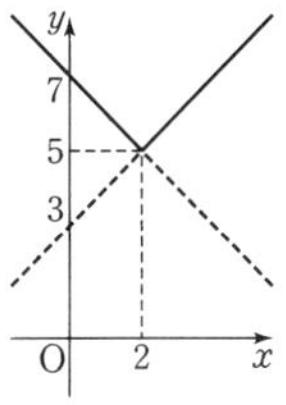

답 풀이 참조

> 다른 풀이 절댓값 기호 안을 0으로 하는 $x=2$에서 꺾인다.
따라서 $x=2$일 때 $y=5$이므로 점 $(2, 5)$에서 꺾이는 ∨자형의 그래프이다.

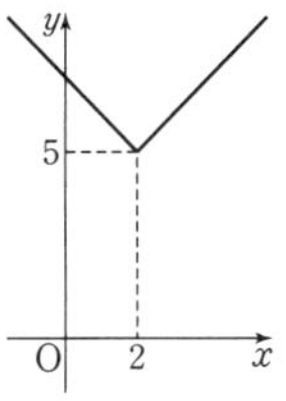

244

절댓값 기호 안을 0으로 하는 $x=-1$과 $x=5$를 기준으로 구간을 나누어 생각한다.

(i) $x<-1$일 때,

$y=-(x+1)-(x-5)$
$=-2x+4$

(ii) $-1\le x<5$일 때,

$y=(x+1)-(x-5)=6$

(iii) $x\ge 5$일 때,

$y=(x+1)+(x-5)=2x-4$

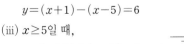

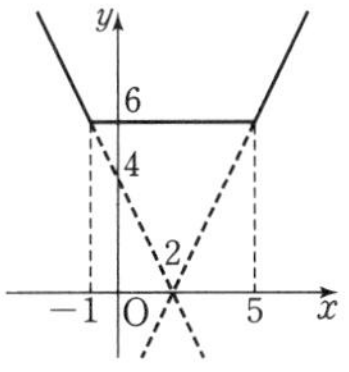

따라서 구하는 식의 그래프는 그림과 같다.

답 풀이 참조

› 다른 풀이

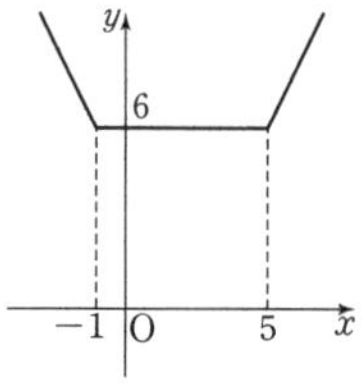

절댓값 기호 안을 0으로 하는 $x=-1$과 $x=5$에서 꺾인다.
따라서 $x=-1$일 때 $y=6$, $x=5$일 때 $y=6$이므로 두 점 $(-1,\ 6)$, $(5,\ 6)$에서 꺾이는 ∪자형의 그래프이다.

246

함수 $y=|x-1|+|x+2|+|x-3|$의 그래프는 $x=1, -2, 3$에서 꺾이는 ∪자형의 그래프이다.

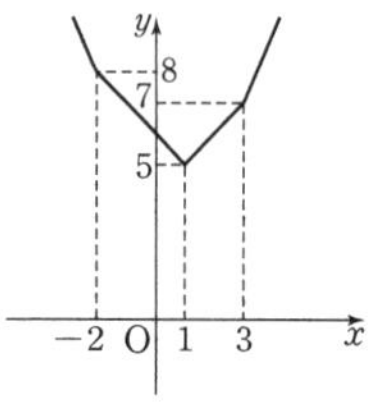

$x=1$일 때, $y=5$
➡ 점 $(1,\ 5)$에서 꺾인다.
$x=-2$일 때, $y=8$
➡ 점 $(-2,\ 8)$에서 꺾인다.
$x=3$일 때, $y=7$
➡ 점 $(3,\ 7)$에서 꺾인다.
따라서 주어진 함수의 그래프는 그림과 같으므로 $x=1$일 때, 최솟값 5를 갖는다.
$\therefore a=1,\ b=5$ 답 $a=1,\ b=5$

248

(1) $-\sqrt{3}<x\le-\sqrt{2}$일 때, $[x^2]=2$
$-\sqrt{2}<x\le-1$일 때, $[x^2]=1$
$-1<x<1$일 때, $[x^2]=0$
$1\le x<\sqrt{2}$일 때, $[x^2]=1$
$\sqrt{2}\le x<\sqrt{3}$일 때, $[x^2]=2$
따라서 함수 $y=[x^2]$의 그래프는 그림과 같다.

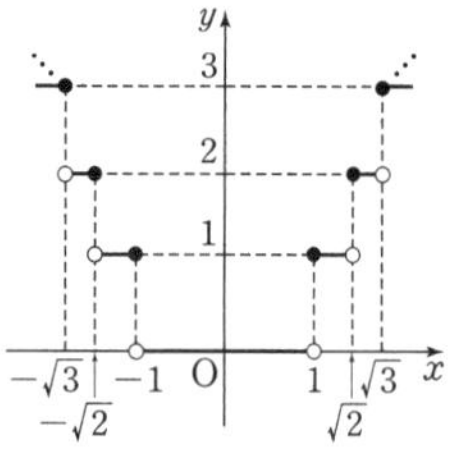

(2) $-\sqrt{3}<x\le-\sqrt{2}$일 때, $[x^2]=2$이므로 $y=x^2-2$
$-\sqrt{2}<x\le-1$일 때, $[x^2]=1$이므로 $y=x^2-1$
$-1<x<1$일 때, $[x^2]=0$이므로 $y=x^2$
$1\le x<\sqrt{2}$일 때, $[x^2]=1$이므로 $y=x^2-1$
$\sqrt{2}\le x<\sqrt{3}$일 때, $[x^2]=2$이므로 $y=x^2-2$
따라서 함수 $y=x^2-[x^2]$의 그래프는 그림과 같다.

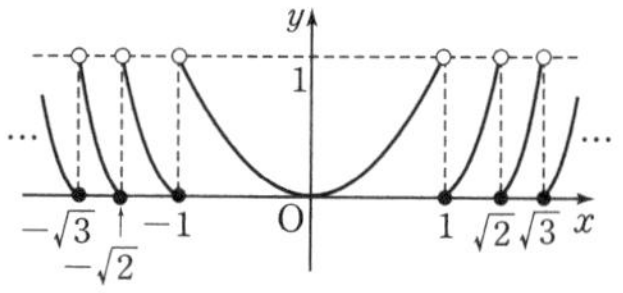

답 풀이 참조

› 다른 풀이

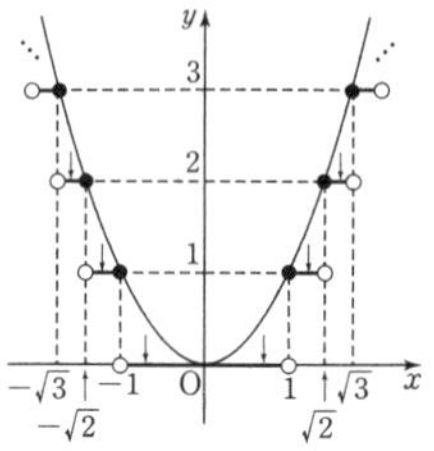

(1) [1단계] 가우스 기호를 없애고 $y=x^2$의 그래프를 그린다.
[2단계] y의 값이 정수인 지점마다 그래프를 잘라 정수로 내린다.

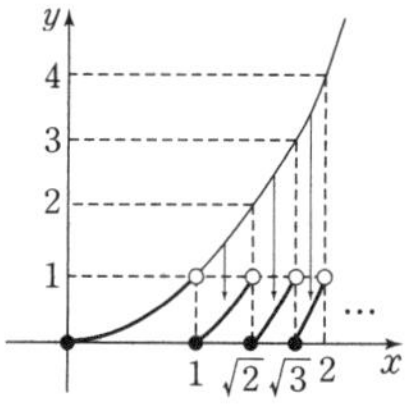

(2) [1단계] 가우스 기호를 없애고 $y=x^2-[x^2]$의 그래프를 그린다.
[2단계] y의 값이 정수인 지점마다 그래프를 잘라 모양을 유지하면서 시작점을 x축에 붙인다.

250

(가)에서 함수 $f(x)$의 그래프는 원점에 대하여 대칭이다. 주어진 그래프를 원점에 대하여 대칭시키면 폭이 4인 그래프를 얻을 수 있다.

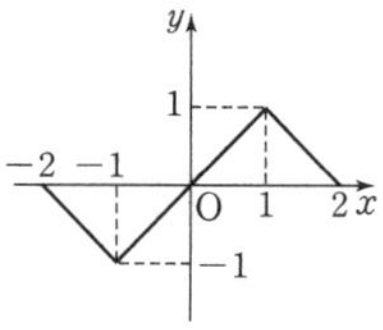

(나)에서 함수 $f(x)$는 주기가 4인 그래프가 반복된다는 소리. 따라서 함수 $f(x)$의 그래프는 그림과 같다.

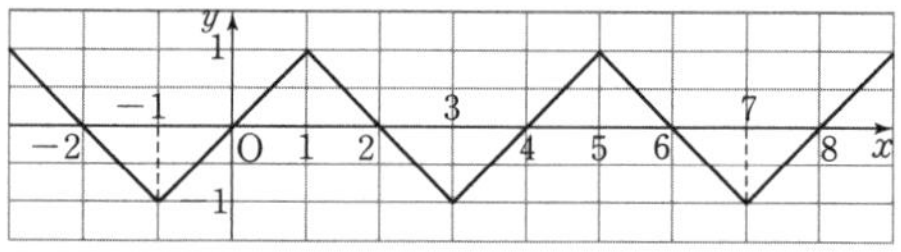

이 그래프에서 $f(7)=f(-1)=-1$ 답 -1

› 다른 풀이

(나)에서 $f(7)=f(3)=f(-1)$이고
(가)에서 $f(-1)=-f(1)$
(다)에서 $f(x)=\begin{cases} x & (0\le x<1) \\ 2-x & (1\le x\le 2) \end{cases}$이므로
$f(1)=2-1=1\qquad \therefore f(7)=-f(1)=-1$

251

(가)에서 $f(x)=x\ (0\le x\le 2)$

(나)에서 $f(x)$는 y축 대칭인 짝함수이다.

(다)에서 $f(x)$의 주기가 4인 주기함수이다.

따라서 $f(x)$의 그래프는 그림과 같다.

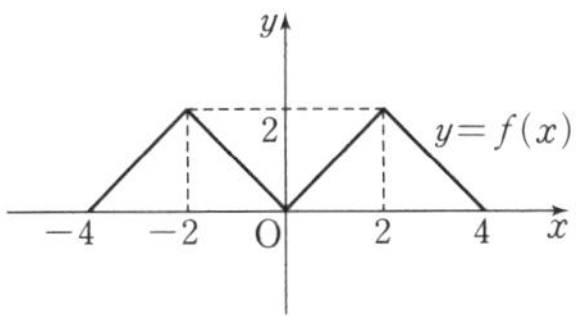

그림에서 $f(x)$와 x축으로 둘러싸인 넓이는

$2\left(\frac{1}{2}\cdot 4\cdot 2\right)=8$ **답** 8

252

$x=0$ ➡ $f(x)=[x]+[-x]=0$

$0<x<1$ ➡ $f(x)=[x]+[-x]=0-1=-1$

$x=1$ ➡ $f(x)=[x]+[-x]=1-1=0$

$1<x<2$ ➡ $f(x)=[x]+[-x]=1-2=-1$

⋮

따라서 치역의 원소는 0과 -1이다. **답** 0, -1

253

$f(x)=x-[x]$와 $g(x)=\frac{1}{8}x+\frac{1}{2}$을 좌표평면 위에 나타내면 그림과 같다.

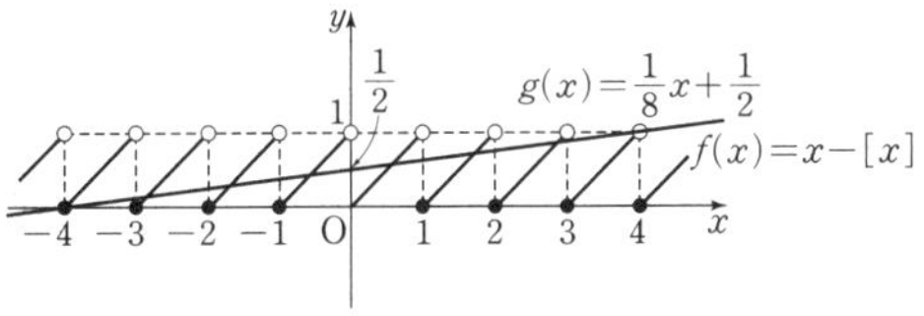

$x=4$에서는 만나지 않으므로 만나는 점의 개수는 7이다.

답 7

254

(가)에 의해 $f(x)$는 홀함수이고 (나)에 의해 $g(x)$는 짝함수이다.

ㄱ. 홀함수는 원점 대칭이므로 $f(x)$와 $f(-x)$는 부호는 달라도 그 절댓값은 같다.
따라서 $f(x)$, $x=t$, x축으로 둘러싸인 넓이 A와 $f(x)$, $x=-t$, x축으로 둘러싸인 넓이 B는 같고, $A-B=0$이다. (참)

ㄴ. $h(x)=f(x)g(x)$에서 x대신 $-x$를 대입하면
$h(-x)=f(-x)g(-x)$ ⋯⋯ ㉠
$f(-x)=-f(x)$이고 $g(-x)=g(x)$이므로 ㉠에 대입하면 $h(-x)=-f(x)g(x)=-h(x)$
따라서 $h(x)=-h(-x)$ (참)

ㄷ. $f(x)$는 $f(x)$와 $f(-x)$의 부호가 다르고 절댓값이 같은 함수이므로 $p(x)=|f(x)|$에서
$p(x)=p(-x)$ (참) **답** ㄱ, ㄴ, ㄷ

› 다른 풀이

ㄷ. $f(x)\ge 0$일 때, $f(-x)=-f(x)$이고 $-f(x)\le 0$이므로
$p(x)=|f(x)|=f(x)$
$p(-x)=|f(-x)|=|-f(x)|=f(x)$
$\therefore p(x)=p(-x)$
$f(x)<0$일 때, $f(-x)=-f(x)$이고 $-f(x)>0$이므로
$p(x)=|f(x)|=-f(x)$
$p(-x)=|-f(x)|=-f(x)$
$\therefore p(x)=p(-x)$(참)

255

$f(x)=|x+1|+|x-3|+|x+5|-5$의 그래프는 절댓값 기호 안을 0으로 하는 $x=-5$, -1, 3에서 꺾이는 ∪자형의 그래프이다.

$x=-5$일 때, $f(-5)=4+8+0-5=7$

$x=-1$일 때, $f(-1)=0+4+4-5=3$

$x=3$일 때, $f(3)=4+0+8-5=7$

따라서 $f(x)$의 그래프는 그림과 같다.

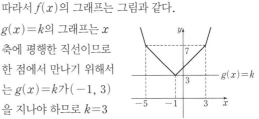

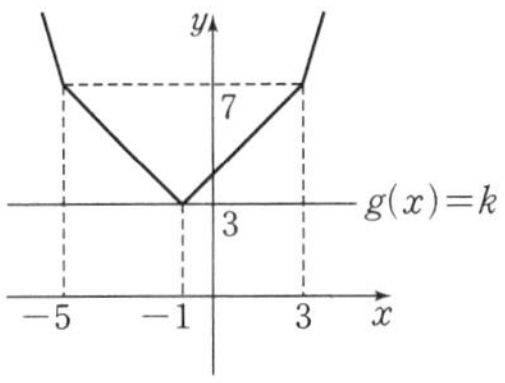

$g(x)=k$의 그래프는 x축에 평행한 직선이므로 한 점에서 만나기 위해서는 $g(x)=k$가 $(-1, 3)$을 지나야 하므로 $k=3$

답 3

256

(i) $3\ge 2$이므로 $f(3)=2\cdot 3-1=5$

(ii) $-1<2$이므로 $f(-1)=(-1)^2=1$

(i), (ii)에서 $f(3)+f(-1)=5+1=6$ **답** 6

257

1의 함숫값이 될 수 있는 것은 a, b, c, d로 4개이다.

2의 함숫값이 될 수 있는 것은 a, b, c, d로 4개이다.

3의 함숫값이 될 수 있는 것은 a, b, c, d로 4개이다.

따라서 함수의 개수는 $4\times 4\times 4=64$이므로 $m=64$

상수함수는 $f(x)=a$, $f(x)=b$, $f(x)=c$, $f(x)=d$ 로 4개이므로 $n=4$

$\therefore m-n=64-4=60$ 답 60

258

함수 $f(x)=-x+a$의 그래프의 기울기가 -1로 음수이므로 함수 $f(x)$가 일대일대응이 되려면 $f(-1)=3$ 이어야 한다.

$f(-1)=1+a=3 \quad \therefore a=2$ 답 2

259

g는 항등함수이므로 $g(1)=1$, $g(2)=2$, $g(3)=3$

$\therefore f(1)=g(1)=h(1)=1$

이때 h는 상수함수이고 $h(1)=1$이므로

$h(2)=1$, $h(3)=1$

$f(2)=h(3)+1=1+1=2 \quad \therefore f(2)=2$

f는 일대일대응이므로 $f(3)=3$이다.

$\therefore f(3)\times h(3)=3\times 1=3$ 답 3

260

$f^{-1}(2)=1$에서 $f(1)=2$이다.

따라서 $g(2)=g(f(1))=5$이다. 답 ①

261

$f(x)=2x-1$의 역함수가 존재하므로 $y=f(x)$는 일대일대응이다.

$y=f(x)$의 그래프가 그림과 같이 증가하는 모양이고 치역과 공역이 일치해야 하므로

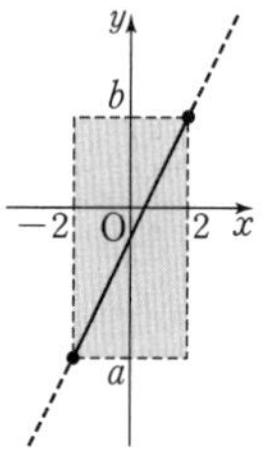

$f(-2)=a$, $f(2)=b$

$f(-2)=2\cdot(-2)-1=-5$

$\therefore a=-5$

$f(2)=2\cdot 2-1=3 \quad \therefore b=3$

$\therefore a+b=-5+3=-2$ 답 -2

262

[1단계] $(f\circ(g\circ f)^{-1}\circ f)(1)$

$=(f\circ(f^{-1}\circ g^{-1})\circ f)(1)$

$=((f\circ f^{-1})\circ(g^{-1}\circ f))(1)$

$=(g^{-1}\circ f)(1)=g^{-1}(f(1))$

$=g^{-1}(5)$ ⬅ $f(1)=1+1+3$

[2단계] $g^{-1}(5)=k$로 놓으면 $g(k)=5$이므로

$2k-3=5,\ 2k=8 \quad \therefore k=4$

$\therefore (f\circ(g\circ f)^{-1}\circ f)(1)=4$ 답 4

263

$f(x)=x-1$에서 $f^{-1}(x)=x+1$이므로

$(f^{-1}\circ g\circ f)(x)=f^{-1}(g(f(x)))=f^{-1}(g(x-1))$

$=f^{-1}(a(x-1)^2+b(x-1)+c)$

$=a(x-1)^2+b(x-1)+c+1$

$=ax^2+(-2a+b)x+a-b+c+1$

이 식이 $2x^2-x+5$와 같으므로

$a=2,\ -2a+b=-1,\ a-b+c+1=5$

$\therefore a=2,\ b=3,\ c=5 \quad \therefore a+b+c=10$ 답 ④

264

$(f\circ f)^{-1}(2)=(f^{-1}\circ f^{-1})(2)=f^{-1}(f^{-1}(2))$이므로

$f^{-1}(2)=k$로 놓으면 $f(k)=2$에서 $k=3$

$\therefore f^{-1}(2)=3$

$f^{-1}(3)=l$로 놓으면 $f(l)=3$에서 $l=4$

$\therefore f^{-1}(3)=4$

$\therefore (f\circ f)^{-1}(2)=(f^{-1}\circ f^{-1})(2)$

$=f^{-1}(f^{-1}(2))$

$=f^{-1}(3)=4$ 답 ⑤

265

$(f^{-1}\circ f)(x)=x$이므로 $f(3x+2)=x-1$의 양변에 f^{-1}를 합성하면 $f^{-1}(f(3x+2))=f^{-1}(x-1)$

$\therefore f^{-1}(x-1)=3x+2$

따라서 $x=4$를 대입하면 $f^{-1}(3)=14$ 답 ②

> 다른 풀이 $f(3x+2)=x-1$에서 $3x+2=t$라 하면

$x=\dfrac{t-2}{3}$이므로 $f(t)=\dfrac{t-2}{3}-1=\dfrac{t}{3}-\dfrac{5}{3}$

$\therefore f(x)=\dfrac{x}{3}-\dfrac{5}{3}$

이때 $f^{-1}(3)=k$로 놓으면 $f(k)=3$이므로

$\dfrac{k}{3}-\dfrac{5}{3}=3 \quad \therefore k=14$

266

$(f\circ f)(x)=f(f(x))=x$에서 $f^{-1}(x)=f(x)$이므로 $y=f(x)$의 그래프는 $y=f^{-1}(x)$의 그래프와 일치해야 한다. 따라서 $f(x)$의 그래프는 직선 $y=x$에 대하여 대칭이어야 한다. 주어진 함수의 그래프 중 직선 $y=x$에 대하여 대칭인 것은 ④이다. 답 ④

267

함수 $f: A \longrightarrow A$, $f(x)=kx+1$이 정의되려면 집합 $\{f(x) \mid x \in A\}$가 A의 부분집합이어야 한다.

(i) $k>0$이면 $y=f(x)$는 x의 값이 증가할 때, y의 값도 증가하므로

$-2 \le -2k+1$ …… ㉠

$2k+1 \le 2$ …… ㉡

㉠에서 $-2 \le -2k+1$, $2k \le 3$

$\therefore k \le \frac{3}{2}$

㉡에서 $2k+1 \le 2$, $2k \le 1$

$\therefore k \le \frac{1}{2}$

$\therefore 0<k \le \frac{1}{2}$

(ii) $k<0$이면 $y=f(x)$는 x의 값이 증가할 때, y의 값은 감소하므로

$-2 \le 2k+1$ …… ㉠

$-2k+1 \le 2$ …… ㉡

$-2 \le 2k+1$, ㉠에서 $2k \ge -3$

$\therefore k \ge -\frac{3}{2}$

㉡에서 $-2k+1 \le 2$, $-2k \le 1$

$\therefore k \ge -\frac{1}{2}$

$\therefore -\frac{1}{2} \le k<0$

(iii) $k=0$이면 $f(x)=1$로 상수함수이므로 집합 $\{1\}$이 A에 포함된다.

$\therefore k=0$

이상에 상수 k의 값의 범위는 $-\frac{1}{2} \le k \le \frac{1}{2}$이다.

$\therefore a=-\frac{1}{2}$, $b=\frac{1}{2}$

$\therefore a+b=0$ 답 ③

268

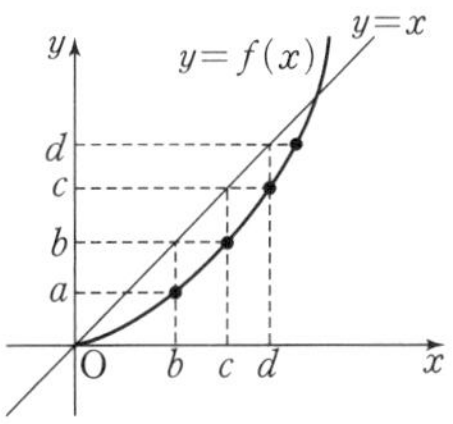

$(f \circ f)(d)=f(f(d))$

$=f(c)$

$=b$

$(f \circ f)^{-1}(a)=f^{-1}(f^{-1}(a))$

$=f^{-1}(b)$

$=c$

$\therefore (f \circ f)(d)-(f \circ f)^{-1}(a)=b-c$ 답 ③

269

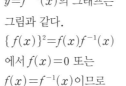

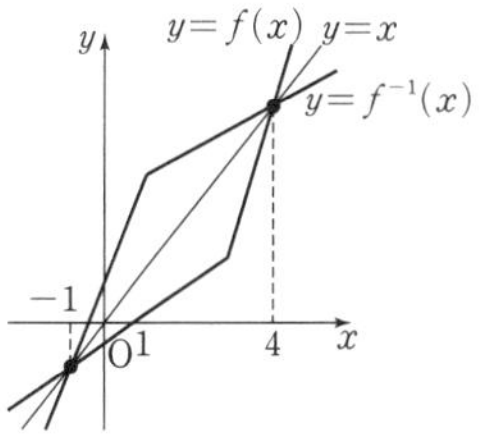

$y=x$, $y=f(x)$, $y=f^{-1}(x)$의 그래프는 그림과 같다.

$\{f(x)\}^2=f(x)f^{-1}(x)$에서 $f(x)=0$ 또는 $f(x)=f^{-1}(x)$이므로 $x=-1, 1, 4$이다.

따라서 모든 실수 x의 값의 합은 4이다. 답 4

270

$f(100)=f(10\cdot10+0)=f(10)+0$

$=f(10\cdot1+0)=f(1)+0$

$=f(10\cdot0+1)=f(0)+1=1$

$f(999)=f(10\cdot99+9)=f(99)+9$

$=f(10\cdot9+9)+9=f(9)+9+9$

$=f(10\cdot0+9)+9+9$

$=9+9+9=27$

$\therefore f(f(999))=f(27)=f(10\cdot2+7)$

$=f(2)+7=f(10\cdot0+2)+7$

$=2+7=9$

따라서 $f(100)+(f \circ f)(999)=1+9=10$ 답 10

271

$f(x)=\begin{cases} 1 & (x \in A) \\ 2 & (x \notin A) \end{cases}$이므로 $f(x)=1$ 또는 $f(x)=2$

조건 (가)에서 $6=1+1+2+2$인 경우만 가능하므로 $f(x)=1$인 x가 2개, $f(x)=2$인 x가 2개이어야 한다.

$\therefore n(A)=2$

한편, $1 \notin A$, $2 \in A$이면 조건 (나)를 만족시킬 수 없으므로 $1 \in A$ 또는 $2 \notin A$이어야 한다.

따라서 주어진 조건을 만족시키는 집합 A는 $\{1, 2\}$, $\{1, 3\}$, $\{1, 4\}$, $\{3, 4\}$의 4개이다.

따라서 집합 A의 모든 원소의 합의 최댓값은 $3+4=7$ 답 7

> 참고

$A=\{1, 2\}$일 때 $f(1)=f(2)=1$, $f(3)=f(4)=2$

$A=\{1, 3\}$일 때 $f(1)=f(3)=1$, $f(2)=f(4)=2$

$A=\{1, 4\}$일 때 $f(1)=f(4)=1$, $f(2)=f(3)=2$

$A=\{3, 4\}$일 때 $f(3)=f(4)=1$, $f(1)=f(2)=2$

2 유리식과 유리함수

273

$$(\text{주어진 식})=\frac{x(x+1)}{x+2}\times\frac{(x+2)(x-1)}{(x-2)(x+1)}\times\frac{x-2}{x-1}$$
$$=x$$

답 x

275

[1단계] 분모를 $(a-b)(b-c)(c-a)$로 통분한다.

$$(\text{주어진 식})=\frac{-a(b-c)-b(c-a)-c(a-b)}{(a-b)(b-c)(c-a)}$$

[2단계] 분자를 전개하여 정리한다.

$$(\text{분자})=-ab+ac-bc+ba-ca+cb=0$$
$$\therefore (\text{주어진 식})=\frac{0}{(a-b)(b-c)(c-a)}=0$$

답 0

277

분자를 상수로 만든 후 (+)와 (−) 둘씩 조를 짜 통분한다.

(주어진 식)

$$=\frac{x+2}{x}-\frac{(x+1)+2}{x+1}-\frac{(x-3)-2}{x-3}+\frac{(x-4)-2}{x-4}$$
$$=\left(1+\frac{2}{x}\right)-\left(1+\frac{2}{x+1}\right)-\left(1-\frac{2}{x-3}\right)+\left(1-\frac{2}{x-4}\right)$$
$$=\left(\frac{2}{x}-\frac{2}{x+1}\right)+\left(\frac{2}{x-3}-\frac{2}{x-4}\right)$$
$$=\frac{2}{x(x+1)}+\frac{-2}{(x-3)(x-4)}$$
$$=\frac{2(x-3)(x-4)-2x(x+1)}{x(x+1)(x-3)(x-4)}$$
$$=\frac{-16x+24}{x(x+1)(x-3)(x-4)}$$

답 $\frac{-16x+24}{x(x+1)(x-3)(x-4)}$

279

부분분수로 분해하면 연쇄적으로 소거된다.

(주어진 식)

$$=\left(\frac{1}{x}-\frac{1}{x+1}\right)+\left(\frac{1}{x+1}-\frac{1}{x+10}\right)$$
$$+\left(\frac{1}{x+10}-\frac{1}{x+100}\right)$$
$$+\left(\frac{1}{x+100}-\frac{1}{x+1000}\right)$$
$$=\frac{1}{x}-\frac{1}{x+1000}=\frac{1000}{x(x+1000)}$$

답 $\frac{1000}{x(x+1000)}$

281

$$(\text{주어진 식})=\frac{\frac{x^2+x}{x^2}}{\frac{x^2-1}{x^2}}=\frac{x^2(x^2+x)}{x^2(x^2-1)}$$
$$=\frac{x(x+1)}{(x-1)(x+1)}=\frac{x}{x-1}$$

답 $\frac{x}{x-1}$

› 다른 풀이 분모, 분자에 x^2을 각각 곱한다.

$$(\text{주어진 식})=\frac{x^2+x}{x^2-1}$$
$$=\frac{x(x+1)}{(x-1)(x+1)}$$
$$=\frac{x}{x-1}$$

283

$\frac{x}{2}=\frac{y}{3}=\frac{z}{4}=k\ (k\neq0)$로 놓으면

$x=2k,\ y=3k,\ z=4k$

(1) $(\text{주어진 식})=\frac{2k+3k+4k}{2\cdot2k+3\cdot3k+4\cdot4k}$
$$=\frac{9k}{29k}=\frac{9}{29}$$

(2) $(\text{주어진 식})=\frac{(2k)^2-(3k)^2+(4k)^2}{2k\cdot3k+3k\cdot4k-4k\cdot2k}$
$$=\frac{4k^2-9k^2+16k^2}{6k^2+12k^2-8k^2}$$
$$=\frac{11k^2}{10k^2}=\frac{11}{10}$$

답 (1) $\frac{9}{29}$ (2) $\frac{11}{10}$

285

$\frac{3b+2c}{a}=\frac{2c+a}{3b}=\frac{a+3b}{2c}=k$로 놓으면

$3b+2c=ak,\ 2c+a=3bk,\ a+3b=2ck$

세 식의 양변을 더하면

$2a+6b+4c=(a+3b+2c)k$

이항하여 정리하면

$(a+3b+2c)(k-2)=0$

$\therefore\ a+3b+2c=0$ 또는 $k=2$

$a+3b+2c=0$일 때, $a=-3b-2c$이므로

$$k=\frac{3b+2c}{a}=\frac{-a}{a}=-1$$

따라서 구하는 분수식의 값은 2 또는 −1이다.

답 2 또는 −1

> 다른 풀이

$\frac{3b+2c}{a}=\frac{2c+a}{3b}=\frac{a+3b}{2c}$에서 가비의 리에 의해

$\frac{(3b+2c)+(2c+a)+(a+3b)}{a+3b+2c}=\frac{2(a+3b+2c)}{a+3b+2c}$

(ⅰ) $a+3b+2c=0$일 때, $a=-3b-2c$이므로

$\frac{3b+2c}{a}=\frac{-a}{a}=-1$

(ⅱ) $a+3b+2c\neq0$일 때, $\frac{2(a+3b+2c)}{a+3b+2c}=2$

(ⅰ), (ⅱ)에서 구하는 분수식의 값은 2 또는 -1이다.

287

(1) $y=\frac{4}{x}$의 그래프는 그림과 같다.

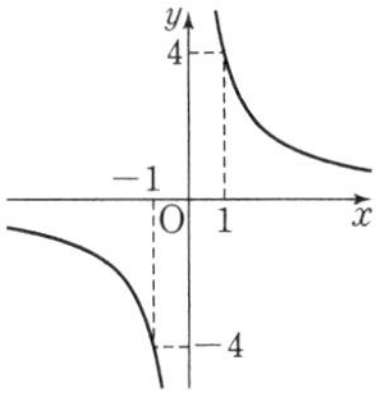

점근선의 방정식: $x=0$, $y=0$

정의역: $\{x|x\neq0$인 실수$\}$

치역: $\{y|y\neq0$인 실수$\}$

(2) $y=-\frac{1}{x+2}-1$의 그래프는 $y=-\frac{1}{x}$의 그래프를 x축의 방향으로 -2만큼, y축의 방향으로 -1만큼 평행이동한 것이다.

따라서 그래프는 그림과 같다.

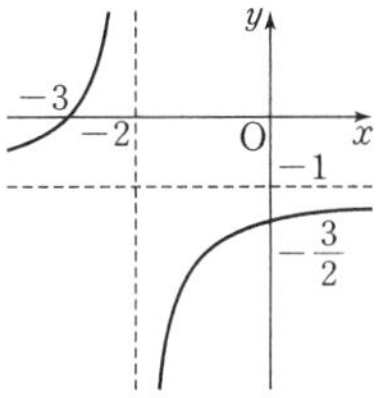

점근선의 방정식: $x=-2$, $y=-1$

정의역: $\{x|x\neq-2$인 실수$\}$

치역: $\{y|y\neq-1$인 실수$\}$

답 풀이 참조

289

$y=\frac{x+1}{x-1}=\frac{(x-1)+2}{x-1}=\frac{2}{x-1}+1$

이 함수의 그래프는 $y=\frac{2}{x}$의 그래프를 x축의 방향으로 1만큼, y축의 방향으로 1만큼 평행이동한 것이다.

따라서 그래프는 그림과 같다.

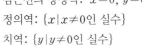

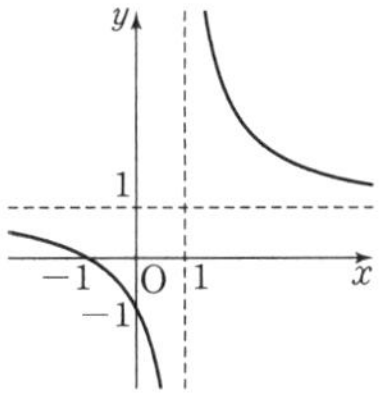

점근선의 방정식: $x=1$, $y=1$

정의역: $\{x|x\neq1$인 실수$\}$

치역: $\{y|y\neq1$인 실수$\}$

답 풀이 참조

291

$y=\frac{2x}{x-2}=\frac{2(x-2)+4}{x-2}=\frac{4}{x-2}+2$

이 함수의 그래프는 $y=\frac{4}{x}$의 그래프를 x축의 방향으로 2만큼, y축의 방향으로 2만큼 평행이동한 것이다.

$\therefore a=4,\ b=2,\ c=2$

답 $a=4,\ b=2,\ c=2$

293

ㄱ. $y=\frac{x-4}{x-3}=\frac{(x-3)-1}{x-3}=-\frac{1}{x-3}+1$

ㄴ. $y=\frac{3x-5}{x-2}=\frac{3(x-2)+1}{x-2}=\frac{1}{x-2}+3$

ㄷ. $y=\frac{2x-3}{x-1}=\frac{2(x-1)-1}{x-1}=-\frac{1}{x-1}+2$

따라서 그래프가 서로 겹칠 수 있는 것은 ㄱ과 ㄷ이다.

답 ㄱ과 ㄷ

295

$y=\frac{4x}{x-1}=\frac{4(x-1)+4}{x-1}=\frac{4}{x-1}+4$

따라서 주어진 함수의 그래프는 두 점근선인 직선 $x=1$, $y=4$의 교점 $(1,\ 4)$에 대하여 대칭이므로

$a=1,\ b=4$

$\therefore a+b=5$

답 5

297

$y=\frac{2x-4}{x-3}=\frac{2(x-3)+2}{x-3}=\frac{2}{x-3}+2$

따라서 주어진 함수의 그래프는 점 $(3,\ 2)$를 지나고 기울기가 ±1인 두 직선에 대하여 대칭이므로 $x=3$, $y=2$를 주어진 두 직선의 방정식에 대입하면

$2=3+a,\ 2=-3+b$

$\therefore a=-1,\ b=5$

답 $a=-1,\ b=5$

299

[1단계] 점근선의 방정식이 $x=-1$, $y=2$이므로 주어진 함수를

$y=\frac{k}{x+1}+2$ …… ㉠

로 놓는다.

[2단계] ㉠의 그래프가 점 $(1,\ 0)$을 지나므로

$0=\frac{k}{1+1}+2$ $\quad\therefore k=-4$

$k=-4$를 ㉠에 대입하면

$y=-\frac{4}{x+1}+2=\frac{2x-2}{x+1}$

$\therefore a=2,\ b=-2,\ c=-1$

답 $a=2,\ b=-2,\ c=-1$

> 다른 풀이

[1단계] 공식을 이용하면 $y=\dfrac{ax+b}{x-c}$의 그래프의

점근선의 방정식은 $x=c$, $y=a$

이것이 $x=-1$, $y=2$와 같아야 하므로

$c=-1$, $a=2$

[2단계] $y=\dfrac{ax+b}{x-c}$의 그래프가 점 $(1, 0)$을 지나므로

$0=\dfrac{a+b}{1-c}$, $0=\dfrac{2+b}{1+1}$ $\quad\therefore b=-2$

301

$y=\dfrac{x+1}{x-1}=\dfrac{(x-1)+2}{x-1}=\dfrac{2}{x-1}+1$

그래프를 그린 후 $0\le x<1$ 또는 $1<x\le 2$인 부분만 살려 놓으면 그림과 같다.

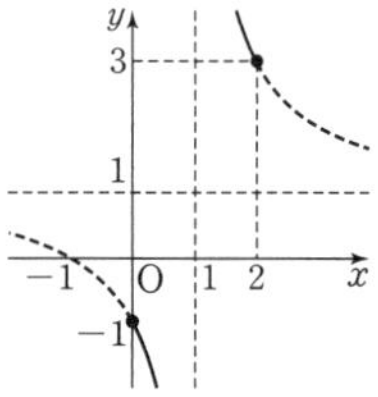

$x=0$일 때 $y=-1$,

$x=2$일 때 $y=3$이므로

치역은 $\{y|y\le -1$ 또는 $y\ge 3\}$

답 $\{y|y\le -1$ 또는 $y\ge 3\}$

303

$y=\dfrac{-2x+3}{x-1}=\dfrac{-2(x-1)+1}{x-1}=\dfrac{1}{x-1}-2$

그래프를 그린 후 $2\le x\le 4$인 부분만 살려 놓으면 그림과 같다.

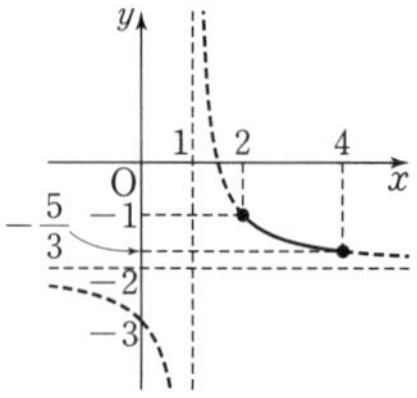

따라서 주어진 함수는

$x=2$일 때 최댓값 -1,

$x=4$일 때 최솟값 $-\dfrac{5}{3}$를 갖는다.

답 최댓값: -1, 최솟값: $-\dfrac{5}{3}$

305

[1단계] $y=\dfrac{x+b}{x-3}=\dfrac{(x-3)+3+b}{x-3}$

$=\dfrac{3+b}{x-3}+1$

[2단계] $3+b<0$이므로 함수

$y=\dfrac{x+b}{x-3}$는

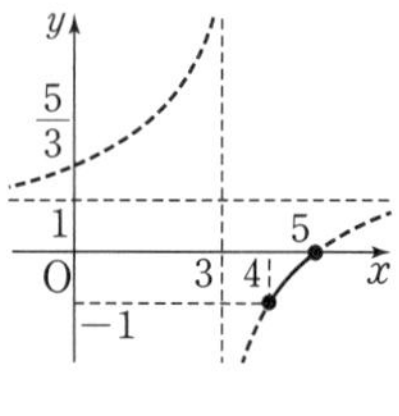

$x=a$일 때 최솟값 -1,

$x=5$일 때 최댓값 0을

갖는다.

[3단계] $y=\dfrac{x+b}{x-3}$에 $x=5$를 대입하면 $\dfrac{5+b}{2}=0$

$\therefore b=-5$

$y=\dfrac{x-5}{x-3}$에 $x=a$을 대입하면 $\dfrac{a-5}{a-3}=-1$에서

$a-5=-a+3$, $2a=8$ $\quad\therefore a=4$

답 $a=4$, $b=-5$

307

(1) $y=\dfrac{4x-3}{-x+2}$의 x와 y를 서로 바꾸면

$x=\dfrac{4y-3}{-y+2}$

$-xy+2x=4y-3$, $(-x-4)y=-2x-3$

$\therefore y=\dfrac{2x+3}{x+4}$

(2) $y=\dfrac{ax+b}{-x+c}$의 x와 y를 서로 바꾸면

$x=\dfrac{ay+b}{-y+c}$

$-xy+cx=ay+b$, $(-x-a)y=-cx+b$

$\therefore y=\dfrac{cx-b}{x+a}$

답 (1) $y=\dfrac{2x+3}{x+4}$ (2) $y=\dfrac{cx-b}{x+a}$

> 다른 풀이 공식을 이용하여 부호와 자리를 바꾼다.

(1) $y=\dfrac{4x-3}{-x+2}$에서 4와 2의 부호와 자리를 바꾸면

$y=\dfrac{-2x-3}{-x-4}=\dfrac{2x+3}{x+4}$

(2) $y=\dfrac{ax+b}{-x+c}$에서 a와 c의 부호와 자리를 바꾸면

$y=\dfrac{-cx+b}{-x-a}=\dfrac{cx-b}{x+a}$

309

함수 $y=\dfrac{-3x+7}{x-2}$의 그래프와 직선 $y=-x+a$가 만나지 않으므로

$\dfrac{-3x+7}{x-2}=-x+a$에서

$-3x+7=(x-2)(-x+a)$

$\therefore x^2-(a+5)x+2a+7=0$

이 이차방정식의 판별식을 D라 하면

$D=(a+5)^2-4(2a+7)<0$

$a^2+2a-3<0$, $(a+3)(a-1)<0$

$\therefore -3<a<1$ **답** $-3<a<1$

311

$y=\frac{2x+1}{x}=\frac{1}{x}+2$

그래프를 그린 후 $\frac{1}{2}\le x\le 1$의 부분만 살려 놓으면 그림과 같고, 직선 $y=ax$는 a의 값에 관계없이 항상 원점을 지난다.

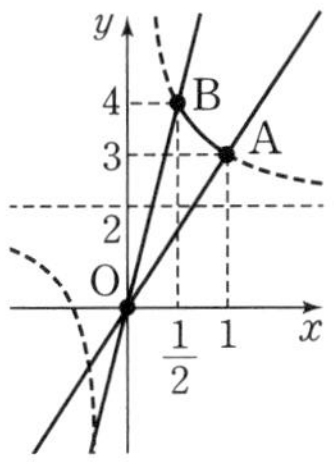

따라서 구하는 a의 값의 범위는 직선 $y=ax$가 두 점

$A(1, 3)$, $B\left(\frac{1}{2}, 4\right)$ 사이를 지날 때이다.

직선의 방정식 $y=ax$에 점 $A(1, 3)$과 $B\left(\frac{1}{2}, 4\right)$의 좌표를 대입하여 a의 값의 범위를 구하면 $3\le a\le 8$

답 $3\le a\le 8$

312

$$(\text{주어진 식})=\frac{3(x-1)+2}{x-1}-\frac{3(x+1)-1}{x+1}$$
$$=3+\frac{2}{x-1}-\left(3-\frac{1}{x+1}\right)$$
$$=3+\frac{2}{x-1}-3+\frac{1}{x+1}$$
$$=\frac{2}{x-1}+\frac{1}{x+1}$$
$$=\frac{2(x+1)+(x-1)}{(x-1)(x+1)}$$
$$=\frac{3x+1}{(x-1)(x+1)}$$

답 $\frac{3x+1}{(x-1)(x+1)}$

313

$$y=\frac{2x+4}{2x+1}=\frac{(2x+1)+3}{2x+1}$$
$$=\frac{3}{2x+1}+1=\frac{\frac{3}{2}}{x+\frac{1}{2}}+1$$

이 함수의 그래프는 $y=\frac{\frac{3}{2}}{x}$, 즉 $y=\frac{3}{2x}$의 그래프를 x축의 방향으로 $-\frac{1}{2}$만큼, y축의 방향으로 1만큼 평행이동한 것이므로

$a=\frac{3}{2}$, $b=-\frac{1}{2}$, $c=1$

$\therefore a+b+c=2$

답 2

314

점근선의 방정식이 $x=-1$, $y=3$이므로 주어진 함수를

$y=\frac{k}{x+1}+3$ ...... ㉠

으로 놓으면 ㉠의 그래프가 점 $(0, 5)$를 지나므로

$5=\frac{k}{0+1}+3$ $\therefore k=2$

$k=2$를 ㉠에 대입하면

$y=\frac{2}{x+1}+3=\frac{3x+5}{x+1}$

따라서 $a=1$, $b=3$, $c=5$이므로

$a+b+c=9$

답 9

315

$y=\frac{2x-5}{x-3}=\frac{2(x-3)+1}{x-3}=\frac{1}{x-3}+2$

그래프를 그린 후 $0\le x\le 2$인 부분만 살려 놓으면 그림과 같다.

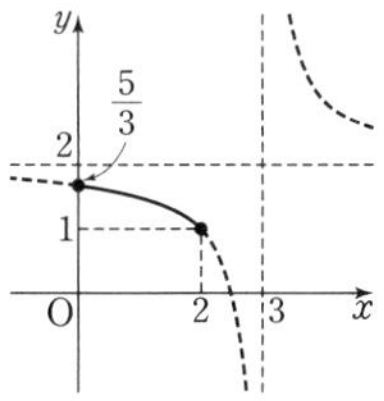

따라서 주어진 함수는

$x=0$일 때 최댓값 $\frac{5}{3}$,

$x=2$일 때 최솟값 1을 가지므로

$M=\frac{5}{3}$, $m=1$ $\therefore M-m=\frac{2}{3}$

답 $\frac{2}{3}$

316

$f^{-1}\circ f=I$이므로

$(f^{-1}\circ f\circ f^{-1})(5)=(I\circ f^{-1})(5)=f^{-1}(5)$

$f^{-1}(5)=k$로 놓으면 $f(k)=5$이므로 $\frac{2k+1}{k-1}=5$

$2k+1=5k-5$, $3k=6$ $\therefore k=2$

$\therefore (f^{-1}\circ f\circ f^{-1})(5)=f^{-1}(5)=2$

답 2

317

$y=\frac{4x-1}{2x+3}$의 x와 y를 바꾸면 $x=\frac{4y-1}{2y+3}$

$2xy+3x=4y-1$, $(2x-4)y=-3x-1$

$\therefore y=\frac{-3x-1}{2x-4}$

따라서 $a=-3$, $b=-1$, $c=-4$이므로

$a+b+c=-8$

답 -8

› 다른 풀이 공식을 이용하면 $f(x)=\frac{4x-1}{2x+3}$의 역함수는

$f^{-1}(x)=\frac{-3x-1}{2x-4}$ (4와 3의 부호와 자리만 바꾼다.)

따라서 $a=-3$, $b=-1$, $c=-4$이므로

$a+b+c=-8$

318

$$\frac{x-\frac{x+2}{x}}{x+1}=\frac{x^2-x-2}{x(x+1)}=\frac{(x-2)(x+1)}{x(x+1)}=\frac{x-2}{x}$$

답 ①

319

주어진 식의 좌변을 변형하면

$$\left(\frac{1}{x}-\frac{1}{x+1}\right)+\left(\frac{1}{x+1}-\frac{1}{x+3}\right)+\left(\frac{1}{x+3}-\frac{1}{x+5}\right)$$

$$=\frac{1}{x}-\frac{1}{x+5}$$

분모를 0으로 만들지 않는 모든 실수 x에 대하여

$\frac{5}{x^2+5x}=\frac{a}{x^2+bx}$이므로 $a=5$, $b=5$이다.

$\therefore a+b=10$

답 ⑤

320

$\frac{x+y}{6}=\frac{y+z}{8}=\frac{z+x}{10}=\frac{3x+2y-z}{a}=k\ (k\neq 0)$

로 놓으면

$x+y=6k,\ y+z=8k,\ z+x=10k$ ...... ㉠

$3x+2y-z=ak$ ...... ㉡

㉠의 각 변을 더하면

$2(x+y+z)=24k \quad \therefore x+y+z=12k$

$\therefore x=4k,\ y=2k,\ z=6k$

이것을 ㉡에 대입하면

$12k+4k-6k=ak$

$\therefore a=10$

답 ⑤

321

점근선의 방정식이 $x=2$, $y=3$이므로 주어진 함수를

$y=\frac{k}{x-2}+3$ ...... ㉠

으로 놓으면 ㉠의 그래프가 점 $(0, 4)$를 지나므로

$4=\frac{k}{0-2}+3 \quad \therefore k=-2$

$k=-2$를 ㉠에 대입하면

$y=-\frac{2}{x-2}+3=\frac{3x-8}{x-2}$

따라서 $a=-2$, $b=3$, $c=-8$이므로

$a+b+c=-7$

답 ③

322

$(f^{-1}\circ g\circ f^{-1})(3)=f^{-1}(g(f^{-1}(3)))$

이때 $f^{-1}(3)=k$로 놓으면 $f(k)=3$이므로

$\frac{2k+1}{k-1}=3,\ 2k+1=3k-3 \quad \therefore k=4$

$\therefore (f^{-1}\circ g\circ f^{-1})(3)=f^{-1}(g(f^{-1}(3)))$

$=f^{-1}(g(4))$

$=f^{-1}(5)$ ⬅ $g(4)=4+1=5$

또 $f^{-1}(5)=l$로 놓으면 $f(l)=5$이므로

$\frac{2l+1}{l-1}=5,\ 2l+1=5l-5$

$3l=6 \quad \therefore l=2$

$\therefore (f^{-1}\circ g\circ f^{-1})(3)=f^{-1}(5)=2$

답 ②

323

함수 $y=-\frac{2}{x}+2$의 그래프와 직선 $y=2x+k$가 서로 만나지 않아야 하므로

$-\frac{2}{x}+2=2x+k$에서 $-2+2x=2x^2+kx$

$\therefore 2x^2+(k-2)x+2=0$

이 이차방정식의 판별식을 D라 하면

$D=(k-2)^2-16<0,\ k^2-4k-12<0$

$(k+2)(k-6)<0 \quad \therefore -2<k<6$

따라서 구하는 정수 k는 $-1, 0, 1, 2, 3, 4, 5$로 그 개수는 7이다.

답 7

324

주어진 함수의 그래프는 함수 $y=\frac{5}{x}$의 그래프를 x축의 방향으로 p, y축의 방향으로 2만큼 평행이동한 그래프이므로 점근선의 방정식은 $x=p$, $y=2$이다.

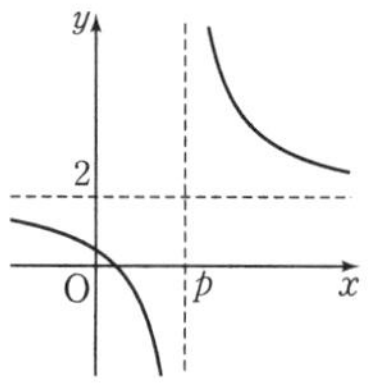

$p\leq 0$이면 곡선 $y=\frac{5}{x-p}+2$는 반드시 제3사분면을 지나므로 $p>0$이다.

(i) $x>p$인 범위에서 함수의 그래프는 제1사분면만을 지난다.

(ii) $x<p$일 때 주어진 함수의 그래프가 제3사분면을 지나지 않기 위해서는 $x=0$일 때 y의 값은 0 이상이 되어야 한다.

$\frac{5}{-p}+2>0,\ -\frac{5}{p}>-2$

$2p>5 \quad \therefore p>\frac{5}{2}$

따라서 조건을 만족시키는 최소의 정수 p는 3이다.

답 ①

325

$y=\frac{x+1}{x-2}=\frac{(x-2)+3}{x-2}=\frac{3}{x-2}+1$이므로

함수 $y=\frac{x+1}{x-2}$의 점근선은 $x=2$, $y=1$

$y=\frac{nx+1}{x+m}=\frac{n(x+m)+1-mn}{x+m}=\frac{1-mn}{x+m}+n$

이므로 함수 $y=\frac{nx+1}{x+m}$의 점근선은 $x=-m$, $y=n$

따라서 두 함수의 점근선으로 둘러싸인 도형의 넓이는 $|m+2||n-1|=8$이다. 이때 m, n이 자연수이므로 $m+2$는 3 이상의 정수, $n-1$은 0 이상의 정수이다.

$m+2$	$n-1$		m	n
4	2	➡	2	3
8	1		6	2

따라서 자연수 m, n의 순서쌍 (m, n)은 $(2, 3)$, $(6, 2)$로 2개이다.

답 ②

326

$h(f(x))=g(x)$이므로 $h\left(\frac{1+x}{x-1}\right)=\frac{x}{x+1}$

$\frac{1+x}{x-1}=t$라 하면

$1+x=tx-t$, $(t-1)x=t+1$ $\therefore x=\frac{t+1}{t-1}$

$(h\circ f)(x)=h(f(x))=h(t)=\frac{\frac{t+1}{t-1}}{\frac{t+1}{t-1}+1}=\frac{t+1}{2t}$

따라서 $h(x)=\frac{x+1}{2x}$이다.

함수 $h(x)$가 x축과 만나는 점의 x좌표를 구하기 위해 $y=h(x)$에 $y=0$을 대입하면

$\frac{x+1}{2x}=0$ $\therefore x=-1$

따라서 함수 $h(x)$가 x축과 만나는 점의 x좌표는 -1이다.

답 ②

327

선분 AB를 $1:t\,(t>0)$로 내분하는 점 P의 좌표 $f(t)$는

$f(t)=\frac{1\times4+t\times(-2)}{1+t}=\frac{4-2t}{1+t}$

$=\frac{-2(1+t)+6}{1+t}$ (단, $t>0$)

$\therefore f(t)=\frac{6}{t+1}-2$ (단, $t>0$)

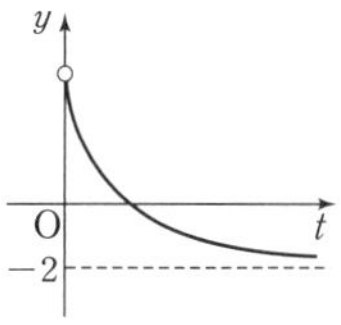

따라서 그래프를 좌표평면 위에 나타내면 그림과 같다.

답 ⑤

328

점 P의 좌표를 (a, b)라 하면 $b=\frac{2}{a-1}+2$이므로

직사각형 PRSQ의 둘레의 길이 $2(\overline{PR}+\overline{PQ})$는

$2(a-1)+2(b-2)$

$\geq2\sqrt{2(a-1)\times2(b-2)}$

$=2\sqrt{2(a-1)\times\frac{4}{a-1}}=4\sqrt{2}$

(단, 등호는 $a-1=b-2$일 때, 즉 $a=1+\sqrt{2}$, $b=2+\sqrt{2}$일 때 성립한다.)

따라서 직사각형 PRSQ의 둘레의 길이의 최솟값은 $4\sqrt{2}$

답 $4\sqrt{2}$

3 무리식과 무리함수

330

(1) $\frac{3+\sqrt{2}}{3-\sqrt{2}}=\frac{(3+\sqrt{2})^2}{(3-\sqrt{2})(3+\sqrt{2})}=\frac{9+6\sqrt{2}+2}{9-2}$

$=\frac{11+6\sqrt{2}}{7}$

(2) $\frac{\sqrt{x}}{\sqrt{x-1}+\sqrt{x}}-\frac{\sqrt{x}}{\sqrt{x-1}-\sqrt{x}}$

$=\frac{\sqrt{x}(\sqrt{x-1}-\sqrt{x})-\sqrt{x}(\sqrt{x-1}+\sqrt{x})}{(\sqrt{x-1}+\sqrt{x})(\sqrt{x-1}-\sqrt{x})}$

$=\frac{-x-x}{x-1-x}=\frac{-2x}{-1}=2x$

답 (1) $\frac{11+6\sqrt{2}}{7}$ (2) $2x$

332

(1) 근호 밖의 부호: $(+)$
근호 안의 부호: $(+)$ ➡ 위-오른쪽 방향

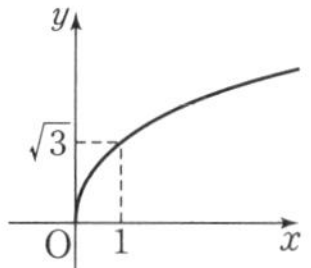

정의역: $\{x|x\geq0\}$
치역: $\{y|y\geq0\}$

(2) 근호 밖의 부호: $(+)$
근호 안의 부호: $(-)$ ➡ 위-왼쪽 방향

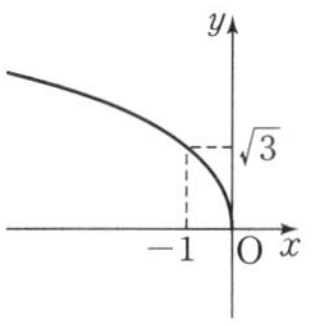

정의역: $\{x|x\leq0\}$
치역: $\{y|y\geq0\}$

(3) 근호 밖의 부호: $(-)$
근호 안의 부호: $(+)$ ➡ 아래-오른쪽 방향

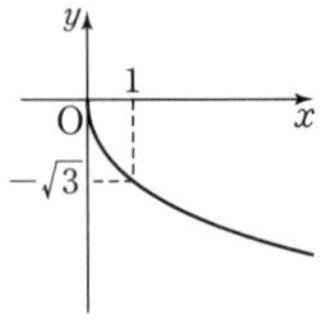

정의역: $\{x|x\geq 0\}$
치역: $\{y|y\leq 0\}$

(4) 근호 밖의 부호: $(-)$
근호 안의 부호: $(-)$ ➡ 아래-왼쪽 방향

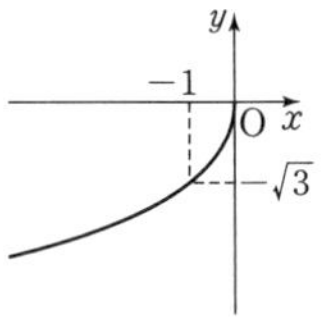

정의역: $\{x|x\leq 0\}$
치역: $\{y|y\leq 0\}$

답 풀이 참조

334

(1) [1단계] $y=\sqrt{6-3x}+1$의 근호 안이 0일 때 $x=2$, $y=1$이므로 출발점은 점 $(2, 1)$이다.

[2단계] 함수 $y=\sqrt{6-3x}+1$의 그래프가 뻗어가는 방향은 함수 $y=\sqrt{-3x}$의 그래프가 뻗어가는 방향과 같다.
근호 밖의 부호는 $(+)$, 근호 안의 부호는 $(-)$이므로, 위-왼쪽으로 뻗어가는 그래프이다.

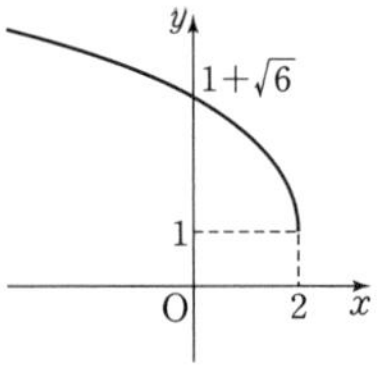

[3단계] 그래프에서 정의역과 치역을 구한다.
정의역: $\{x|x\leq 2\}$
치역: $\{y|y\geq 1\}$

(2) [1단계] $y=2-\sqrt{x-1}$의 근호 안이 0일 때 $x=1$, $y=2$이므로 출발점은 점 $(1, 2)$이다.
함수 $y=2-\sqrt{x-1}$의 그래프가 뻗어가는 방향은 함수 $y=-\sqrt{x}$의 그래프가 뻗어가는 방향과 같다.

[2단계] 근호 밖의 부호는 $(-)$, 근호 안의 부호는 $(+)$이므로 아래-오른쪽으로 뻗어가는 그래프이다.

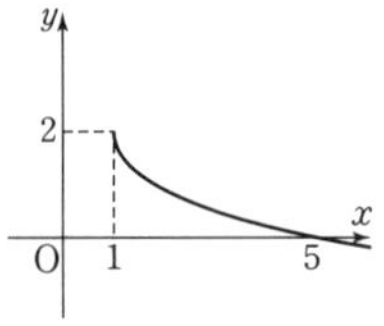

[3단계] 그래프에서 정의역과 치역을 구한다.
정의역: $\{x|x\geq 1\}$
치역: $\{y|y\leq 2\}$

답 풀이 참조

336

$y=\sqrt{3x+12}+1=\sqrt{3(x+4)}+1$이므로 이 함수의 그래프는 함수 $y=\sqrt{3x}$의 그래프를 x축의 방향으로 -4만큼, y축의 방향으로 1만큼 평행이동한 것이다. 따라서 $a=-4$, $b=1$이므로

$a+b=-3$

답 -3

338

$y=\sqrt{-2x+a}+b$에서 $y-b=\sqrt{-2x+a}$이므로

$-2x+a\geq 0$, $y-b\geq 0$

$\therefore x\leq \frac{a}{2}$, $y\geq b$

따라서 정의역은 $\left\{x\middle|x\leq \frac{a}{2}\right\}$이고, 치역은 $\{y|y\geq b\}$이므로

$\frac{a}{2}=1$, $b=3$ $\quad\therefore a=2$, $b=3$

$\therefore ab=6$

답 6

340

주어진 함수의 그래프는 함수 $y=\sqrt{ax}$의 그래프를 x축의 방향으로 -1만큼, y축의 방향으로 1만큼 평행이동한 것이므로 함수의 식을

$y=\sqrt{a(x+1)}-1$ …… ㉠

로 놓을 수 있다. ㉠의 그래프가 점 $(0, 1)$을 지나므로

$1=\sqrt{a}-1$, $\sqrt{a}=2$

$\therefore a=4$

$a=4$를 ㉠에 대입하면

$y=\sqrt{4(x+1)}-1=\sqrt{4x+4}-1$

따라서 $a=4$, $b=4$, $c=-1$이므로

$a+b+c=7$

답 7

342

함수 $y=5-\sqrt{3-2x}$의 그래프는 근호 안이 0일 때의 점 $\left(\frac{3}{2}, 5\right)$를 출발해 함수 $y=-\sqrt{-2x}$의 그래프와 같은 아래-왼쪽 방향으로 뻗어가는 그래프이다.

$-3\leq x\leq 1$인 부분만 살려 놓으면 그림과 같다.

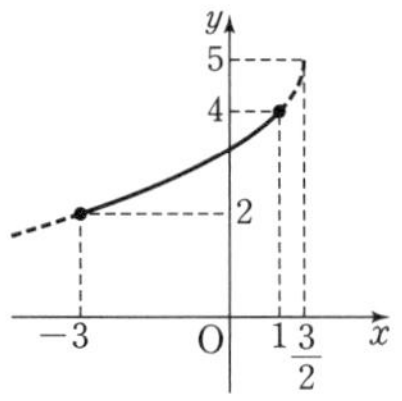

따라서 주어진 함수는 $x=1$일 때 최댓값 4, $x=-3$일 때 최솟값 2를 가지므로

$M=4$, $m=2$

$\therefore Mm=8$

답 8

344

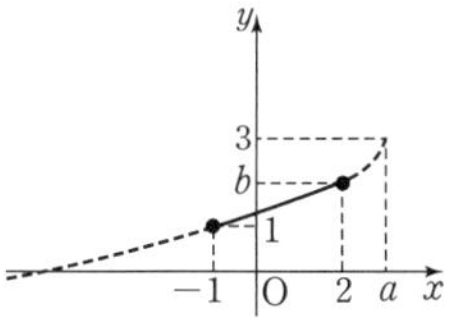

함수 $y=3-\sqrt{a-x}$의 그래프는 근호 안이 0일 때의 점 $(a,\ 3)$을 출발해 함수 $y=-\sqrt{-x}$의 그래프와 같은 아래-왼쪽 방향으로 뻗어가는 그래프이다.

따라서 주어진 함수는 $x=2$에서 최댓값, $x=-1$에서 최솟값을 가진다. 최댓값이 b, 최솟값이 1이므로

$b=3-\sqrt{a-2}$, $1=3-\sqrt{a+1}$

$\therefore a=3,\ b=2$

답 $a=3,\ b=2$

346

(1) [1단계] 정의역과 치역을 구한다.

$y=\sqrt{6-2x}$의 근호 안은 0 이상이어야 하므로

$6-2x\geq 0$ 즉, $x\leq 3$

또 $\sqrt{6-2x}\geq 0$이므로 $y\geq 0$

$\therefore y=\sqrt{6-2x}\ \ (x\leq 3,\ y\geq 0)$

[2단계] x와 y를 바꾸면 $x=\sqrt{6-2y}\ \ (y\leq 3,\ x\geq 0)$

[3단계] $y=$☆의 꼴로 정리하면

$\sqrt{6-2y}=x$에서 $6-2y=x^2$

$\therefore y=-\dfrac{1}{2}x^2+3\ (x\geq 0)$

(2) [1단계] 정의역과 치역을 구한다.

$y=3-\sqrt{2x-1}$의 근호 안은 0 이상이어야 하므로 $2x-1\geq 0$, 즉 $x\geq\dfrac{1}{2}$

또 $\sqrt{2x-1}\geq 0$이므로 $y\leq 3$

$\therefore y=3-\sqrt{2x-1}\ \left(x\geq\dfrac{1}{2},\ y\leq 3\right)$

[2단계] x와 y를 바꾸면

$x=3-\sqrt{2y-1}\ \left(y\geq\dfrac{1}{2},\ x\leq 3\right)$

[3단계] $y=$☆의 꼴로 정리하면

$\sqrt{2y-1}=3-x$에서 $2y-1=(3-x)^2$

$\therefore y=\dfrac{(x-3)^2}{2}+\dfrac{1}{2}\ (x\leq 3)$

답 (1) $y=-\dfrac{1}{2}x^2+3\ (x\geq 0)$

(2) $y=\dfrac{(x-3)^2}{2}+\dfrac{1}{2}\ \ (x\leq 3)$

348

[1단계] $y+1=\sqrt{x+2}$이므로

$x+2\geq 0,\ y+1\geq 0$

$\therefore x\geq -2,\ y\geq -1$

$\therefore y+1=\sqrt{x+2}\ \ (x\geq -2,\ y\geq -1)$ …… ㉠

[2단계] ㉠에서 x와 y를 바꾸면

$x+1=\sqrt{y+2}\ \ (y\geq -2,\ x\geq -1)$

양변을 제곱하면 $(x+1)^2=y+2$

$\therefore y=x^2+2x-1\ (x\geq -1)$

$\therefore a=2,\ b=-1,\ c=-1$

답 $a=2,\ b=-1,\ c=-1$

350

역함수의 그래프가 점 $(2,\ 1)$을 지나므로 주어진 함수의 그래프는 점 $(1,\ 2)$를 지난다.

$x=1$, $y=2$를 $y=\sqrt{x+a}$에 대입하면

$2=\sqrt{1+a}$, $4=1+a$ $\quad\therefore a=3$

답 3

352

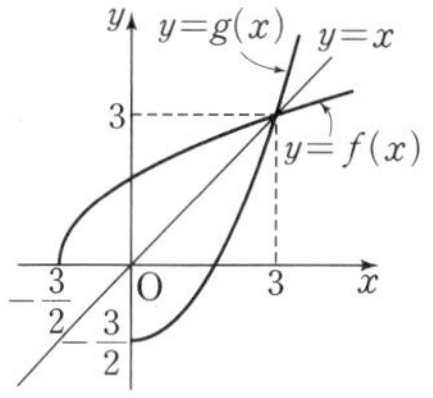

주어진 두 함수의 그래프의 교점은 함수 $y=\sqrt{2x+3}$의 그래프와 직선 $y=x$의 교점과 같다. $\sqrt{2x+3}=x$의 양변을 제곱하면

$2x+3=x^2,\ \ x^2-2x-3=0$

$(x+1)(x-3)=0$

주어진 함수 $y=\sqrt{2x+3}$에서 $y\geq 0$이므로 역함수의 정의역은 $\{x|x\geq 0\}$ $\quad\therefore x=3$

따라서 교점의 좌표가 $(3,\ 3)$이므로 $a=3$, $b=3$

$\therefore a+b=6$

답 6

354

[1단계] $(f^{-1}\circ g)^{-1}(3)=(g^{-1}\circ f)(3)$

$=g^{-1}(f(3))$

$=g^{-1}(2)$ ⬅ $f(3)=\sqrt{3+1}=2$

[2단계] $g^{-1}(2)=k$로 놓으면 $g(k)=2$이므로

$\sqrt{2k-1}=2$, $2k-1=4$

$2k=5$ $\quad\therefore k=\dfrac{5}{2}$

$\therefore (f^{-1}\circ g)^{-1}(3)=g^{-1}(2)=\dfrac{5}{2}$

답 $\dfrac{5}{2}$

356

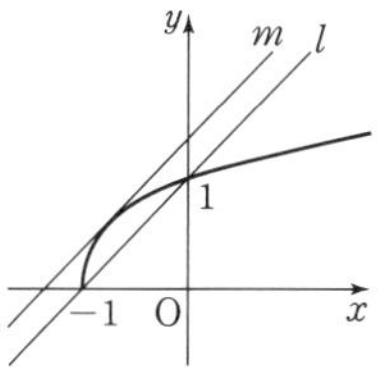

$y=\sqrt{x+1}$의 그래프와 직선의 교점의 개수가 바뀌는 경우는 그림에서 직선이 l 또는 m일 때이다.

(ⅰ) l은 직선 $y=x+k$가 점 $(-1,\ 0)$을 지날 때이므로 $0=-1+k$ $\quad\therefore k=1$

(ⅱ) m은 $y=\sqrt{x+1}$의 그래프와 직선 $y=x+k$가 접할 때이므로 $\sqrt{x+1}=x+k$의 양변을 제곱하면

$x+1=x^2+2kx+k^2$

$\therefore x^2+(2k-1)x+k^2-1=0$

이 이차방정식의 판별식을 D라 하면

$D=(2k-1)^2-4(k^2-1)=0$

$-4k+5=0 \quad \therefore k=\frac{5}{4}$

(1) 서로 다른 두 점에서 만날 때는 l일 때부터 m의 아래쪽일 때까지이므로 $1\le k<\frac{5}{4}$

(2) 한 점에서 만날 때는 l의 아래쪽 또는 m일 때이므로 $k<1$ 또는 $k=\frac{5}{4}$

(3) 만나지 않을 때는 m의 위쪽일 때이므로 $k>\frac{5}{4}$

답 (1) $1\le k<\frac{5}{4}$ (2) $k<1$ 또는 $k=\frac{5}{4}$ (3) $k>\frac{5}{4}$

357

$y=\sqrt{-2x+4}-1$의 근호 안이 0일 때 $x=2$, $y=-1$이므로 주어진 함수의 그래프는 점 $(2, -1)$을 출발해 함수 $y=\sqrt{-2x}$의 그래프와 같은 위-왼쪽 방향으로 뻗어가는 그래프이다.

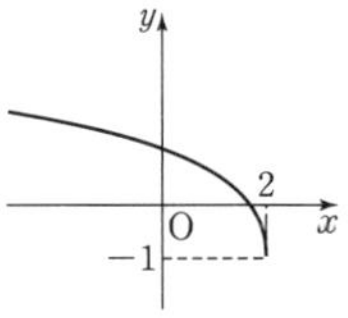

따라서 주어진 함수의 그래프가 지나지 않는 사분면은 제3사분면이다. 답 ④

358

$y=2-\sqrt{2x-5}=-\sqrt{2\left(x-\frac{5}{2}\right)}+2$이므로 이 함수의 그래프는 함수 $y=-\sqrt{2x}$의 그래프를 x축의 방향으로 $\frac{5}{2}$만큼, y축의 방향으로 2만큼 평행이동한 것이다.

따라서 $m=\frac{5}{2}$, $n=2$이므로 $mn=5$ 답 5

359

주어진 함수의 그래프는 함수 $y=\sqrt{ax}$의 그래프를 x축의 방향으로 -2만큼, y축의 방향으로 -1만큼 평행이동한 것이므로 함수의 식을

$y=\sqrt{a(x+2)}-1$ …… ㉠

로 놓을 수 있다. ㉠의 그래프가 점 $(0, 1)$을 지나므로

$1=\sqrt{2a}-1$, $\sqrt{2a}=2$

$2a=4 \quad \therefore a=2$

$a=2$를 ㉠에 대입하면

$y=\sqrt{2(x+2)}-1=\sqrt{2x+4}-1$

따라서 $a=2$, $b=4$, $c=-1$이므로

$a+b+c=5$ 답 5

360

[1단계] $(g\circ f^{-1})^{-1}(2)=(f\circ g^{-1})(2)=f(g^{-1}(2))$

[2단계] $g^{-1}(2)=k$로 놓으면 $g(k)=2$이므로

$\sqrt{2k-3}=2$, $2k-3=4$

$2k=7 \quad \therefore k=\frac{7}{2}$

$\therefore (g\circ f^{-1})^{-1}(2)f=(g^{-1}(2))=f\left(\frac{7}{2}\right)$

$=\frac{\frac{7}{2}}{\frac{7}{2}-1}=\frac{7}{5}$ 답 $\frac{7}{5}$

361

[1단계] $y-1=\sqrt{x-1}$이므로

$x-1\ge 0$, $y-1\ge 0 \quad \therefore x\ge 1$, $y\ge 1$

$\therefore y-1=\sqrt{x-1}\ (x\ge 1, y\ge 1)$ …… ㉠

[2단계] ㉠에서 x와 y를 바꾸면

$x-1=\sqrt{y-1}\ (y\ge 1, x\ge 1)$

양변을 제곱하면 $(x-1)^2=y-1$

$\therefore y=x^2-2x+2\ (x\ge 1)$

[3단계] $a=1$, $b=-2$, $c=2$, $d=1$이므로

$a+b+c+d=2$ 답 2

362

함수 $y=\sqrt{x+6}$과 그 역함수의 그래프의 교점은 함수 $y=\sqrt{x+6}$의 그래프와 직선 $y=x$의 교점과 같다.

$\sqrt{x+6}=x$의 양변을 제곱하면 $x+6=x^2$

$x^2-x-6=0$, $(x+2)(x-3)=0$

주어진 함수 $y=\sqrt{x+6}$에서 $y\ge 0$이므로

역함수의 정의역은 $\{x|x\ge 0\} \quad \therefore x=3$

따라서 교점의 좌표가 $(3, 3)$이므로 $a=3$, $b=3$

$\therefore a+b=6$ 답 6

363

$x+y=4$, $xy=1$이므로 주어진 식을 정리하여 대입하면

$2x^2+3xy+2y^2=2(x^2+y^2)+3xy$

$=2\{(x+y)^2-2xy\}+3xy$

$=2(4^2-2\cdot 1)+3\cdot 1$

$=31$ 답 31

364

이차함수 $y=ax^2+bx+c$의 그래프가 위로 볼록하므로 $a<0$이다. 또 축이 y축의 오른쪽에 있으므로 a와 b의 부호가 다르다.

$\therefore b>0$

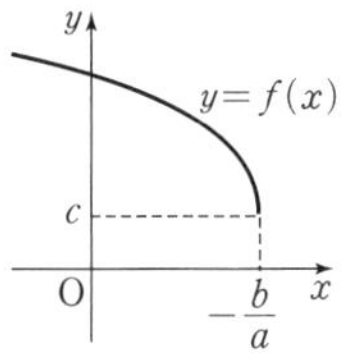

y절편이 0보다 큰 수이므로 $c>0$

$f(x)=\sqrt{ax+b}+c$

$=\sqrt{a\left(x+\frac{b}{a}\right)}+c$

에서 $a<0$, $-\frac{b}{a}>0$, $c>0$이므로 그래프는 그림과 같다.

답 ③

365

$A_n(n, \sqrt{2n+2}+3)$, $B_n(n, 0)$이므로

$n=7$을 대입하면

$\sqrt{2\cdot7+2}+3=7$

$\therefore A_7(7, 7)$, $B_7(7, 0)$

따라서 삼각형 OA_7B_7의 넓이는

$\frac{1}{2}\cdot7\cdot7=\frac{49}{2}$

답 $\frac{49}{2}$

366

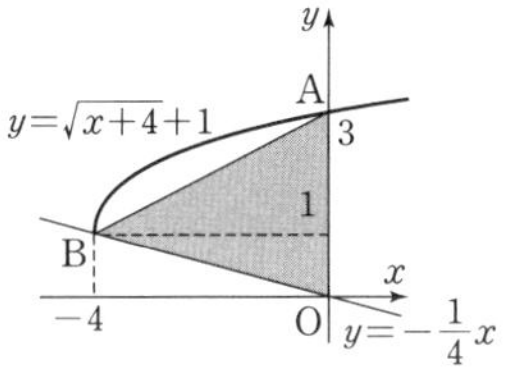

그림과 같이 함수 $y=\sqrt{x+4}+1$의 그래프는 근호 안이 0일 때의 점 $(-4, 1)$을 출발해 함수 $y=\sqrt{x}$의 그래프와 같은 위-오른쪽으로 뻗어가는 그래프이다.

또 두 점 A(0, 3), B(−4, 1)을 지난다.

직선 $y=-\frac{1}{4}x$는 원점 O와 점 B를 지난다.

$\therefore \triangle OAB=\frac{1}{2}\cdot3\cdot4=6$

답 ①

367

[1단계] $(f\circ(g\circ f)^{-1}\circ f)(2)$

$=(f\circ f^{-1}\circ g^{-1}\circ f)(2)$

$=(I\circ g^{-1}\circ f)(2)$

$=(g^{-1}\circ f)(2)$

$=g^{-1}(f(2))$

$=g^{-1}\left(\frac{1}{2}\right)$ ⬅ $f(2)=\frac{2-1}{2}=\frac{1}{2}$

[2단계] $g^{-1}\left(\frac{1}{2}\right)=k$로 놓으면 $g(k)=\frac{1}{2}$

$\sqrt{2k-1}=\frac{1}{2}$, $2k-1=\frac{1}{4}$

$2k=\frac{5}{4}$ $\therefore k=\frac{5}{8}$

$\therefore (f\circ(g\circ f)^{-1}\circ f)(2)=g^{-1}\left(\frac{1}{2}\right)=\frac{5}{8}$

답 ④

368

$3\le x\le5$에서 정의된 함수 $y=\frac{-2x+4}{x-1}=\frac{2}{x-1}-2$의 그래프는 그림과 같다.

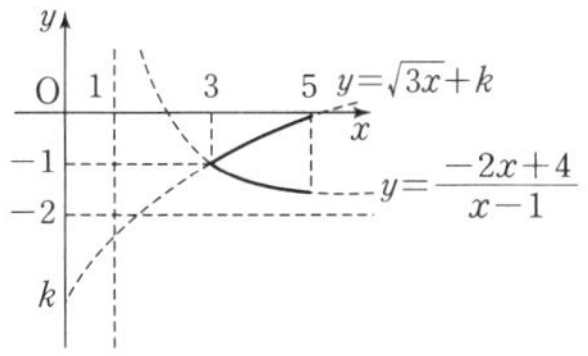

$y=\sqrt{3x}+k$가 점 $(3, -1)$을 지날 때, 실수 k가 최댓값을 가지므로 $M=-4$

따라서 $M^2=16$

답 16

369

$f(x)=\sqrt{ax+b}+c$라 하면

$f(0)=\sqrt{b}+c=2$ $\therefore b=(2-c)^2$

이때 $\sqrt{b}=2-c\ge0$이므로 $c\le2$이다.

$b-3c^2=(c-2)^2-3c^2=-2c^2-4c+4$

$=-2(c+1)^2+6$ $(c\le2)$

따라서 $b-3c^2$의 최댓값은 6이다.

답 6

370

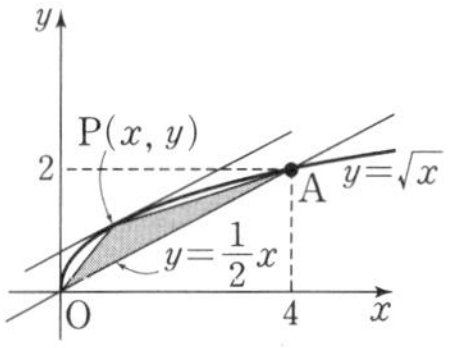

[1단계] 움직이는 점 P에 대하여 삼각형 OAP의 밑변을 $\overline{OA}$로 하면 삼각형의 넓이가 최대일 때는 높이가 가장 클 때이므로 점 P가 곡선 $y=\sqrt{x}$에 접하고 직선 OA와 평행한 직선의 접점이어야 한다.

[2단계] 직선 OA의 방정식은 $y=\frac{1}{2}x$이므로 이 직선과 평행한 접선의 방정식을 $y=\frac{1}{2}x+k$ $(k>0)$로 놓고 $y=\sqrt{x}$와 연립하면 $\sqrt{x}=\frac{1}{2}x+k$

양변을 제곱하면 $x=\frac{1}{4}x^2+kx+k^2$

$x^2+4(k-1)x+4k^2=0$

이 이차방정식의 판별식을 D라 하면

$\frac{D}{4}=4(k-1)^2-4k^2=0$

$-8k+4=0 \quad \therefore k=\frac{1}{2}$

[3단계] 삼각형 OAP의 높이는 두 직선 $y=\frac{1}{2}x+\frac{1}{2}$, $y=\frac{1}{2}x$ 사이의 거리와 같으므로 직선 $y=\frac{1}{2}x$ 위의 점 (0, 0)과 직선 $x-2y+1=0$ 사이의 거리를 구하면

$\frac{|1|}{\sqrt{1^2+(-2)^2}}=\frac{1}{\sqrt{5}}$

삼각형 OAP의 밑변의 길이는

$\overline{OA}=\sqrt{4^2+2^2}=2\sqrt{5}$이고 높이는 $\frac{1}{\sqrt{5}}$이므로

구하는 넓이는 $\frac{1}{2}\cdot2\sqrt{5}\cdot\frac{1}{\sqrt{5}}=1$ **답** ①

371

$y=\sqrt{x+|x|}$

$=\begin{cases}\sqrt{2x} & (x\geq0)\\ 0 & (x<0)\end{cases}$

이므로 이 함수의 그래프는 그림과 같다.

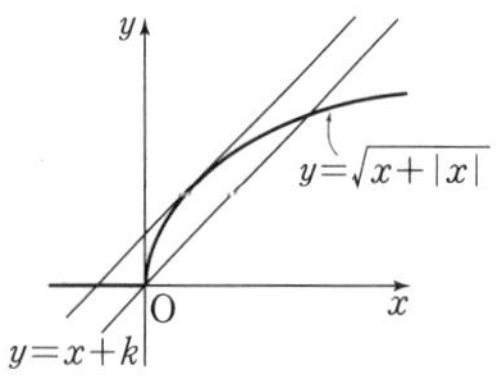

이때 함수 $y=\sqrt{2x}$의 그래프와 직선 $y=x+k$가 접할 조건을 구하기 위해 두 식을 연립하면

$\sqrt{2x}=x+k$

양변을 제곱하면

$2x=x^2+2kx+k^2$, $x^2+2(k-1)x+k^2=0$

이 이차방정식의 판별식을 D라 하면

$\frac{D}{4}=(k-1)^2-k^2=-2k+1=0 \quad \therefore k=\frac{1}{2}$

직선 $y=x+k$가 원점을 지날 때 $k=0$이므로

$y=\sqrt{x+|x|}$의 그래프와 직선 $y=x+k$가 세 점에서 만나도록 하는 실수 k의 값의 범위는 $0<k<\frac{1}{2}$이다.

답 ④

372

함수 $f(x)=\frac{1}{5}x^2+\frac{1}{5}k\ (x\geq0)$의 역함수는

$g(x)=\sqrt{5x-k}$이므로 두 함수 $y=f(x)$, $y=g(x)$의 그래프의 교점은 직선 $y=x$ 위에 있다.

$\frac{1}{5}x^2+\frac{1}{5}k=x$

이차방정식 $x^2-5x+k=0$은 음이 아닌 서로 다른 두 실근을 가져야 하므로 판별식을 D라 하면

$k\geq0$, $D=(-5)^2-4k>0$

$0\leq k<\frac{25}{4}$이므로 정수 k의 개수는 7이다. **답** ②

373

구하고자 하는 넓이를 S라 하자.

함수 $y=\sqrt{x}$의 그래프는 함수 $y=x^2\ (x\leq0)$의 그래프를 y축에 대하여 대칭이동한 후 직선 $y=x$에 대하여 대칭이동한 그래프와 일치하고 점 A는 같은 방법의 대칭이동으로 점 B로 이동한다.

따라서 그림과 같이 도형 S'과 도형 S''의 넓이는 서로 같다.

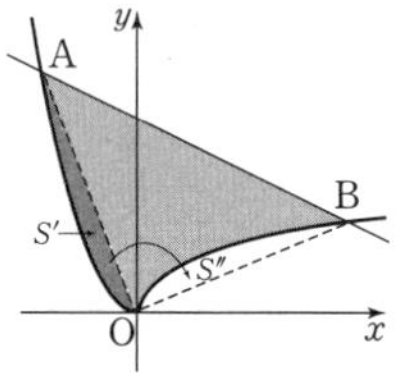

따라서 S의 값은 삼각형 OAB의 넓이와 같다.

삼각형 OAB에서 밑변을 AB라 하면, 높이는 원점과 직선 $x+3y-10=0$ 사이의 거리이다.

$\overline{AB}=\sqrt{(4+2)^2+(2-4)^2}=2\sqrt{10}$이고

높이는 $\frac{|-10|}{\sqrt{1^2+3^2}}=\sqrt{10}$이다.

따라서 $S=\frac{1}{2}\cdot2\sqrt{10}\cdot\sqrt{10}=10$이다. **답** 10

> 다른 풀이 직선 $x+3y-10=0$이 y축과 만나는 점은 $C\left(0, \frac{10}{3}\right)$이다.

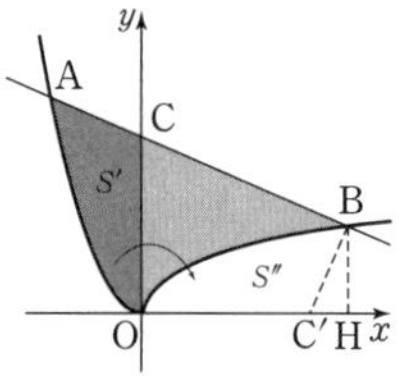

점 C를 $y=x$에 대하여 대칭이동한 점을 $C'\left(\frac{10}{3}, 0\right)$이라 하고 점 B에서 x축에 내린 수선의 발을 H라 하자.

그림과 같이 도형 S'과 도형 S''의 넓이는 서로 같기 때문에 S의 값은 사다리꼴 COHB의 넓이에서 삼각형 BC′H의 넓이를 뺀 것과 같다.

(사다리꼴 COHB의 넓이)$=\frac{1}{2}\times\left(2+\frac{10}{3}\right)\times4=\frac{32}{3}$

(삼각형 BC′H의 넓이)$=\frac{1}{2}\times\left(4-\frac{10}{3}\right)\times2=\frac{2}{3}$

따라서 $S=\frac{32}{3}-\frac{2}{3}=10$이다.

VI 경우의 수

1 경우의 수

375

$a_1 \neq 1$이고 $a_3=4$를 만족시키는 경우를 나열하면 다음과 같다.

(ⅰ) 2로 시작하는 정수

$$2 \begin{cases} 1 - 4 - 3 \\ 3 - 4 - 1 \end{cases}$$

(ⅱ) 3으로 시작하는 정수

$$3 \begin{cases} 1 - 4 - 2 \\ 2 - 4 - 1 \end{cases}$$

(ⅰ), (ⅱ)에서 구하는 정수의 개수는 $2+2=4$ **답** 4

377

학생 3명을 각각 A, B, C라 하면 A가 B의 모자를 쓸 경우에는 B는 C의 모자를, C는 A의 모자를 써야 한다. A가 C의 모자를 쓸 경우에는 B는 A의 모자를, C는 B의 모자를 써야 한다.

따라서 구하는 경우의 수는 2 **답** 2

379

(1) 합의 법칙에 의해 구하는 경우의 수는

$5+3=8$

(2) 곱의 법칙에 의해 구하는 경우의 수는

$5\times3=15$ **답** (1) 8 (2) 15

381

곱의 법칙에 의해 A도시에서 C도시로 가는 방법의 수는

(A → B → C) ➡ $3\times2=6$

(A → D → C) ➡ $2\times4=8$

따라서 합의 법칙에 의해 구하는 방법의 수는

$6+8=14$ **답** 14

383

주사위의 눈의 수는 1, 2, 3, ⋯, 6이므로 눈의 수의 합은 2, 3, 4, ⋯, 12이다.

여기서 4의 배수는 4 또는 8 또는 12이다.

(ⅰ) 눈의 수의 합이 4가 되는 경우

(1, 3), (2, 2), (3, 1)로 3가지

(ⅱ) 눈의 수의 합이 8이 되는 경우

(2, 6), (3, 5), (4, 4), (5, 3), (6, 2)로 5가지

(ⅲ) 눈의 수의 합이 12가 되는 경우

(6, 6)으로 1가지

합의 법칙에 의해 구하는 경우의 수는

$3+5+1=9$ **답** 9

385

사야 하는 10원, 50원, 100원짜리 우표의 수를 각각 x장, y장, z장이라 하면 $10x+50y+100z=400$

$\therefore x+5y+10z=40$

그런데 각 우표를 적어도 1장씩은 사야 하므로

$x\geq1$, $y\geq1$, $z\geq1$이다.

이 문제는 이제 자연수 조건의 부정방정식 문제로 변신했다.

(ⅰ) $z=1$일 때, $x+5y=30$

$\therefore (x, y)=(5, 5), (10, 4), (15, 3), (20, 2), (25, 1)$

(ⅱ) $z=2$일 때, $x+5y=20$

$\therefore (x, y)=(5, 3), (10, 2), (15, 1)$

(ⅲ) $z=3$일 때, $x+5y=10$ $\therefore (x, y)=(5, 1)$

합의 법칙에 의해 구하는 방법의 수는

$5+3+1=9$ **답** 9

387

a, b 각각에 대하여 c, d, e를 곱하고, 또 그 각각에 대하여 f, g, h, i를 곱한다.

따라서 구하는 항의 개수는

$2\times3\times4=24$ **답** 24

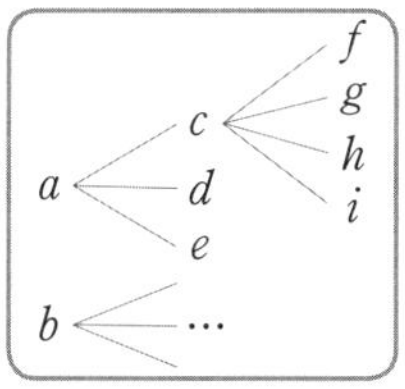

389

72를 소인수분해하면 $72=2^3\times3^2$이므로 72의 양의 약수는 2^3의 약수인 1, 2, 2^2, 2^3 중에서 하나의 수, 3^2의 약수인 1, 3, 3^2 중에서 하나의 수를 각각 선택하여 곱한 수이다.

$\times$	1	2	2^2	2^3
1	1×1	1×2	1×2^2	1×2^3
3	3×1	3×2	3×2^2	3×2^3
3^2	$3^2\times1$	$3^2\times2$	$3^2\times2^2$	$3^2\times2^3$

따라서 곱의 법칙에 의해 72의 양의 약수의 개수는

$4\times3=12$ **답** 12

391

이웃하고 있는 나라는 서로 다른 색으로 칠해야 함에 유의하며 백제부터 칠해 보면 다음과 같다.

백제에 칠할 수 있는 색은 5가지

고구려에 칠할 수 있는 색은 백제에 칠한 색을 제외한 4가지

신라에 칠할 수 있는 색은 백제, 고구려에 칠한 색을 제외한 3가지

가야에 칠할 수 있는 색은 백제, 신라에 칠한 색을 제외한 3가지

따라서 구하는 방법의 수는

$5\times4\times3\times3=180$ **답** 180

393

(1) 100원짜리 2개로 지불할 수 있는 방법

➡ 0개, 1개, 2개로 3가지

50원짜리 2개로 지불할 수 있는 방법

➡ 0개, 1개, 2개로 3가지

10원짜리 3개로 지불할 수 있는 방법

➡ 0개, 1개, 2개, 3개로 4가지

따라서 구하는 방법의 수는

$3\times3\times4-1=35$ ⬅ 모두 0개씩 지불하는 것 제외

(2) 100원짜리 2개로 만들 수 있는 금액

➡ 0원, 100원, 200원 …… ㉠

50원짜리 2개로 만들 수 있는 금액

➡ 0원, 50원, 100원 …… ㉡

10원짜리 3개로 만들 수 있는 금액

➡ 0원, 10원, 20원, 30원

그런데 ㉠, ㉡에서 100원이 중복되므로 100원짜리 1개를 50원짜리 2개로 교환하여 생각하면 구하는 금액의 수는 50원짜리 6개, 10원짜리 3개로 지불할 수 있는 방법의 수와 같다.

50원짜리 6개로 지불할 수 있는 방법

➡ 0개, 1개, 2개, 3개, 4개, 5개, 6개로 7가지

10원짜리 3개로 지불할 수 있는 방법

➡ 0개, 1개, 2개, 3개로 4가지

따라서 구하는 금액의 수는

$7\times4-1=27$ ⬅ 모두 0개씩 지불하는 것 제외

답 (1) 35 (2) 27

394

4종류의 티셔츠와 3종류의 바지에서 각각 하나씩 택하는 방법의 수는 곱의 법칙에 의해

$4\times3=12$ **답** 12

395

A도시에서 출발하여 A도시로 돌아오는 방법은 곱의 법칙에 의해

A → B → C → D → A

➡ $3\times2\times2\times1=12$(가지)

A → D → C → B → A

➡ $1\times2\times2\times3=12$(가지)

따라서 합의 법칙에 의해 구하는 방법의 수는

$12+12=24$ **답** 24

396

$x+y\le4$이고 $x\ge1$, $y\ge1$이므로

(i) $x+y=2$인 경우

(1, 1)로 1가지

(ii) $x+y=3$인 경우

(1, 2), (2, 1)로 2가지

(iii) $x+y=4$인 경우

(1, 3), (2, 2), (3, 1)로 3가지

따라서 합의 법칙에 의해 구하는 순서쌍 (x, y)의 개수는

$1+2+3=6$ **답** 6

397

두 수의 합이 홀수가 되려면 두 수 중 하나는 짝수, 하나는 홀수이어야 하므로

A에서 홀수를 택하면 B에서 짝수를 택하여 더해야 하고, A에서 짝수를 택하면 B에서 홀수를 택하여 더해야 한다.

(i) A에서 홀수, B에서 짝수를 택하는 경우의 수는

$2\times2=4$

(ii) A에서 짝수, B에서 홀수를 택하는 경우의 수는

$2\times3=6$

(i), (ii)에서 합의 법칙에 의해 구하는 경우는 수는

$4+6=10$ **답** 10

398

360과 540의 공약수의 개수는 $360=2^3\times3^2\times5$와 $540=2^2\times3^3\times5$의 최대공약수인 $2^2\times3^2\times5$의 양의 약수의 개수이므로 2^2의 약수인 1, 2, 2^2 중에서 하나의 수, 3^2의 약수인 1, 3, 3^2 중에서 하나의 수, 5의 약수인 1, 5 중에서 하나의 수를 각각 선택하여 곱한 수이다.
따라서 곱의 법칙에 의해 360과 540의 공약수의 개수는
$3\times3\times2=18$ 답 18

399

O에 칠할 수 있는 색은 5가지
A에 칠할 수 있는 색은 O에 칠한 색을 제외한 4가지
B에 칠할 수 있는 색은 O, A에 칠한 색을 제외한 3가지
(ⅰ) A, C를 같은 색으로 칠할 때
C에 칠할 수 있는 색은 A에 칠한 색과 같은 색이므로 1가지, D에 칠할 수 있는 색은 O, A(C)에 칠한 색을 제외한 3가지
$\therefore 5\times4\times3\times1\times3=180$
(ⅱ) A, C를 다른 색으로 칠할 때
C에 칠할 수 있는 색은 O, A, B에 칠한 색을 제외한 2가지, D에 칠할 수 있는 색은 O, A, C에 칠한 색을 제외한 2가지
$\therefore 5\times4\times3\times2\times2=240$
(ⅰ), (ⅱ)에서 구하는 방법의 수는 $180+240=420$
답 420

400

(ⅰ) 100원짜리 1개로 지불할 수 있는 방법
➡ 0개, 1개로 2가지
50원짜리 3개로 지불할 수 있는 방법
➡ 0개, 1개, 2개, 3개로 4가지
10원짜리 2개로 지불할 수 있는 방법
➡ 0개, 1개, 2개로 3가지
$\therefore a=2\times4\times3-1=23$
⬅ 모두 0개씩 지불하는 것 제외
(ⅱ) 100원짜리 1개로 만들 수 있는 금액
➡ 0원, 100원 …… ㉠
50원짜리 3개로 만들 수 있는 금액
➡ 0원, 50원, 100원, 150원 …… ㉡
10원짜리 2개로 만들 수 있는 금액
➡ 0원, 10원, 20원
그런데 ㉠, ㉡에서 100원이 중복되므로 100원짜리 1개를 50원짜리 2개로 교환하여 생각하면 구하는 금액의 수는 50원짜리 5개, 10원짜리 2개로 지불할 수 있는 방법의 수와 같다.
50원짜리 5개로 지불할 수 있는 방법
➡ 0개, 1개, 2개, 3개, 4개, 5개로 6가지
10원짜리 2개로 지불할 수 있는 방법
➡ 0개, 1개, 2개로 3가지
$\therefore b=6\times3-1=17$
⬅ 모두 0개씩 지불하는 것 제외
(ⅰ), (ⅱ)에서 $a+b=23+17=40$ 답 40

402

(1) ${}_5P_4=5\times4\times3\times2=120$
(2) ${}_2P_2=2!=2\times1=2$
(3) ${}_8P_1=8$
(4) $3!=3\times2\times1=6$
(5) $1!=1$
답 (1) 120 (2) 2 (3) 8 (4) 6 (5) 1

404

(1) ${}_5P_r$는 5부터 1씩 줄여가며 r개를 곱한 것이다.
그런데 ${}_5P_r=60=5\times4\times3$이므로 $r=3$
(2) ${}_nP_2$는 n부터 1씩 줄여가며 2개를 곱한 것이다.
그런데 ${}_nP_2=30=6\times5$이므로 $n=6$
(3) 주어진 식의 양변을 풀어 쓰면
$n(n-1)(n-2)(n-3)(n-4)$
$=30n(n-1)(n-2)$
그런데 ${}_nP_5$에서 $n\geq5$이므로
$n(n-1)(n-2)\neq0$
양변을 $n(n-1)(n-2)$로 나누면
$(n-3)(n-4)=30,\ n^2-7n-18=0$
$(n-9)(n+2)=0$
$n\geq5$ 이므로 $n+2\neq0$
$\therefore n=9$
답 (1) $r=3$ (2) $n=6$ (3) $n=9$

406

$$n\cdot{}_{n-1}P_{r-1}=n\cdot\frac{(n-1)!}{(n-r)!}=\frac{n\cdot(n-1)!}{(n-r)!}$$
$$=\frac{n!}{(n-r)!}={}_nP_r$$
답 풀이 참조

408

(1) 6명에서 6명을 택하는 순열의 수와 같으므로

$_6P_6=6!=6\times5\times4\times3\times2\times1=720$

(2) 10명에서 2명을 택하는 순열의 수와 같으므로

$_{10}P_2=10\times9=90$ **답** (1) 720 (2) 90

410

서로 다른 n권에서 2권을 택하는 순열의 수가 56이므로

$_nP_2=56=8\times7=56$ $\quad\therefore n=8$ **답** 8

412

[1단계] 국어책 2권, 영어책 3권을 각각 한 묶음으로 보면 총 4묶음

4묶음을 일렬로 꽂는 경우의 수는 $4!=24$

[2단계] 묶음 안의 국어책 2권, 영어책 3권을 일렬로 꽂는 경우의 수는 각각 $2!=2$, $3!=6$

[3단계] 곱의 법칙에 의해 구하는 경우의 수는

$24\times2\times6=288$ **답** 288

414

(1) [1단계] 먼저 국어책을 일렬로 꽂는 경우의 수는

$3!=6$

[2단계] 이들의 양 끝이나 사이사이에 수학책을 꽂으면 되므로

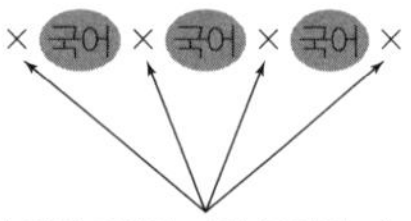

수학책 3권이 끼어 들어갈 자리

4개의 자리 중 3개의 자리를 택하여 수학책을 꽂는 경우의 수는 $_4P_3=24$

[3단계] 곱의 법칙에 의해 구하는 경우의 수는

$6\times24=144$

(2) [1단계] 특정한 국어책 2권을 제외한 국어책 1권과 수학책 3권을 먼저 일렬로 꽂는 경우의 수는

$4!=24$

[2단계] 이들의 양 끝이나 사이사이에 특정한 국어책 2권을 각각 끼워 꽂으면 되므로

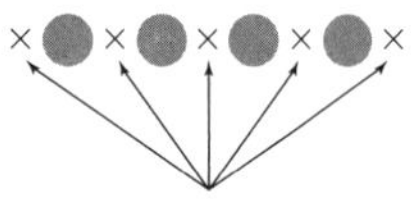

특정한 국어책 2권이 끼어 들어갈 자리

5개의 자리 중 2개의 자리를 택하여 특정한 국어책 2권을 끼워 꽂는 경우의 수는

$_5P_2=20$

[3단계] 곱의 법칙에 의해 구하는 경우의 수는

$24\times20=480$ **답** (1) 144 (2) 480

416

'적어도 한쪽 끝이 자음'의 반대는 '양 끝이 모두 모음'이다. 따라서 전체 경우의 수에서 양 끝이 모두 모음인 경우의 수를 빼면 된다.

(ⅰ) 6개의 문자를 일렬로 나열하는 경우의 수는

$6!=720$

(ⅱ) 양 끝이 모두 모음인 경우의 수는

(e, i, o 중 2개를 양 끝에 나열하는 경우의 수)

×(나머지 4개를 나열하는 경우의 수)

$\therefore\ _3P_2\times4!=144$

(ⅰ), (ⅱ)에서 구하는 경우의 수는 $720-144=576$

답 576

418

자음은 T, S, D, Y의 4개이고, 모음은 U, E, A의 3개이므로 그림과 같이 자음 4개를 한 줄로 나열하고 그 사이사이에 모음 3개를 넣으면 된다.

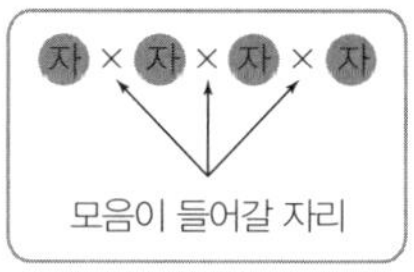

따라서 구하는 경우의 수는 $4!\times3!=144$ **답** 144

420

(1) o와 c를 제외한 나머지 5개의 문자를 가운데에 끼우면 되므로 구하는 경우의 수는

$5!=120$

(2) [1단계] o와 m을 제외한 나머지 5개의 문자 중 3개를 o와 m 사이에 끼우는 경우의 수는

$_5P_3=60$

[2단계] o□□□m을 한 묶음으로 생각하여

o□□□m , □, □

3묶음을 일렬로 나열하는 경우의 수는

$3!=6$

[3단계] o와 m이 서로 자리를 바꾸는 경우의 수는

$2!=2$

[4단계] 곱의 법칙에 의해 구하는 경우의 수는

$60\times6\times2=720$

답 (1) 120 (2) 720

422

k, o, r, e, a를 사전에 배열된 순서로 나열하면

a, e, k, o, r

a로 시작하는 단어의 개수는 $4!=24$

e로 시작하는 단어의 개수는 $4!=24$

ka로 시작하는 단어의 개수는 $3!=6$

kea로 시작하는 단어의 개수는 $2!=2$

이때 $24+24+6+2=56$이므로 57번째 단어는 keoar, 58번째 단어는 keora이다. 답 58번째

424

□□□의 꼴 ➡ 맨 앞자리에 0이 올 수 없음에 유의한다.

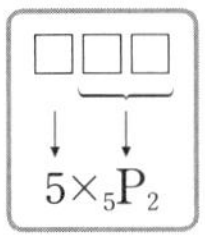

[1단계] 맨 앞자리에 올 수 있는 숫자는 0을 제외한 1, 2, 3, 4, 5로 5가지이다.

[2단계] 나머지 5개의 숫자에서 2개를 택하여 뒷부분에 나열하는 경우의 수는 $_5P_2=20$

[3단계] 곱의 법칙에 의해 세 자리의 정수의 개수는 $5\times20=100$ 답 100

426

(ⅰ) 1□□□의 꼴: 1을 제외한 나머지 3개를 뒷부분에 나열하면 되므로 $3!=6$(개)

(ⅱ) 21□□의 꼴: 2, 1을 제외한 나머지 2개를 뒷부분에 나열하면 되므로 $2!=2$(개)

(ⅰ), (ⅱ)에서 합의 법칙에 의해 구하는 정수의 개수는

$6+2=8$ 답 8

428

$f(a)=c, f(b)=d$이고 일대일대응인 함수 f의 개수는 정의역이 $\{c, d, e\}$이고 공역이 $\{a, b, e\}$일 때의 일대일대응인 함수의 개수와 같다. 따라서 a, b, e를 일렬로 나열하는 경우의 수와 같으므로

$3!=6$ 답 6

429

$_nP_3=3{}_nP_2+21{}_nP_1$에서

$n(n-1)(n-2)=3n(n-1)+21n$

그런데 $_nP_3$에서 $n\geq3$이므로 양변을 n으로 나누면

$(n-1)(n-2)=3(n-1)+21$

$n^2-3n+2=3n+18,\ n^2-6n-16=0$

$(n-8)(n+2)=0 \quad \therefore n=8\ (\because n\geq3)$ 답 ①

430

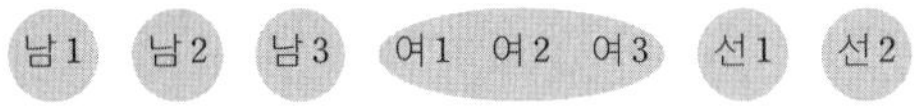

[1단계] 여학생 3명을 한 묶음으로 보면 총 6묶음

6묶음을 일렬로 세우는 경우의 수는 $6!=720$

[2단계] 묶음 안의 여학생 3명을 일렬로 세우는 경우의 수는 $3!=6$

[3단계] 곱의 법칙에 의해 구하는 경우의 수는

$720\times6=4320$ 답 4320

431

[1단계] 먼저 남자 5명을 일렬로 세우는 경우의 수는

$5!=120$

이들의 양 끝이나 사이사이에 여자를 끼워 세우면 되므로

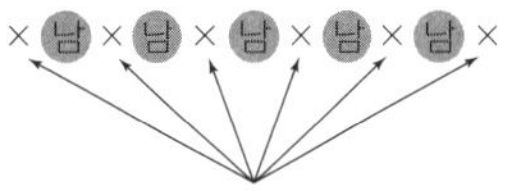

여자 4명이 끼어 들어갈 자리

[2단계] 6개의 자리 중 4개의 자리를 택하여 여자를 끼워 세우는 경우의 수는 $_6P_4=360$

[3단계] 곱의 법칙에 의해 구하는 경우의 수는

$120\times360=43200$ 답 43200

432

'적어도 한쪽 끝에 모음'의 반대는 '양 끝이 모두 자음'이다. 따라서 전체 경우의 수에서 양 끝이 모두 자음인 경우의 수를 뺀다.

(ⅰ) 6개의 문자를 일렬로 나열하는 경우의 수는

$6!=720$

(ⅱ) 자음은 n, m, b, r로 4가지가 있으므로 양 끝에 모두 자음이 오는 경우의 수는

$_4P_2\times4!=288$

(ⅰ), (ⅱ)에서 구하는 경우의 수는 $720-288=432$

답 432

433

(ⅰ) ㉾남㉾남㉾남㉾남㉾남으로 세울 때 여자 자리에 여자 5명을 일렬로 세우는 경우의 수는 $5!=120$이고, 남자 자리에 남자 5명을 일렬로 세우는 경우의 수는 $5!=120$이므로

$120\times120=14400$

(ii) 남 ⓨ 남 ⓨ 남 ⓨ 남 ⓨ 남 ⓨ로 세울 때 남자 자리에 남자 5명을 일렬로 세우는 경우의 수는 $5!=120$이고, 여자 자리에 여자 5명을 일렬로 세우는 경우의 수는 $5!=120$이므로

$120\times120=14400$

(i), (ii)에서 구하는 경우의 수는

$14400+14400=28800$ **답** 28800

434

[1단계] t와 a를 제외한 나머지 6개의 문자 중 2개를 t와 a 사이에 끼우는 경우의 수는

$_6P_2=30$

[2단계] t□□a를 한 묶음으로 생각하여 (t□□a, □, □, □, □)

5묶음을 일렬로 나열하는 경우의 수는 $5!=120$

[3단계] t와 a가 서로 자리를 바꾸는 경우의 수는

$2!=2$

[4단계] 곱의 법칙에 의해 구하는 경우의 수는

$30\times120\times2=7200$ **답** 7200

435

34000보다 큰 정수는 5□□□□의 꼴, 4□□□□의 꼴, 35□□□의 꼴, 34□□□의 꼴이다.

(i) 5□□□□의 꼴: 5를 제외한 나머지 4개를 뒷부분에 나열하면 되므로 $4!=24$(개)

(ii) 4□□□□의 꼴: 4를 제외한 나머지 4개를 뒷부분에 나열하면 되므로 $4!=24$(개)

(iii) 35□□□의 꼴: 3, 5를 제외한 나머지 3개를 뒷부분에 나열하면 되므로 $3!=6$(개)

(iv) 34□□□의 꼴: 3, 4를 제외한 나머지 3개를 뒷부분에 나열하면 되므로 $3!=6$(개)

이상에서 구하는 정수의 개수는

$24+24+6+6=60$ **답** 60

437

(1) $_{10}C_1=10$

(2) $_6C_2=\frac{_6P_2}{2!}=\frac{6\times5}{2\times1}=15$

(3) $_{50}C_{49}={}_{50}C_1=50$

(4) $_{15}C_{12}={}_{15}C_3=\frac{_{15}P_3}{3!}=\frac{15\times14\times13}{3\times2\times1}=455$

답 (1) 10 (2) 15 (3) 50 (4) 455

439

(1) $_7C_r={}_7C_{7-r}$이므로

$7-r=r-3$ $\therefore r=5$

(2) $_nC_4={}_nC_{n-4}$이므로

$n-4=6$ $\therefore n=10$

(3) $_nC_2=10$에서 $\frac{n(n-1)}{2\times1}=10$

$n(n-1)=5\times4$ $\therefore n=5$

(4) $n(n-1)(n-2)=2\times\frac{n(n-1)}{2\times1}+n(n-1)$

그런데 $n\geq3$이므로 양변을 $n(n-1)$로 나누면

$n-2=1+1$ $\therefore n=4$

답 (1) $r=5$ (2) $n=10$ (3) $n=5$ (4) $n=4$

441

(1) 구하는 경우의 수는 5명에서 2명을 택하는 순열의 수이므로 $_5P_2=5\times4=20$

(2) 구하는 경우의 수는 5명에서 2명을 택하는 조합의 수이므로 $_5C_2=\frac{5\times4}{2\times1}=10$

답 (1) 20 (2) 10

443

(1) 검은 공 7개 중에서 2개를 뽑는 경우의 수는

$_7C_2=21$

흰 공 5개 중에서 2개를 뽑는 경우의 수는

$_5C_2=10$

따라서 구하는 경우의 수는

$21\times10=210$

(2) 검은 공 7개 중에서 4개를 뽑는 경우의 수는

$_7C_4={}_7C_3=35$

흰 공 5개 중에서 4개를 뽑는 경우의 수는

$_5C_4={}_5C_1=5$

따라서 구하는 경우의 수는 $35+5=40$

답 (1) 210 (2) 40

445

(1) 빨강과 노랑 2가지 색을 미리 뽑아 놓고 나머지 5가지 색에서 2가지를 뽑으면 되므로 $_5C_2=10$

(2) 빨강과 노랑 2가지 색을 제외한 나머지 5가지 색에서 4가지 색을 뽑으면 되므로

$_5C_4={}_5C_1=5$ **답** (1) 10 (2) 5

447

(1) 전체 9권 중에서 3권을 뽑는 경우의 수는

$_9C_3=84$

소설책 4권 중에서 3권을 뽑는 경우의 수는

$_4C_3=4$

따라서 구하는 경우의 수는

$84-4=80$

(2) 전체 9권 중에서 3권을 뽑는 경우의 수는

$_9C_3=84$

시집 5권 중에서 3권을 뽑는 경우의 수는

$_5C_3=10$

소설책 4권 중에서 3권을 뽑는 경우의 수는

$_4C_3=4$

따라서 구하는 경우의 수는

$84-(10+4)=70$

답 (1) 80 (2) 70

449

(ⅰ) 뽑는 단계 ➡ 국어책 5권 중에서 2권, 수학책 5권 중에서 3권을 뽑는 경우의 수는

$_5C_2\times{}_5C_3=10\times10=100$

(ⅱ) 나열 단계 ➡ 뽑은 5권을 일렬로 꽂는 경우의 수는 $5!=120$

(ⅰ), (ⅱ)에서 구하는 경우의 수는

$100\times120=12000$

답 12000

451

1, 2, 3, 4, 5의 5개 숫자 중에서 서로 다른 3개의 숫자를 뽑아 만들 수 있는 자연수 중 일의 자릿수보다 십의 자릿수가 크고 십의 자릿수보다 백의 자릿수가 큰 자연수는 1가지 밖에 없다.

따라서 구하는 자연수의 개수는

$_5C_3=10$

답 10

453

(1) 9개의 점 중에서 2개를 택하는 조합의 수는

$_9C_2=36$

일직선 위에 있는 4개의 점 중에서 2개를 택하는 조합의 수는 $_4C_2=6$

따라서 구하는 직선의 개수는

$36-3\times6+3=21$

(2) 9개의 점 중에서 3개를 택하는 조합의 수는

$_9C_3=84$

일직선 위에 있는 4개의 점 중에서 3개를 택하는 조합의 수는

$_4C_3={}_4C_1=4$

따라서 구하는 삼각형의 개수는

$84-3\times4=72$

답 (1) 21 (2) 72

455

n개의 꼭짓점 중에서 2개를 택하는 조합의 수에서 변의 개수인 n을 뺀 값이 27이므로

$_nC_2-n=27$, $\dfrac{n(n-1)}{2\times1}-n=27$

$n^2-3n-54=0$, $(n+6)(n-9)=0$

이때 $n\geq3$이므로

$n+6\neq0$ $\therefore n=9$

따라서 볼록 n각형의 꼭짓점의 개수는 9이다.

답 9

457

가로선 2개와 세로선 2개를 뽑으면 직사각형이고, 여기서 정사각형 개수를 빼면 되므로 구하는 직사각형의 개수는

$({}_4C_2\times{}_4C_2)-(9+4+1)=22$

답 22

459

5송이에서 1송이를 뽑고, 나머지 4송이에서 2송이를 뽑고, 나머지 2송이에서 2송이를 뽑는다.

이때 2개의 꽃다발의 꽃의 수가 같으므로 $2!$로 나누어 준다.

$\therefore {}_5C_1\times{}_4C_2\times{}_2C_2\times\dfrac{1}{2!}$

$=5\times6\times1\times\dfrac{1}{2}=15$

답 15

461

(ⅰ) 부모를 3명인 조에 배정하는 경우

나머지 8명을 1명, 3명, 4명으로 나누는 경우의 수는

$_8C_1\times{}_7C_3\times{}_4C_4=280$

(ⅱ) 부모를 4명인 조에 배정하는 경우

나머지 8명을 3명, 3명, 2명으로 나누는 경우의 수는

$_8C_3\times{}_5C_3\times{}_2C_2\times\dfrac{1}{2!}=280$

(ⅰ), (ⅱ)에서 구하는 경우의 수는

$280+280=560$

답 560

463

7명을 4명, 3명으로 분할하는 방법의 수는

${}_7C_4 \times {}_3C_3 = 35 \times 1 = 35$

4명을 2명, 2명으로 분할하는 방법의 수는

${}_4C_2 \times {}_2C_2 \times \frac{1}{2!} = 6 \times 1 \times \frac{1}{2} = 3$

3명을 2명, 1명으로 분할하는 방법의 수는

${}_3C_2 \times {}_1C_1 = 3 \times 1 = 3$

따라서 구하는 방법의 수는

$35 \times 3 \times 3 = 315$ 답 315

465

관광객을 2명씩 4개의 조로 분할하여 4곳의 호텔에 투숙 시키는데 이때 4개의 조의 사람 수가 모두 같으므로

$\left({}_8C_2 \times {}_6C_2 \times {}_4C_2 \times {}_2C_2 \times \frac{1}{4!}\right) \times 4!$

$= \left(28 \times 15 \times 6 \times 1 \times \frac{1}{24}\right) \times 24$

$= 2520$ 답 2520

466

${}_nP_2 + 4{}_nC_3 = {}_nP_3$에서

$n(n-1) + 4 \cdot \frac{n(n-1)(n-2)}{3 \cdot 2 \cdot 1} = n(n-1)(n-2)$

그런데 $n \geq 3$이므로 양변을 $n(n-1)$로 나누면

$1 + \frac{2(n-2)}{3} = n-2, \ \frac{2(n-2)}{3} = n-3$

$2n - 4 = 3n - 9 \qquad \therefore n = 5$ 답 5

467

모임에 참석한 회원 수를 n이라 하면 악수한 총 횟수는 n명 중에서 2명을 택하는 조합의 수와 같으므로

${}_nC_2 = 120, \ \frac{n(n-1)}{2} = 120$

$n(n-1) = 240 = 16 \times 15$

$\therefore n = 16$

따라서 구하는 회원 수는 16이다. 답 16

468

전체 8명 중에서 3명을 뽑는 경우의 수는

${}_8C_3 = 56$

남자 5명 중에서 3명을 뽑는 경우의 수는

${}_5C_3 = 10$

따라서 구하는 경우의 수는

$56 - 10 = 46$ 답 46

469

A, B를 미리 뽑아 놓고 나머지 6명 중에서 2명을 뽑는 경우의 수는 ${}_6C_2 = 15$

뽑은 4명을 A, B가 이웃하도록 일렬로 세우는 경우의 수는 $3! \times 2! = 6 \times 2 = 12$

(A, B를 한 묶음으로 생각하여 일렬로 세운 후 A, B를 자리바꿈한다.)

따라서 구하는 경우의 수는

$15 \times 12 = 180$ 답 180

470

$f(a) < f(b) < f(c)$이므로 집합 Y의 원소 1, 2, 3, 4, 5, 6, 7 중 3개를 뽑아 크기가 작은 것부터 차례로 $f(a), f(b), f(c)$에 대응시키면 된다.

따라서 구하는 함수의 개수는

${}_7C_3 = 35$ 답 35

471

8개의 점 중에서 2개를 택하는 조합의 수는 ${}_8C_2 = 28$

위쪽 직선 위의 3개의 점 중에서 2개를 택하는 조합의 수는 ${}_3C_2 = 3$

아래쪽 직선 위의 5개의 점 중에서 2개를 택하는 조합의 수는 ${}_5C_2 = 10$

따라서 구하는 직선의 개수는

$28 - 3 + 1 - 10 + 1 = 17$ 답 17

> 다른 풀이

두 평행선에서 각각 점을 하나씩 택하여 연결하면 한 개의 직선을 만들 수 있으므로 ${}_3C_1 \times {}_5C_1 = 3 \times 5 = 15$

주어진 평행선 2개를 포함하면 구하는 직선의 개수는

$15 + 2 = 17$

472

7개의 점 중에서 4개를 택하는 조합의 수는 ${}_7C_4 = 35$

4개의 점을 택하여 사각형을 만들 수 없는 경우의 수는 다음과 같다.

(ⅰ) 일직선 위에 있는 4개의 점을 택하는 경우

${}_4C_4 = 1$

(ⅱ) 일직선 위에 있는 3개의 점과 일직선 위에 있지 않은 한 개의 점을 택하는 경우

${}_4C_3 \times 3 = 12$

(ⅰ), (ⅱ)에서 구하는 사각형의 개수는

$35 - (1 + 12) = 22$ 답 22

473

8명에서 4명을 뽑고, 나머지 4명에서 4명을 뽑는다.

이때 2개의 조의 사람 수가 같으므로 2!로 나누어 준다.

$_8C_4 \times {_4C_4} \times \frac{1}{2!} = 70 \times 1 \times \frac{1}{2} = 35$ **답** 35

474

주어진 조건에 따라 차량이 빠져나오는 순서를 정하는 방법은 다음과 같다.

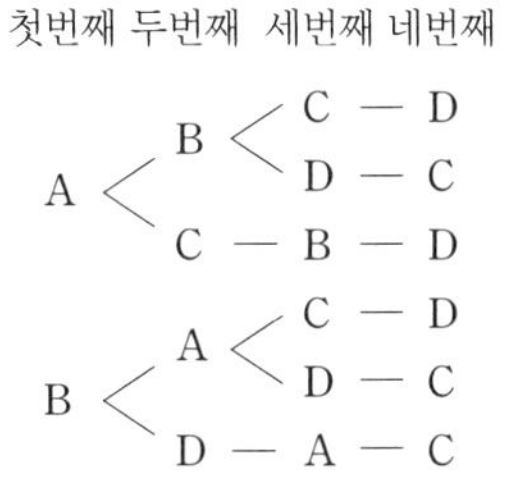

따라서 구하는 경우의 수는 6이다. **답** ②

475

$(a+b+c)(p+q+r)$의 전개식의 항의 개수는

$3 \times 3 = 9$

$(a+b)(s+t)$의 전개식의 항의 개수는 $2 \times 2 = 4$

따라서 구하는 항의 개수는 $9+4=13$ **답** ⑤

476

(ⅰ) A → B로 가는 방법의 수는 3

(ⅱ) B → C로 가는 방법의 수는 4

(ⅲ) C → B로 가는 방법의 수는 4

(ⅳ) B → A로 가는 방법의 수는 2

이상에서 구하는 방법의 수는

$3 \times 4 \times 4 \times 2 = 96$ **답** ⑤

477

(1) $_nP_3 = 8 \cdot {_{n-1}P_2}$에서

$n(n-1)(n-2) = 8(n-1)(n-2)$

$n \geq 3$이므로 양변을 $(n-1)(n-2)$로 나누면

$n=8$

(2) $_{2n}P_2 + {_nP_2} - 68 = 0$에서

$2n(2n-1) + n(n-1) - 68 = 0$

$4n^2 - 2n + n^2 - n - 68 = 0$

$5n^2 - 3n - 68 = 0$, $(5n+17)(n-4) = 0$

$\therefore n=4$ ($\because n \geq 2$)

(3) $_nP_4 : {_{n+1}P_3} = 5 : 2$에서

$2 \cdot {_nP_4} = 5 \cdot {_{n+1}P_3}$

$2n(n-1)(n-2)(n-3) = 5(n+1)n(n-1)$

$n \geq 4$이므로 양변을 $n(n-1)$로 나누면

$2(n-2)(n-3) = 5(n+1)$

$2n^2 - 15n + 7 = 0$

$(2n-1)(n-7) = 0$

$\therefore n=7$ ($\because n$은 자연수)

답 (1) 8 (2) 4 (3) 7

478

a, b, c로 시작하는 단어의 개수는 각각 4!이므로 모두

$4! \times 3 = 72$

따라서 75번째에 위치한 단어는 d로 시작하는 단어 중 3번째에 있다.

dabce, dabec, dacbe, ⋯

따라서 구하는 단어는 dacbe이다. **답** ③

479

3명의 응시생이 앉고 남은 빈 의자 4개는 서로 이웃해도 된다.

그러므로 빈 의자 4개를 먼저 배열한 후 학생이 앉을 3개의 의자를 빈 의자 사이사이 또는 양 끝에 배열하면 된다.

따라서 5개의 자리 중 3개의 자리를 택하여 배열하는 경우의 수는

$_5P_3 = 60$ **답** ⑤

480

남자와 여자를 각각 적어도 2명을 뽑는 경우는 다음과 같이 두 가지로 나누어 생각할 수 있다.

(ⅰ) 남자 2명, 여자 3명을 뽑는 경우의 수는

$_8C_2 \times {_8C_3} = 28 \times 56 = 1568$

(ⅱ) 남자 3명, 여자 2명을 뽑는 경우의 수는

$_8C_3 \times {_8C_2} = 56 \times 28 = 1568$

(ⅰ), (ⅱ)에서 구하는 경우의 수는

$1568 + 1568 = 3136$ **답** 3136

481

여섯 명의 회원 중에서 자신의 우산을 돌려받을 세 사람을 선택하는 경우의 수는

$_6C_3 = 20$

나머지 세 사람 A, B, C가 자신의 우산 a, b, c를 받지 못하는 경우는 그림과 같다.

A	B	C
b —	c —	a
c —	a —	b

따라서 구하는 경우의 수는

$20\times2=40$

답 40

482

이차방정식 $x^2+2ax+b=0$의 판별식을 D라 하면 허근을 가지므로 $\frac{D}{4}=a^2-b<0$이 성립해야 한다.

$a^2<b$를 만족시키는 순서쌍 (a, b)를 구하면

$a=1$일 때, b는 2, 3, 4, $\cdots$, 10으로 9가지

$a=2$일 때, b는 5, 6, 7, 8, 9, 10으로 6가지

$a=3$일 때, b는 10으로 1가지

따라서 구하는 경우의 수는

$9+6+1=16$

답 16

483

좌표평면 위의 두 직선이 만나지 않는 경우는 평행할 때뿐이다. 즉, 두 직선의 기울기는 같고 y절편은 달라야 한다.

(ⅰ) 기울기가 같기 위해서는 $a=c$이면 되므로
순서쌍 (a, c)는 $(1, 1)$, $(2, 2)$, $(3, 3)$, $(4, 4)$로 4가지

(ⅱ) y절편이 다르기 위해서는 $b\neq d$이면 되므로
순서쌍 (b, d)는 전체의 경우에서
$b=d$인 경우의 수를 빼 주면 되므로
$4\times4-4=12$

(ⅰ), (ⅱ)에서 구하는 경우의 수는

$4\times12=48$

답 48

484

1부터 999까지의 자연수는 다음과 같이 0을 사용하여 모두 세 자리로 나타낼 수 있다.

$1\rightarrow001$, $98\rightarrow098$, $327\rightarrow327$

이때 말하여야 하는 수는 3, 6, 9 를 제외한 7가지 수로 이루어져 있고, 그중 000은 제외되므로 그 개수는

$7\times7\times7-1=342$

따라서 말하지 않아야 하는 수의 개수는

$999-342=657$

답 657

485

a는 5명의 남자 중에서 2명, 5명의 여자 중에서 2명을 선발하는 경우의 수이므로

${}_5C_2\times{}_5C_2=10\times10=100$

b는 10명 중 4명을 선발하되 4명 모두 남자를 선발하는 경우의 수를 빼면 되므로

${}_{10}C_4-{}_5C_4=210-5=205$

c는 10명 중 특정한 2명을 제외한 8명 중 2명을 선발하는 경우의 수이므로 ${}_8C_2=28$

$\therefore c<a<b$

답 ⑤

486

(ⅰ) 가로 방향의 선분 4개 중에서 2개, 세로 방향의 선분 6개 중에서 2개를 선택하면 하나의 직사각형이 결정되므로 직사각형의 개수는
${}_4C_2\times{}_6C_2=6\times15=90$

(ⅱ) 가장 가까운 두 평행선의 간격의 길이를 1이라 할 때, 한 변의 길이가 1, 2, 3인 정사각형의 개수는 각각 15, 8, 3이므로 정사각형의 총 개수는
$15+8+3=26$

(ⅰ), (ⅱ)에서 정사각형이 아닌 직사각형의 개수는

$90-26=64$

답 64

487

한 조에 최소 2명, 최대 4명이므로 8명을 3개의 조로 나누는 방법은 $(4, 2, 2)$ 또는 $(3, 3, 2)$뿐이다.

따라서 구하는 경우의 수는

${}_8C_4\times{}_4C_2\times{}_2C_2\times\frac{1}{2!}\times3!+{}_8C_3\times{}_5C_3\times{}_2C_2\times\frac{1}{2!}\times3!$

$=1260+1680=2940$

답 ③

488

(ⅰ) 4개국이 있는 두 대륙을 여행하는 경우의 수는
$2\times{}_4C_3\times{}_4C_2=48$

(ⅱ) 4개국이 있는 대륙과 3개국이 있는 대륙을 여행하는 경우의 수는 4개국이 있는 대륙을 먼저 여행하는 경우와 3개국이 있는 대륙을 먼저 여행하는 경우로 나누어 생각하면
$4\times({}_4C_3\times{}_3C_2+{}_3C_3\times{}_4C_2)=72$

(ⅲ) 3개국이 있는 두 대륙을 여행하는 경우
$2\times{}_3C_3\times{}_3C_2=6$

이상에서 구하는 경우의 수는

$48+72+6=126$

답 126

지학사

*연간 장학생 40명 기준

풍산자
장학생 선발

지학사에서는 학생 여러분의 꿈을 응원하기 위해
2007년부터 매년 풍산자 장학생을 선발하고 있습니다.
풍산자로 공부한 학생이라면 누.구.나 도전해 보세요.

총 장학금
1,200만 원

선발 대상

풍산자 수학 시리즈로 공부한 전국의 중·고등학생 중 성적 향상 및 우수자

조금만 노력하면 누구나 지원 가능!

성적 향상 장학생(10명)

중학 | 수학 점수가 10점 이상 향상된 학생
고등 | 수학 내신 성적이 한 등급 이상 향상된 학생

수학 성적이 잘 나왔다면?

성적 우수 장학생(10명)

중학 | 수학 점수가 90점 이상인 학생
고등 | 수학 내신 성적이 2등급 이상인 학생

혜택

장학금 30만원 및 장학 증서
*장학금 및 장학 증서는 각 학교로 전달합니다.

신청자 전원 '풍산자 시리즈' 교재 중 1권 제공

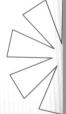

모집 일정

매년 2월, 8월(총 2회)
*공식 홈페이지 및 SNS를 통해 소식을 받으실 수 있습니다.

풍산자 서포터즈

풍산자 시리즈로 공부하고 싶은 학생들 모두 주목!
매년 2월과 8월에 서포터즈를 모집합니다.
리뷰 작성 및 SNS 홍보 활동을 통해 공부 실력 향상은 물론,
문화 상품권과 미션 선물을 받을 수 있어요!

자세한 내용은 풍산자 홈페이지(www.pungsanja.com)를 통해 확인해 주세요.

장학 수기)

"풍산자와 기적의 상승곡선 5 ⇒ 1등급!" _이○원(해송고)
"수학 A로 가는 모험의 필수 아이템!" _김○은(지도중)
"수학 66점에서 100점으로 향상하다!" _구○경(한영중)

장학 수기
더 보러 가기